# Beating the Street

# 彼得林區征服股海

彼得・林區 Peter Lynch、
約翰・羅斯查得 John Rothchild——著
陳重亨、郭淑娟——譯

# Contents

# 自序

1990年5月31日，我正式離開「富達麥哲倫基金」（Fidelity Magellan Fund）。到那一天，我接掌麥哲倫剛好十三年。當時美國總統是吉米．卡特（Jimmy Carter），他曾對《花花公子》雜誌自承，心裡對女人還是充滿了情欲。我也一樣是春潮欲滿，不過是對股票情有獨鍾。在麥哲倫的十三年中，我替客戶操作過的股票超過15,000支，很多股票甚至不只買過一次。難怪人家以為，沒有哪支股票是我討厭的。

離開麥哲倫是很突然，但也非一夕之間突發奇想。八〇年代中期，道瓊指數衝破2,000大關，我也突破43歲關卡，這時還要緊盯千百支股票，真的是代價不菲。雖然我很喜歡管理一個和厄瓜多的國民生產毛額一樣大的基金，但是我也錯過陪伴孩子的樂趣。小孩子長得可真快，幾乎每週都要讓他們自我介紹才認得。我實在花太多時間在工作上，比和他們相處的還多。

當你開始把家人名字與Fannie Mae（房利美）、Freddie Mac（房地美）、Sallie Mae（沙利美）搞混；記得2,000支股票的簡碼代號，卻記不住孩子生日時，對工作未免陷得太深啦！

1989年股票行情挺順的，1987年的股災已成過去，我老婆卡洛琳和瑪麗、安妮、貝絲三個女兒為我慶祝46歲生日。慶生會上我忽然想到：先父就是享壽46。當你的年紀超過父母壽命時，就開始感受到死亡的陰影。不管往後還能活多久，都有餘日無多的感覺。這時只希望能看更多戲、滑更多雪、踢更多足球。誰會在臨死前感慨說：「但願我能多花點時間在工作上。」

我試著說服自己，孩子大了就不用太費心。但事實正好相反。小孩兩歲剛會走路時，成日橫衝直撞，父母當然得隨侍在後收拾殘局。但是應付小鬼還好，真正耗時費神的是青少年的孩子，陪他們做西班牙文功課，和那些早就忘光的數學習題，去網球場、購物中心要接要送，有煩惱還得咱們加油打氣，這些可都不輕鬆。

每到週末，為了拉攏小孩，瞭解青少年想些什麼，只好跟著他們聽音樂，生吞硬背搖滾樂團名字，陪他們去看根本沒興趣的電影。這些事我都做過，只是不常。我週六幾乎都在加班，工作堆得跟喜馬拉雅山一樣高。偶爾帶孩子看電影、吃披薩，還是滿腦子股票。正是因為帶他們去玩，我才知道披薩時光戲院（Pizza Time Theater）——真希望從沒有買過這支爛股；還有奇奇餐廳（Chi-Chi's）——沒買真讓人扼腕。

到了1990年，瑪麗、安妮、貝絲分別是15歲、11歲和7歲。瑪麗就讀寄宿學校，兩週回家一趟。那年秋天，她參加七場足球賽，我只看到一場；同年，我們家的聖誕卡晚了三個月才寄出去；而我們為孩子做的剪貼簿，集了一堆卻沒空貼！

我當時自願參加一些慈善機構和民間團體，所以平常晚上若不加班，可能就去參加這些機構團體的會議。通常我負責投資事務，為慈善、公益目的選股票，是再好不過的事，但是公益活動需要更多投入，麥哲倫基金讓我愈來愈忙，女兒功課更艱深，需要的接送也愈頻繁。

那段期間忙得晚上睡覺都夢到客戶，可是和老婆的浪漫時刻，竟只剩在自家車道巧遇；每年一次健康檢查時向醫生自首，唯一的運動是用牙線剔牙；18個月來沒讀過一本書，兩年來只看了三齣戲：《漂泊荷蘭人》、《波希米亞人》和《浮士德》，足球賽一場也沒看。所以我歸納出彼得定理第1條：

> 當你看歌劇的場數以三比零領先足球賽時，生活大概哪兒不對勁啦！

1990年中，我終於明白該離職了。我記得麥哲倫本人也是早早就退休，搬到太平洋偏遠小島。雖然他的悲慘遭遇讓我稍有猶豫（他被當地土人撕成碎片）。為了避免被生氣的股東大卸八塊，我和富達的老闆強森（Ned Johnson）以及交易部主管柏克黑（Gary Burkhead），一起討論如何順利卸任。

我們坦誠而友善地溝通。強森要我繼續待在富達，統管所有富達證券基金，自己只操作一個小型基金，例如只有1億美元，這和我正在管理的120億美元相比，是輕鬆很多了。但是對我而言，儘管基金規模少掉幾位數，新基金所需耗費的心力，和經營麥哲倫基金沒兩樣——到時週六又得加班。因此我婉拒強森的好意。

大多數人都不知道，我當時還替柯達、福特和伊頓（Eaton）等大企業管理10億美元的員工退休基金；其中柯達比重最大。操作退休基金比麥哲倫更順手，因為投資限制較少，例如退休基金在個股投資比重上可以超過5%，但是共同基金就不行。

柯達、福特和伊頓公司也希望我繼續操作，不管我是否會離開麥哲倫，但我沒接受他們的好意。另外有人慫恿我自立門戶，搞個封閉型基金，就在紐約證交所掛牌交易。那些人告訴我，隨便幾個地方宣揚一下，就能募到幾十億美元。

從基金經理人觀點來看，封閉型基金最吸引人的地方，就是不管玩得多爛，都不怕贖回賣壓。因為封閉型基金是在證交所買賣，就像默克（Merck）、拍立得（Polaroid），或任何一種股票一樣；想賣掉封閉型基金，市場上就得找到相對買家才行，所以流通憑證數額永遠不會縮水。

但麥哲倫這種開放型基金可不同了。基金持有人要求贖回，基金公司必須依憑證淨值等額付現，而基金規模則相對減少。如果開放型基金操作不佳，投資人紛紛棄船，把錢轉到別的基金或貨幣市場時，基金縮水得很快。這就是為什麼開放型基金的經理人晚上睡覺，通常不像封閉型的基金經理人那麼安穩。

一個20億美元，在紐約證交所掛牌的林區基金，就像一家20億股本的公司（除非我犯了一連串重大錯誤，賠光所有的錢），每年穩拿0.75的管理費（1,500萬美元）。

就金錢上而言，這個提議相當吸引人。雇些助理來選股，上班時間可以減到最低，平時打打高爾夫，多陪陪老婆孩子，還可以去看球賽和歌劇。不管操作績效比大盤好或壞，豐厚酬勞照拿。

但還是有兩個問題。第一，我想超越大盤的企圖心，遠遠超過落後大盤的忍受力；第二，我認為基金經理人應該自己選股票。於是一切又回到原點，週六待在林區基金辦公室，在成堆年報中上窮碧落下黃泉，儘管賺進大把鈔票，卻和過去一樣無福消受。

有錢人會慶幸自己放棄賺更多錢的機會嗎？對此我深感懷疑。能對大筆財富說不，的確是凡人難以想像的奢侈。可是你若有幸像我一般腰纏萬貫，就得決定是要做個金錢奴隸，一輩子只知聚斂搜括直到老死，還是懂得運用支配辛勤累積的財富。

俄國文豪托爾斯泰寫過一則貪心農夫的故事。有個妖怪對農夫說，一天內只要用腳踏過繞一圈，那些土地都是他的。貪心農夫拚命跑了幾小時，得到幾平方英里的土地，一輩子都種不完，傳子傳孫也夠吃好幾代。這個可憐蟲汗流浹背，氣喘噓噓。他想停下來——地夠大了，幹嘛再跑？但就是停不下來，只想抓緊機會多要點，最後精疲力竭而死。

這就是我不想要的結局！

# 平裝版序言

本書精裝本出版後，各界熱烈回響，有些來自媒體，有些則是讀者在深夜電台談話節目的叩應。現在趁著推出平裝本，讓我有機會稍做回覆。

在精裝本中，有些觀點是我一再強調，可惜書評家似乎沒注意到；有些地方，我意不在此，卻讓各方有所誤解。所以我很高興能在此釐清。

首先我要澄清的誤解，是以為敝人在投資方面多麼了不起，認為像我這種貝比．魯斯（美國棒壇的全壘打傳奇人物）級的職業明星，怎麼可能對少棒聯盟出餿主意，讓投資大眾以為他們能加入職業明星隊。感謝各方抬愛，不過，說我是貝比．魯斯，實在太誇張了。在下打棒球老被三振，不然就是滾地球被封殺出局。而且，我一向認為少棒球員，也就是投資大眾，絕對不需要仿效大聯盟的職業球星。

我要說的是，儘管同在股市中投資，一般投資大眾跟專業的共同基金或退休基金經理人，其實是在不同的球場打球。許多專業經理人恨得牙癢癢的法規限制，一般投資人都可以不用管。身為普通投資人，閣下只須利用空閒時間，針對少數幾支股票加以研究，在適當時機進出即可。萬一找不到股票好買，你大可抱著現金等機會。閣下操作績效也不用跟鄰居比，你不會印出每季成績，在附近雜貨店張貼吧？可是專業經理人事關飯碗，就一定要和同業爭個高下。

一般投資人單為一己操作，不像專業經理人背負許多包袱。由萬餘個股友社組成的美國投資人協會（NAIC），即證明散戶自有一片天。根據NAIC資料，1992年各地股友社中，有69.4%操作績效優於S&P 500指數漲幅。而且其中半數以上，在過去五年中，有四年勝過S&P 500指數。散戶若能充分利用其業餘優勢，似乎更善於選股。

如果閣下在股票投資方面已相當成功，也許就是因為能善用業餘優勢。你利用時間自己研究，在適當時機進場，投資華爾街專家疏忽的黑馬股。各地儲貸機構股票上市後的優異表現，不就證明了閣下也能挾地利之便來賺大錢嗎？

第二個要澄清的是，有人不免以為在下要求每個投資人在買股票前，都要計算機不離手，成天盯著財務報表，調查上市公司才對。其實，我倒以為美國有幾百萬個投資人，不應該貿然進場才是。對調查上市公司沒興趣，一看到資產負債表就頭昏，翻開年報只想看看照片，這豈非想進股市白吃白喝？天下最糟糕的事情，莫過於投資股票，卻不瞭解所買的上市公司。

但是很不幸的，很多股友同胞們還是如此莫明所以地投入股市，這大概是美國最受歡迎的休閒娛樂。讓我們再拿運動打個比方吧！我們如果發現自己不善於打棒球或曲棍球，何不改打高爾夫，也許集郵、蒔花種草，總之不會再成天握著球棒或穿冰鞋。可是碰上了股票就不一樣，很多人明知自己不會做股票，卻還賴著不走。

不善選股的投資人，就認為自己是在「玩股票」，好像真當成兒戲一般。閣下若抱著「玩股票」的心態，只想追求一時的滿足，當然不會下工夫研究。光想尋求刺激、興奮，這個禮拜買一支，下個禮拜又換一支，不然乾脆玩期貨、選擇權更驚險。

有些投資人對自身財產的疏忽程度，簡直讓人難以置信。有人可能花一整個星期，計算自己的航空里程數，要出外旅行時，就拿著地圖研究、規畫，但在股市投資一萬美元，卻閉著眼睛亂買，到底那家公司是啥，也不搞清楚。如此看待股票，其投資歷程自是充滿了艱辛和霉運！

專靠第六感買股票的人，就是在下設定的讀者。他們或許覺得IBM股價該漲了，就貿然買進每股100美元的IBM，聽到誰說某支生化科技股或海上遊輪股「行情正熱」，就一頭栽進去。

對外匯市場沒有透徹研究，也跟著買賣德國馬克期貨，或只是「預感」股市可能會漲，就投資S&P 500指數的買權（call option）。結果在一次又一次的打擊下，當然認為華爾街什麼都不是，只是座公開的大賭場罷了！然而會成為賭場，不就是因為自己抱著玩玩的心態嗎？

第三個需要澄清的誤解是，有人以為我誤導投資人對共同基金的認識。基金界把我養得這麼好，我何忍反噬？對於不能或不願自己研究股票的投資人來說，股票共同基金正是最佳投資管道。投資人靠股票基金，過去獲利情況相當好，我想未來也會是如此。但全世界絕沒有規定，閣下只能在股票和基金之間選擇一個，也沒規定投資基金只能選一家。事實上，共同基金儘管短期時見頓挫，不一定都能擊敗大盤，但長期報酬率還是頗為可觀。也因為短期情況很難估量，所以如果不能熬個幾年，忍受行情起起落落，要投資共同基金還是三思而行。

現在有許多投資人膽量十足，股市突然回檔，甚至像1987年10月的大崩盤，還有不少投資人老神在在，一點也不為所動。對此，我實在忍不住要喝采叫好！在1989年道瓊30種工業股價指數一度下跌200點，1990年再回到500點的兩次大回檔行情中，一般投資大眾也不再是哀哀告饒的待宰羔羊，反而懂得逢低承接，回檔才結束馬上搶進，買進金額比原先拋賣的還多。或許現在大家漸漸知道，空頭市場並非世界末日，只是大自然界偶爾出現的暴風雪罷了。

不過很明顯地，美國投資大眾還有一項事實還沒認清楚，那就是長期而言，投資股票的確比債券或定存單有利。最近我又發現，在敝人服務的富達公司中，投資人所開的退休基金帳戶，只有少數人選擇純股票基金，大部分投資人還是把錢放在貨幣市場基金、債券基金或證券收益基金。這種情況委實令人失望。如果把錢全部投資股票，長期報酬率一定比較高，這有真憑實據，絕非在下胡吹亂蓋。而退休基金帳戶一開就是十年，甚至三十年，用來投資股票最合適不過了！

## 導言

# 跳脫窠臼

退休的基金經理人只夠格提供投資建議，而非精神性靈的說教。但眼見投資大眾仍執迷於債券，才讓我想再說兩句。在拙著《彼得林區選股戰略》（*One Up on Wall Street*，財信出版）中，我已斷然證明：投資股票比債券、定存單或貨幣市場基金都來得有賺頭。不過他們顯然全睡著了，否則美國九成游資怎麼還擺在沒搞頭的投資上呢？

整個1980年代股市表現極佳（僅稍遜1950年代），但民間投資股市的比重反而減少！事實上，美國民間投資股票佔總投資額的比例，這幾十年來一直在減少，從1960年代近40%至1980年的25%，到1990年只剩17%。這段期間道瓊工業股價指數和其他股價指數上漲四倍，卻有許多投資人離開股市。投資股票型共同基金的資金比重，也由1980年的大約70%，銳減為1990年的43%。

這種可能危及個人和國家財富的災難，絕不能再坐視不理。讓我從上本書的結尾接下來說：「若想明天比今天富有，你就得把大部分的財產投入股市。」也許我們會碰上空頭市場，再來兩、三年，甚至五年，股票讓人避之唯恐不及，但是二十世紀從開始到現在，已經歷了多少次空頭市場和景氣衰退，但結果無庸置疑：投資股票或股票共同基金的報酬，終究遠遠超過債券、定存單以及貨幣市場基金。嘿！我又說了一次。

我提出股票至上論以來，所找到最具說服力的證據是：《易卜生（*Ibbotson*）SBBI 1993年鑑》，第1章第17頁，名為「1926-1989年平均投資報酬率」的統計數字，概分為S&P 500種股票（大型績優股）、小型企業股、長期公債、長期公司債、短期國庫券等等（見表I-1）。

假如真是投資天才，1920年代大概會把所有的錢都砸進S&P 500種股票，1929年換為長期公司債，緊緊抱牢度過1930年代，1940年代改持小型股，1950年代再買S&P 500種股票。1960、1970年代回去抱小型股，1980年代又轉戰S&P 500種股票。如果有人能這樣幹，現在想必是億萬富翁，在法國蔚藍海岸悠閒納涼。如果我夠聰明，能預見未來，我也會這麼建議。事後來看，當然再明顯不過了。

不過，我從不曉得有人是這樣致富的，和我們這些才智平庸的凡人相比，那種天才必是鳳毛麟角。債券的投資報酬很少超過股票，所以一般人很難預測什麼時候債券會比股票好。其實過去七十年裡，

**表I-1　平均十年報酬**

| | 1920s* | 1930s | 1940s | 1950s | 1960s | 1970s | 1980s |
|---|---|---|---|---|---|---|---|
| S&P500 | 19.2% | 0.0% | 9.2% | 19.4% | 7.8% | 5.9% | 17.5% |
| 小型股 | -4.5% | 1.4% | 20.7% | 16.9% | 15.5% | 11.5% | 15.8% |
| 長期公債 | 5.0% | 4.9% | 3.2% | -0.1% | 1.4% | 5.5% | 12.6% |
| 長期公司債 | 5.2% | 6.9% | 2.7% | 1.0% | 1.7% | 6.2% | 13.0% |
| 短期國庫券 | -3.7% | 0.6% | 0.4% | 1.9% | 3.9% | 6.3% | 8.9% |
| 通貨膨脹總計 | -1.1% | -2.0% | 5.4% | 2.2% | 2.5% | 7.4% | 5.1% |

*1926至1929年。

資料來源：*Ibbotson SBBI Yearbook, 1993.*

只有1930年代債券當道（1970年代雙方平手），那時候正是股票族低檔承接的好機會。但若只投資股票，勝算還是六比一；比債券強。

此外，債券佔上風那幾年的獲利，也遠遠比不上股票在1940和1960年代的暴漲。表中涵蓋的六十四年中，投資長期公債10萬美元會變成160萬美元，若投資S&P 500種股票，則暴增為2,550萬美元，所以彼得定理第2條是：

偏愛債券的紳士們，不曉得自己到底錯過了什麼！

但美國人還是債券至上。幾百萬投資人本來都能以高於通膨的5%

**圖I-1　股票投資報酬**

到6%幅度擴增資產，結果卻只懂得死抱債券利息，不管夠不夠抵銷通貨膨脹。去買股票啊！如果你只看懂這句話，也值得我寫這本書了！

爭論是要買大型股還是小型股，或者股票共同基金怎麼挑（這些稍後幾章都會談到），全是次要的，真正重點是：不管大型股、小型股還是中型股，買股票就對啦！當然也要能明智選股，或基金、股價回檔整理也不會嚇跑才行。

寫這本書的第二個理由，是想再鼓勵業餘投資人，別放棄選股這種必有斬獲的消遣娛樂。我以前就說過，業餘投資人只要在較熟悉的產業中，花點時間研究幾家企業，操作績效會比95%的基金管理專家還好，而且還樂在其中哩！

許多基金經理人認為我在胡扯「林區的超級大牛皮」，但離開麥哲倫兩年半以來，讓我更相信業餘投資人的確較佔優勢。如果有人不信，我已經舉出幾個證明了。

例如第1章〈聖艾格尼斯學校的奇蹟〉，一群波士頓教區附屬學校七年級學生的兩年投資紀錄，會讓華爾街專家乾瞪眼。

另外，一群業餘投資者也表示，自己多年來的操作都勝過投資專家，這些成功投資人分別屬於上萬個「美國投資人協會」贊助的投資社團，他們每年的報酬率就和聖艾格尼斯學生一樣令人歆羨。

這兩組業餘投資人的共同點是：相對於高薪基金經理那些奇奇怪怪的投資花招，他們的選股方法平實得多，通常也比較有用。

而不論怎樣選擇股票或基金，最後成敗就在於能否沉住氣。決定投資人命運的是能不能忍住撐住，而不是聰明靈光。膽小的投資人不管多聰明，總容易被無情命運刷下來。

每年1月，我們一些投資專家都會參加《巴隆週刊》（*Barron's*）舉辦的座談會，內容再發表於《巴隆週刊》。如果照我們的推薦來買股票，你可能會賺些錢，但若太在意我們對股市和經濟動向的看法，過去七年可能都嚇得不敢進場。第2章講的就是這種「週末憂慮」的陷阱，教你如何避免。

第3章〈基金總覽〉介紹共同基金投資策略。雖然我現在已經退休，但還是在股市中尋找潛力股。不過退休給我一個機會，可以去討論一些人在江湖時不願談的話題，當自己還是基金經理人時，不管說什麼，都有圖利自己或自吹自擂之嫌。現在以既退之身，應可避此嫌疑吧！

最近我幫新英格蘭區某非營利組織（與主題無關，姑隱其名）設計投資組合策略。第一是決定股票和債券的投資比重，再分別擬定投資計畫。這和你家的財務大臣所做的沒兩樣，所以我把它寫出來當參考。

第4、5、6章做個回顧：著墨於管理麥哲倫基金的十三年，和這段期間股市的九次大回檔。這個部分讓我能回想一些往事，探索真正促成我成功的因素。當年我身在其中，但有些事情連我都驚訝莫名。

在此我著重投資方法上的討論，盡量少提當年勇。也許從我幾次勝利和無數錯誤中，有值得借鏡之處。

第7至20章佔了本書一半以上，介紹1992年1月我在《巴隆週刊》上推薦的21支股票。投資理論不是沒談過，但這一次我邊選股邊記錄，根據當時筆記，盡可能全盤托出敝人如何分析選股，以及如何辨識和尋找利多。

我用來說明個人投資方法的21支股票分屬幾個產業（銀行、儲貸機構、景氣循環類股、零售業及公共事業股等），都是投資大眾所喜歡的，由第7到20章剛好每章介紹一個類股。第21章〈半年定期檢查〉說明定期檢閱投資中每一家公司的過程。

其實對於股票投資，我沒啥絕技祕方。買對股票，沒有誰會敲鑼打鼓說你幹得好，而且對某家企業再熟，也不敢肯定買它的股票就會賺錢。不過，如果你清楚零售、銀行或汽車業經營成敗的因素，倒是可以提高勝算。而這些關鍵點，本書都會提到。

本書有不少個人獨創的林區定理，先前你已經領教過兩個了。股市中許多教訓都是我的慘痛經驗換來的，真是代價不菲，不過現在特價售予識貨人（本書後半段介紹的21支股票，在我研究過程中價格不斷波動，例如我開始注意到壹號碼頭時，股價是7.50美元，等《巴隆週刊》刊出時已漲到8美元，所以我提到壹號碼頭時，有時是7.50美元，有時又說是8美元，文中會有幾處出現類似情況）。

# 1 聖艾格尼斯學校的奇蹟

只是投資人個人興趣的業餘選股技術，是一種日漸消失的藝術，就像在糕餅業者的強力競爭下，自己在家烤派做蛋糕的人愈來愈少一樣。基金經理人領高薪管理投資組合，正如莎麗公司（Sara Lee）專業生產蛋糕一樣。這種情況讓我極感遺憾，以前幹基金經理人時，我就很在意這件事，退休後我也算布衣玩票，就令人更不舒服了。

1980年代美國股市正逢大多頭行情，可是這種精於選股的業餘高手卻變得更少，1980年代末期直接進入股市的散戶，反而不如初期。我想這跟金融刊物胡捧一些明星級投資專家有關，其實其中浪得虛名者居多。媒體報導這些人，就像在介紹那些搖滾明星一樣，個個MBA（企管碩士），西裝革履、衣著光鮮，看盤操作還有專屬的即時報價系統，平民百姓、黎民黔首何能望其項背，與之匹敵？

識時務者為俊傑，投資大眾只得輸誠共同基金，誰敢挑戰重量級拳王？但和大盤表現相比，高達75%的共同基金操作並不理想，證明這些經理人其實沒啥了不起。

不過業餘股民之所以一直減少，最主要的應該就是怕賠錢。既感愉快又能成功滿足的事情，有誰不樂為之？君不見嬰兒一個接一個來到世上，全球人口迅速增加嗎？同樣地，有人喜歡收集棒球卡、古董家具、老式魚餌、古郵票和錢幣，這就像有些人喜歡買舊屋，重新裝潢後再高價售出一樣，都是因為這些事情讓人覺得既有趣又有利可圖。所以我認為單打獨鬥的散戶愈來愈少，就是因為賠錢賠怕了。

一個社會之中，通常是由那些事業成功的有錢階級最先投入股市，這些天之驕子在校時名列前茅，進入社會後工作得意。股市正是有成就的人慣常出現的競技場，但一不小心就容易遭遇挫折。如果老愛在期貨和選擇權市場衝浪，隨勢追高殺低，就更容易一敗塗地。逃向共同基金的投資人，許多就是如此不堪累賠。

但這些人就此收山，絕不再親身下海嗎？非也。馬路消息、親友情報網或偶然在報章雜誌上看到什麼，都可能讓他們突發奇想，就貿然入市。現在股市投資中，一種兩極化的現象愈來愈明顯，投資人一邊認真又嚴肅的投資共同基金，同時卻又拿一些錢盲目冒險想撿便宜。這種對金錢的不當認知，讓很多投資人更難認真看待投資，找個營業員開戶隨隨便便就進場，甚至連配偶都被蒙在鼓裡。

沒人把選股當一回事看，如何評估企業，推算獲利成長率等等，這些技巧正如失傳的祖傳祕方，逐漸被人遺忘。另一方面也因為財經、企業基本面資料愈來愈沒人要，券商也樂得清閒不再主動提供。至於那些學有專精的分析師、研究員則忙著拉攏法人，誰有空來教育投資大眾？

但券商的電腦可不閒著，照樣大量蒐集企業資訊，事實上這些寶貴資料都可以轉換為各種形式，給識貨人做為投資參考。大概一年前，富達研究室主任史比蘭（Rick Spillane）曾走訪數家最好的證券商，看看這些券商有哪些基本面資料庫和電腦統計分析報表，這種把個股特徵彙整歸納的分析報表稱為「螢幕」（screen），例如：可以把過去二十年股利持續增加的個股一次列出，讓人一目瞭然。這對想鎖定某類股票的投資人，是非常有用的資訊。

美邦（Smith Barney）證券的人說，該公司蒐羅2,800家上市公司的財務資料，大部分都能提供八到十頁的分析報告。另外，美林證券有十種「螢幕」分析報表，價值線投資調查公司（Value Line Investment Survey）也備有一個「股票價值螢幕」，嘉信理財（Charles Schwab）的「均衡」（the Equalizer）分析資料更令人印象深刻，但這些寶藏卻少有人懂得來挖。美林證券一個經紀人就說，他的客戶中懂得利用螢幕分析報表者，連5%都不到；雷曼證券一經紀人也說，該公司所提供的資料中大概有九成，散戶都不曉得去利用。

以前股市裡散戶比較多，而營業員本身就是很有用的資料庫，這些前輩大都針對某一產業或少數幾家公司深入研究，還能教導投資人進出股票，你也可以說他們是隨時準備出診的華爾街醫生。但投資人卻普遍不相信營業員，調查顯示營業員受歡迎程度，竟然還不及政客、二手車銷售員。此外，老式營業員比較能夠自己研究分析股票，不像現在的營業員事事仰賴公司。

現在的營業員除了股票以外，還有許多生意可做，像年金、股份有限合夥權、保險單、定存單、債券基金、股票基金，以及替客戶安排避稅、節稅等等，搞懂這些專業金融產品都要花不少時間，誰還有閒工夫去追蹤啥公用事業股、零售股還是汽車股？而且很少散戶要買賣個股，選股建議豈非無用武之地？更何況不管怎麼說，現代營業員、經紀人的佣金最主要根本不是來自股票，而是承銷股票、販售共同基金和選擇權等等。

直接投入股市的散戶愈來愈少，投資心態也偏向玩票、投機，再者營業員也很少能提供選股建議，更加上媒體對證券專業人士常做誇大報導，難怪投資人誤以為自己不可能選到黑馬股、潛力股。可是這話可別對聖艾格尼斯學校的學生說。

## 聖艾格尼斯投資組合

表1-1的14支明星股，是一群活潑的七年級學生挑出來的。1990年他們就讀於美國麻州阿靈頓（在波士頓附近）的聖艾格尼斯學校。他們的老師，也是學校教務長墨麗絲（Joan Morrissey），為了想知道個人投資股票到底難不難，如果沒即時報價分析系統，也沒有華頓商學院的企管碩士學位，甚至連駕照都沒有，是否仍能在股市中揚眉吐氣？

這個明星股投資組合的優異績效，並不曾刊在《理柏投資報告》（*Lipper report*）或《富比世》雜誌。不過聖艾格尼斯投資組合兩年上漲70%，比同期間上漲26%的S&P 500指數還高出許多，實在令人無法忽視。而且若實際操作，全美99%的股票共同基金甚至都不是對手。想想看，專業的基金經理人可是要拿高薪才肯選股的，然而這群小朋友只要老師請他們吃飯，看一場電影，就高興得很！

從他們特別寄來的剪貼簿，我才知道有這麼回事。天真的學生不但自己選出潛力股，每支股票還附上漂亮插圖哩！所以我就想到了彼得定理第3條：

任何用蠟筆畫不出來的鬼玩意，就不要去投資。

許多管理財務的人，不管是專業投資人還是業餘散戶，對容易瞭解的賺錢企業，常常視而不見，卻偏偏愛亂冒險搞些複雜又易虧本的玩意兒，這樣的人都應該謹記這條定理。如果能切實遵行，誰會買Dense-Pac Microsystem公司的股票呢？這家生產記憶模組的高科技股，由每股16美元慘跌到只剩25美分，請問誰畫得出Dense-Pac Microsystem是什麼？

## 表1-1　聖艾格尼斯投資組合

| 公司名稱 | 1990-91投資報酬（%） |
|---|---|
| 沃爾瑪百貨（Wal Mart） | 164.7 |
| 耐吉（Nike） | 178.5 |
| 迪士尼（Walt Disney） | 3.4 |
| Limited公司 | 68.8 |
| L. A. Gear | -64.3 |
| Pentech公司 | 53.1 |
| Gap服飾 | 320.3 |
| 百事可樂（PepsiCo） | 63.8 |
| 萊昂食品公司（Food Lion） | 146.9 |
| Topps公司 | 55.7 |
| 薩瓦那食品（Savannah Foods） | -38.5 |
| IBM | 3.6 |
| NYNEX | -0.22 |
| 美孚石油公司 | 19.1 |
| 投資組合總報酬率 | 69.6 |
| S&P 500指數漲幅 | 26.08 |

1990年1月1日至1991年12月31日的總投資報酬

為了致上敝人恭賀之意，並請教選股祕訣，我邀請他們到富達的主管餐廳吃午飯，這可是本餐廳首次供應披薩喔！吃飯時，在校任教二十五年的墨麗絲老師告訴我，每年她班上學生都以四人為一組，用25萬美元額度模擬股票投資，比賽誰賺最多。

每個小組都有俏皮小名，像是「窮光蛋大翻身」、「華爾街巫師」、「華爾街英雌」、「賺錢機器」、「股票族」、甚至「林區幫」，而由各組挑出一支明星股，這就是投資組合明星隊的由來。

學生從《投資人商業日報》（*Investor's Business Daily*）選出數家潛力企業，再分別研究分析其盈餘和經營狀況，相互比較擇強汰弱，最後選出值得投資的股票。這種作業方式，和專業基金經理人差不多，只是專家也不見得就比小朋友老練。

墨麗絲老師說：「我強調的觀念是，投資組合至少有十家公司，其中一兩家配息要比較高。而在股票納入投資組合前，學生要確實能說明這家公司是做什麼的，如果不知道它提供何種服務或生產哪種產品，就不能買。我們的主題就是：買你所知道的。」買你所知道的，真是深刻的投資策略，可惜很多專家卻都忽略了。

Pentech國際公司是學生模擬投資時，曾深入研究的潛力企業。這家公司生產彩色筆及麥克筆，最熱銷的產品是麥克螢光兩用筆，一頭是寬版的麥克筆頭，另一頭則是螢光色的簽字筆頭。孩子們最初是從墨麗絲那兒知道有種兩用筆，後來很快就在班上流行起來，有些學生就用這種筆來標示選股。不久，他們開始深入研究這家公司。

當時該公司每股5美元，不但財務上沒有長期負債，產品品質也讓人印象極佳。學生們認為，這種筆既能在此受到歡迎，未來也會在全美學校流行起來。此外，比起其他類似產品的製造商，如以刮鬍刀為主的吉列公司，投資大眾顯然還沒注意到Pentech公司。

為了讓我這個老同業瞭解得更透徹，聖艾格尼斯基金經理特別送我一支兩用筆，並建議我注意這檔黑馬股。當時要是照著做就好嘍！我不費分文就得到他們的研究心得，可惜沒有買進，結果股價由5.125美元飆到9.50美元，上漲近一倍。

這些孩子在1990年投資模擬中，還選了迪士尼公司、兩家運動鞋廠商（耐吉和L.A.Gear）、服飾業Gap公司（他們都在那裡買衣服）、百事公司（他們就從百事可樂、披薩店必勝客、肯德基炸雞、福利多餐廳〔Frito-Lay〕知道這家公司）、Topps（棒球卡製造商）。墨麗絲老師說：「七年級很流行棒球卡，所以投資Topps股票，誰也不會反對。Topps公司就是生產小孩子自己在買的商品，也讓他們覺得對該公司收入有功勞。」

另外，他們還買了沃爾瑪百貨公司股票，因為他們曾經看過一支錄影帶叫做《富豪名人生活》（*Lifestyles of the Rich and Famous*），其中有一段是沃爾瑪百貨創辦人山姆．華頓（Sam Walton）談投資對經濟的好處；NYNEX和美孚石油公司，因為股利豐厚；萊昂食品公司，因為這家公司經營很好，股票投資報酬率很高，而且在《富豪名人生活》錄影帶裡也有介紹。

墨麗絲老師說：「1957年萊昂食品公司剛上市的時候，北卡羅萊納州88位沙利斯柏瑞市民，以每股100美元各買進10股，結果當時投資的1,000美元現在翻成1,400萬美元。你相信嗎？這88人都成了千萬富翁。這件事一定讓孩子們印象深刻，到年底也許他們會忘了許多事情，但絕不會忘記萊昂食品公司的故事。」

投資組合的唯一敗筆是IBM。無勞多言也知道，二十年來IBM一直是基金經理人的最愛（包括區區在下，結果我們大人是不斷地買進IBM，又不斷地後悔）。IBM的致命吸引力何在？因為是大家公認的績優股，基金經理人如果因此賠錢，也不會有麻煩。聖艾格尼斯的小朋友，模仿我們專業的愚蠢行為，應該值得原諒吧！

對聖艾格尼斯的模擬操作，我想基金經理人會這麼說：①「又不是真的錢！」幸好是假的！不然大概會有幾十億資金從共同基金撤出，請這些小神童代為操作；②「這些股票誰都會挑。」那怎麼沒人挑呢？③「挑到這些黑馬股，只是運氣而已。」可是班上其他小組，有的投資績效甚至比明星隊還棒，例如1990年優勝組（安德魯、葛雷格、保羅、麥特）選的股票如下：

- 迪士尼公司100股（小孩都知道為何要買它的股票。）
- 家樂氏公司100股（他們喜歡這項產品。）
- Topps公司300股（誰不收集棒球卡？）
- 麥當勞公司200股（我們總得吃吧！）
- 沃爾瑪百貨100股（獲利成長驚人。）
- 薩瓦那食品100股（《投資人日報》推薦的。）
- 吉菲魯貝（Jiffy Lube）公司5,000股（當時為低價股。）
- 漢斯布羅（Hasbro）公司600股（玩具廠商嘛！）

- 泰珂（Tyco Toys）玩具公司1,000股（同上。）
- IBM公司100股（急著長大啦！）
- 全國披薩（National Pizza）公司600股（誰不吃披薩？）
- 新英格蘭銀行1,000股（還能跌到哪？）

最後這支股票我也有，也同樣認賠出場，所以我知道他們為何會犯這個錯，不過全國披薩和泰珂玩具削暴了，足以彌補銀行股損失還有餘，這兩支股票都上漲四倍，任何投資組合只要挑中這兩支，必然大有斬獲。全國披薩是安德魯翻看那斯達克股票行情表發現的，隨後就開始研究這家公司。重要的研究步驟，很多投資人都忽略了。

1991年的獲勝組（凱文、布萊恩、大衛、特倫斯）則選擇菲利普摩里斯（Philip Morris）、可口可樂、德士古（Texaco）、雷神（Raytheon）、耐吉、默克、百視達（Blockbuster Entertainment）和花花公子出版公司。其中默克製藥和德士古石油是因為股利優渥，至於花花公子會吸引這些小朋友，當然和出版什麼東西無關，這些小財神是認為該公司雜誌發行量很大，而且還經營有線頻道。

學生知道雷神公司，剛好是在波灣戰爭的時候，當時他們寫信給駐沙美軍以鼓舞士氣，和一位史懷瑟（Robert Swisher）少校通信聯絡。少校曾提到伊拉克飛毛腿飛彈曾射到營區幾里內，後來孩子們知道雷神公司生產愛國者飛彈後，就迫不及待地研究這支股票，墨麗絲老師說：「即使沒有真的拿錢投資，對幫助保護史懷瑟少校生命的武器有興趣，感覺就很不錯了！」

## 聖艾格尼斯大合唱

孩子們參觀富達基金公司，在主管餐廳吃披薩，還給了一個好後悔沒聽的Pentech黑馬股明牌後，聖艾格尼斯股票專家回請我到學校演講，同時參觀他們的投資作戰部（教室）。等我從創校百年、自幼稚園到八年級都有的學校回來後，又收到一卷他們的錄音帶。

這卷錄音帶收錄他們的選股策略和想法，有些是我說的，不過他們決定再複誦一遍，好讓我自己不要忘了。部分內容摘錄如下：

嗨，我是羅莉。你說過去七十年來，股市曾下跌40次，所以投資人一定要長期投資才行……如果我投資股票，一定會長期投資的。

你好，我是費莉斯蒂。我記得你說過西爾斯（Sears）百貨公司的故事，在美國第一批購物中心成立後，西爾斯百貨就已經在其中的95%開設分店……現在我如果要投資股票，我一定會注意企業的成長空間。

嗨，我是金姆，記得你說過凱瑪（Kmart）百貨公司進入大城市開店，沃爾瑪百貨反而轉進小城鎮設點，這種經營方式更成功，因為小城鎮沒什麼競爭壓力。你還說過，曾在山姆・華頓頒獎典禮上受邀演說。昨天沃爾瑪百貨一股60美元，而且宣布一股配一股。

我是威利，我只是想說，午餐吃披薩，大家都鬆了口氣。

嗨，我是史提夫，是我說服我們小組買很多耐吉的股票，56美元的時候敲進，現在是一股76美元。我有很多雙運動鞋，穿起來都很舒服。

嗨，我們是金姆、莫琳和賈姬。我們記得你說五年前可口可樂推出健怡可樂才轉危為安，許多原本喝茶和咖啡的人都改喝健怡可樂。最近他們在每股84美元時宣布配股，經營情況也不錯。

錄音帶最後，是所有七年級投資組合經理人齊聲高詠以下箴言。這幾句話值得大家熟背，洗澡時大聲複誦，以免以後又犯上同樣的錯誤：

- 好公司通常股利每年都會增加。
- 賠錢很快，賺錢要慢慢熬。
- 只要挑選你認為經營不錯的好公司，而不只注意股價，股票市場確實不是賭場。
- 你可以從股市賺很多錢，但也可能會賠錢。這點我們已經證明了。
- 在真正投資以前，要先研究那家公司。
- 投資股市一定要分散風險。
- 必須選擇多檔股票。每五支你選中的股票裡邊，一支會表現很好，一支很差，其他尚可。
- 心胸常保開放，切忌單戀一枝花。
- 選股不能隨便挑，一定要先研究。
- 公共事業股不錯，股利優厚。但業績成長類股才能賺大錢。

- 股價已經下跌的股票，說不定還會跌得更低。
- 長期來看，投資小型股比較好。
- 切勿因為低價就買這檔股票，必須對該公司瞭解很多才行。

墨麗絲老師不但向學生提倡業餘選股，還和其他老師組成一個叫「華爾街神奇」的投資社團，現有22個會員，包括我（榮譽會員）和史懷瑟少校。

華爾街神奇的操作績效還不差，但比學生稍有遜色。在我們檢閱過學生的表現後，墨麗絲老師說：「我要告訴其他老師，孩子們選的股票比我們的還好。」

## 一萬個業餘選股的福證

美國密西根州羅以奧克的美國投資人協會資料顯示，只要嚴格遵守選股方法，大人和小孩一樣能夠擊敗大盤。美國投資人協會底下有一萬個股友社團，協會備有指南手冊，並出版月刊協助旗下社團。

在整個1980年代中，協會登記的社團大多數操作績效都比S&P 500指數好，全美四分之三的股票共同基金都比不上這個成績。根據協會資料，1991年登記的社團中有61.9%的操作績效，優於或和S&P 500指數打成平手，1992年更有69%社團擊敗大盤。這些投資社團所以能成功，關鍵就是定期投資，不用去猜大盤到底是上還是下，也不會一時衝動壞了大事。每個月從退休帳戶或其他退休基金帳戶，固定提撥一定數額投入股市的人，就和這些社團一樣，會靠這種自律的投資方法賺到錢。

定期定額投資股票，真有這麼好賺嗎？我請富達基金公司技術分析部門算了一下，如果你在1940年1月31日投資S&P 500指數1,000美元，五十二年後會翻為33萬3,793.3美元。當然，這純粹是理論上的運算，因為1940年還沒有指數基金，不過從中可以知道緊抱一籮筐的股票，長期上能滾出多少錢子錢孫啊！

要是你每年1月31日都投資1,000美元就更妙了，五十二年後本金5.2萬美元就滾成355萬4,227美元了。要是夠狠，遇上市場回檔10%以上（五十二年內有31次）再加碼1,000美元，原始本金8.3萬美元更膨脹為629萬5,000美元。所以別管大盤多空，只要定期、規律地投資股票，必然獲利豐厚，如果大家都嚇得倒股票，你還敢大膽加碼的話，更會有意外的收穫。

這一萬多個股友社團在1987年10月19日的全球股市大暴跌後，還是依照計畫定期投資股票，當時大家都說世界末日快到了，銀行體系快垮了，可這些投資人無視於危言聳聽，照樣買股票。

如果只是一個人單打獨鬥，有時候可能被嚇得大賣股票，後來才又懊悔不已。不過這些社團卻要事先投票，多數同意後才可以買賣股票。這種集體規範方式，不見得一定對，但像在黑色19日這種緊急情況下，卻能確保不致蠢動，把股票全部殺光。股友社團的投資人，部分資金加入團體帳戶中操盤，部分自行操盤，而團體帳戶通常比個人操作來得好，主要原因就在於集體決策上。

股友社團每月在會員家或當地飯店會議廳聚會一次，交換意見選定標的股票。會員分別負責研究一兩家公司，注意相關消息。分工合作下，各會員不會隨便報明牌，沒有人會站起來說：「買家庭購物頻道的股票，有個計程車司機說穩賺的。」如果你知道自己所說的會影響到朋友的荷包，你就會多努力研究。

股友社團多半選績優潛力股，公司具輝煌歷史，獲利持續增加。買這種潛力股，十年賺個10倍、20倍，甚至30倍，也沒啥好驚訝的。

經過四十年的研究和努力，美國投資人協會成員學到許多我從麥哲倫基金學到的經驗和教訓，例如挑選五檔成長類股，大概有三支股票如你所預期那樣，一支會有狀況讓你很失望，但還有一支股票則好得讓你想不到，投資報酬高得驚人。股票最後表現殊難預料，所以美國投資人協會的建議是，投資組合中最好不要低於五檔股票，這叫作「五股定律」。

協會寄了一本《投資人手冊》來，其中有好幾條名言警句，可以加進聖艾格尼斯大合唱，閣下推著割草機時可以用來消遣消遣，如果打電話給營業員之前先背一背，那就更好了：

- 消息不靈通的股票不要買。
- 規律地定期投資。
- 先看每股營收和盈餘的成長速度是否讓人滿意，再等合理價位買進。
- 注意企業的財務狀況和負債結構，如果碰上幾年不景氣，公司的長期發展是否會受影響。
- 買不買這支股票，就看獲利成長是否符合你的目標，還有股價合不合理。

- 瞭解過去業績為何成長，有助於判斷未來能否保持過去的成長速度。

為協助投資人更精進選股技巧，美國投資人協會除了《投資人手冊》外，還備有一整套的自修課程，教你怎麼算盈餘和營收成長幅度，如何根據盈餘水準判斷股價偏高、偏低還是合理，以及資產負債表怎麼看，以研判企業是否有足夠資金熬過困境。如果你喜歡數字問題，也想做點複雜的投資研究，這倒滿合適的。

美國投資人協會也有一本月刊叫《更好的投資》（*Better Investing*），裡面推薦績優潛力股，並定期提供最新情報。如果你有興趣，請來函：P.O.Box 220, Royal Oak, MI 48068，或電：（313）543-0612。這是我自願替他們做的免費廣告。

# 2 週末的杞人憂天

想賺股票的錢，關鍵在不要被它嚇跑，這一點強調再多都不夠。教你怎麼挑選股票或共同基金的書，每年都有一堆，但若缺乏意志力，膽量不夠，什麼法寶都沒用。投資股票跟減肥一樣，是看你有沒有勇氣，而不是聰不聰明。

以共同基金來說，投資人不必去分析上市公司或盯盤，知道愈多反而愈容易受傷。根本不管景氣好壞、大盤多空，只是規律地定期投資，反倒比追高殺低更順手。

這個教訓我每年都會想起來，因為《巴隆週刊》的年度投資座談會上，包括區區在下，一整票投資專家就常常不知道在擔心什麼，自己嚇自己。從1986年開始，我每年都出席這項座談，會期訂在1月，歷時八小時，大夥互相交換心得和看法，會議紀錄再分三期刊載。

《巴隆週刊》屬於道瓊公司所有，總部設在新的道瓊綜合大樓，從上可以俯瞰曼哈頓南端的哈德遜河右岸，大樓大廳高闊，天花板全用大理石建材，足以媲美羅馬聖彼得大教堂。要進去還得搭乘類似機場的移動步道，整個安全控制系統非常嚴密，首先向服務台告知身分及來訪目的，等檢查通過發給許可證明，再憑該證明搭電梯。

到了想去的樓層後，還要刷卡開另一道門，然後才真正進到會議室。我們戲稱此為圓桌會議，不過桌子可不是圓的，原本是U型，最近又排成三角形，來賓分坐在兩斜邊，主辦單位則在底部提問題，主持人是《巴隆週刊》編輯艾柏森（Alan Abelson），他不但機智十足且在金融方面很有兩把刷子。

會場屋頂掛著麥克風和13盞千瓦強力聚光燈，不時開開關關配合攝影，13呎外有攝影師以伸縮鏡頭搶拍實況，另一位（穿著護膝的女士）就在我們前面爬來爬去拍特寫。會場除攝影師外，還有巴隆的編輯群、音效專家和技術人員，隔著一扇玻璃牆還有幾位技術人員。上頭的燈泡熱到可以孵蛋。

為我們這些有點年紀，兩鬢日漸霜白的基金經理人，擺這種排場也太小題大做了點。相反的，我們實在是拜這些媒體捧場，才有今天這種派頭的。參加座談的來賓偶有替換，不過老面孔不少，如加百列（Mario Gabelli）和普萊斯（Michael Price），這兩位操作最近再次風行的股票價值基金頗受好評；溫莎先鋒基金（Vanguard Windsor Fund）的耐夫（John Neff），我1977年開始操作麥哲倫時，他已是業界傳奇；瓊斯（Paul Tudor Jones），大宗商品的高手；國際銀行家祖勞夫（Felix Zulauf），他老是憂心忡忡，但和他無事不憂的瑞士同胞相比，已算是驚人地樂觀；基金經理人柏金斯（Marc Perkins），他還在銀行當研究員時我們就已認識；雪佛（Oscar Schafer），專門對付企業「特殊狀況」；巴倫（Ron Baron），全盯些名不見經傳的小型股；麥加勒斯特（Archie MacAllaster），對店頭市場瞭若指掌。

1992年瓊斯退出，換上摩根士丹利資產管理公司董事長比格斯（Barton Biggs），其投資眼光極具世界觀。柏金斯是在1991年開始參加座談，當時已經出席五年的羅傑斯（Jimmy Rogers）說要退出江湖，準備騎摩托車走絲路古道去中國。我最後一次聽到羅傑斯的消息，是他把摩托車運到祕魯，騎遍整個安地斯山脈，離最接近的證券經紀商起碼千里之遙（後來又在晚間商業節目露面）。

一般人交朋友大都在校園、軍隊或夏令營活動，我們這票人則都是從股票開始。例如我一看到巴倫就想到某支股票，當時我們都買了，可是還沒漲就賣掉了。

與會諸公多年來一直努力練嘴，希望可以趕上《巴隆》編輯艾柏森的如珠妙語。座談紀錄實際刊出時艾伯森並不具名，僅以「巴隆」或「問」代表，不過以下精采對話實在值得把艾氏大名特別刊露。至於雪佛和普萊斯那一段，也屬於艾柏森風格，故一併摘出：

> 羅傑斯：我的確擁有一家叫Steyr-Daimler-Puch的歐洲公司（的股票），到現在已經賠了好幾年。
> 艾柏森：除此之外，這家公司還有什麼能耐嗎？

> 艾柏森（跟雪佛說）：現在拋空什麼嗎？
> 雪佛：我再說個值得買進的股票，然後再談要拋空什麼。我讓你覺得無聊嗎？
> 艾柏森：跟平常差不多無聊。

> 古德諾（Ed Goodnow，前任與會者，談菲律賓長途電話〔Philippine Long Distance Telephone〕公司）：我知

道鄉下地方的服務不太好，其中一個問題是找不到人爬電線杆修電線，不幸遇到狙擊兵就倒大楣了。除此之外，營運非常穩定。

艾柏森：你說這是長程射擊嗎？*

林區：我還是看好這家終極儲貸機構，房利美，後面還有一段要走。

艾柏森：往上走，還是往下走？

耐夫：（推薦達美航空〔Delta Air Lines〕）人們錯過了航空業……

艾柏森：或是近乎錯過……

普萊斯：實際在股票方面（in real stocks），大概佔我們基金的45%。

雪佛：其他55%是假股票（Unreal stocks）嗎？

加百列：你知道的，過去二十年來我一直推薦林氏廣播公司（Lin Broadcasting）。

艾柏森：可惜都沒用。

加百列：我說的是用多面向方法，來解決多面向的問題。

艾柏森：拜託你，這只是一本家庭刊物。

---

*譯註：暗示能否長期投資。

耐夫：過去八個衰退期中，如果某季最初兩個月就跌這麼深……這些都是我假設的。

艾柏森：你全在假設！

座談從正午開始，主要分成兩部分，第一部分是檢討當前金融市況，討論未來經濟大勢，或是擔心世界末日是不是就快到了。這部分就是我們常搞砸的地方。

這個討論部分所以值得在此提出，就是因為所謂的專業討論，其實和一般散戶相差無幾，像投資人在吃飯、上健身房或週末一起打高爾夫時的閒聊一樣。平常大夥各忙各的，只有到週末才有空想些電視或報紙上的悲慘消息。美國的報紙都用塑膠套包著送來，也許這是送報生用心良苦：怕我們全被報紙害了。

可惜我們辜負了苦心，還是讓這些壞消息在外肆虐，搞得大家以為人類未來黯淡無光：一會說地球變熱，一會又說地球變冷；邪惡的蘇維埃帝國正在擴張，邪惡蘇維埃帝國崩潰了；經濟衰退和通貨膨脹，還有文盲嚴重、健保醫療支出太高、回教的基本教義派、預算赤字、人才外流、種族衝突、黑道氾濫、治安惡化、貪贓枉法、和金錢醜聞，有時連體育版都讓人抓狂。

手中沒有股票的人，聽到這些消息大概就是沮喪而已，但對股市投資人卻是非常危險。如果你聽到全世界一半的消費者死於愛滋病，另一半又死於臭氧層破洞，全球雨林消失之前或之後，整個西半球寸草不生像大戈壁，或者在此之前儲貸機構全面崩潰，城鄉同歸於盡，請問還有誰想買Gap服飾公司的股票？

你大概不願承認：「因為看到週日特刊有關溫室效應的報導，所以賣掉Gap股票」，但每逢週一賣壓特重，可見這種週末躁鬱非常嚴重。股票史上大跌的日子常出現在週一，而12月最常收黑，這種情況絕非偶然。12月常有繳稅賣壓，再加上假期特多，更有空來胡思亂想。

這種週末憂鬱症候群，正是我們這群專家在座談第一階段常犯的。1986年我們擔心M1貨幣供給額相對M3的情況、葛蘭－魯曼（Gramm-Rudman）預算裁減法案、七大工業國（G7）動向如何、「J曲線效應」是否有效改善貿易赤字；1987年我們又擔心美元匯率會不會崩潰、外國企業在美傾銷、兩伊戰爭可能造成石油短缺、外資不買美國股票及債券、消費者彈盡援絕無力再消費、雷根總統不得三度連任。

當然不是所有特別來賓都陷此萬劫不復之境，有的人會特別悲觀，有的今年悲觀，明年樂觀，有的卻對未來充滿信心，讓哀戚的座談稍見輕鬆。可是我們對經濟和股市最樂觀的一年，就是1987年，結果紐約股市當年重挫千點。當年羅傑斯是唯一拉警報的人，不過1988年他舊調重彈，又說全球股市要垮了。羅傑斯對拋空特別有一套，當時他即使嗅出情況不對勁，1987及1988年他在《巴隆週刊》所推薦的拋空個股卻沒幾支。所以，股票投資想要成功，就不應該讓無謂的憂慮影響操作策略。

我們這一群專家算是影響力十足，經手管理別人的資產達數十億美元，可是年復一年的集會討論，連全球經濟是否不景氣，還是可能復甦上翻，我們都無法達成一致的結論。

特別要提的是，1988年座談我們的悲觀算是達到巔峰。兩個月前全球股市才剛從黑色星期一歷劫歸來，我們當然以為今年還會再來一次！所以彼得定理第4條就是：

從後照鏡看不到未來。

1988年祖勞夫劈頭就說：「1982到1987年的（股市）蜜月結束囉。」這還是一整天最樂觀的話，其餘時間大夥就忙著爭辯大空頭市場是否快來了，道瓊30種工業股價指數可能跌到1,500點或更低，空頭市場會讓「整個金融圈多數業者和全球大部分投資人三振出局」（羅傑斯說的），帶來「和1930年代早期一樣的全球大蕭條」（瓊斯說的）。

除了空頭市場和全球性大蕭條以外，還有貿易赤字、失業率、預算赤字好煩惱。在參加巴隆座談前一晚，我常常睡不好，可是1988年這次會議，足足讓我做了三個月的噩夢。

1989年座談狀況比前一年好一點，可是祖老大還是說什麼今年正逢中國蛇年，以中國人的看法是個惡兆。1990年我們再次歡聚，連續幾年掛在嘴上的全球大蕭條還是不見蹤跡，道瓊指數又站上2,500點，當然啦，我們還是找得到不買股票的藉口，這一年房地產價格大跌成了焦點。另外，股市漲太久也讓人不安，紐約股市連續漲了七年（1987年10月雖有股災，全年仍收紅），總有回跌的時候吧？就是如此，太順利也讓人擔心。我一些平時絕非等閒之輩的朋友，甚至以為銀行也會破產，整個銀行體系說不定都快垮了，錢要藏在家裡才安全。

悲情的1990年，比1980到1982年時還糟糕。從前投資人對股票極端失望時，只是提到股票，話題就會轉為地震、喪禮或是波士頓紅襪隊毫無希望勝利。可是1990年投資人不再迴避，反倒全押股市會跌，不但計程車司機熱心推薦你買債券，連美髮師都全誇說自己怎麼操作「賣出選擇權」，這種東西的價格正好和股票反向而行。

我認為美髮師本來就不應該聽過賣出選擇權這種鬼玩意，可是有人卻用微薄薪水從事這麼複雜的操作。如果有人因為擦鞋童買股票，就把股票全賣掉，那麼美髮師操作賣出選擇權時，大概就該買進股票了。

以下算是些比較好的報紙標題，足可一窺1990年秋天的社會氣氛：

- 「專業人士大裁員」《華爾街日報》，10月4日
- 「你的飯碗穩嗎？」《新聞週刊》，11月5日
- 「勉強過活」《紐約時報》，11月25日
- 「房地產重挫」《新聞週刊》，10月1日
- 「房租太高，年輕人無地可棲」《商業週刊》，10月22日
- 「房價暴跌，房屋裝修業重創」《商業週刊》，10月22日
- 「房市崩盤威脅金融業」《美國新聞》（*U.S. News*），11月12日
- 「三年前始於東北部的房市不景氣，現已擴及全美」《紐約時報》，12月16日
- 「赤字（裁減）計畫在國會前途難卜，但也不是萬靈丹」《華爾街日報》，10月1日
- 「美國經濟後勢難料」《華爾街日報》，12月3日
- 「慘況可期，消費者憂心忡忡」《商業週刊》，12月10日

- 「焦慮時代求生指南」《新聞週刊》，12月31日
- 「美國還有競爭力嗎？」《時代》雜誌，10月29日
- 「你的銀行安全吧？」《美國新聞》，11月12日
- 「你有競爭力嗎？美國人逐漸落後，如何急起直追」《商業週刊》，12月17日

還不只這些呢！那一年中東還有場仗要打，電視攝影機成天盯著五角大廈的簡報室，幾百萬觀眾現在才知道伊拉克和科威特到底在哪，戰略專家對戰況也爭執不下，不知道盤據沙堡、訓練有素、全球排名第四的伊拉克陸軍，挾其生化武器會害死多少美國子弟兵，到底需要多少運屍袋。

這個不祥之兆的戰爭，對原本就憂心不已的金融專家，更是個沉重打擊。1991年1月15日我們群聚《巴隆週刊》的會議室，運屍袋陰影讓大夥提心吊膽。討論經濟大勢時，一向憂鬱的祖勞夫更顯鬱卒，認為道瓊指數將跌到2,000點至1987年大崩盤谷底之間，普萊斯預期跌幅500點，柏金斯說最後會大跌到1,600點到1,700點附近。區區在下也說最慘可能出現經濟大衰退，如果戰況像別人預期的那麼差，紐約股市可能大跌33%。

不過專家有專家的一套。成功的投資專家才夠資格參加巴隆座談，所以我們也都有自己的投資規範，足以讓自己不被這些可怕的消息嚇倒。我當然知道，波灣戰爭可能讓美國再陷泥淖，戰況也可能惡化，可是一方面我內在的投資本能卻不禁注意到，股價在投資人瘋狂拋售後，已跌到非常具有投資價值的水準。雖然當時我不能像在麥哲倫基金時一樣，進場敲進百萬股，但我自己的帳戶及其他代管的公益信託、公共基金等，還是把握良機逢低承接。1990

年10月《華爾街日報》報導說，我個人正加碼W. R. 格雷斯（W. R. Grace）公司和摩里森柯納森（Morrison-Knudsen）公司的股票。這兩家公司我都擔任董事。我對《華爾街日報》記者傑森（Georgette Jasen）說，這只是「我買進十支股票中的兩支而已……若股價再跌我再進」。此外，我從富達退休後，就買進2,000單位麥哲倫基金，現在我又敲進2,000單位。

當局勢一片悲觀之際，正是選股老鳥一展身手的大好時機。當時報上盡是壞消息，從夏天到初秋道瓊指數已大跌600點，計程車司機叫你買債券，共同基金現金部位高達12%，巴隆座談來賓起碼有五位認為經濟會嚴重衰退。

當然我們現在知道，波灣戰況並不像原先所想的那麼糟（除非你是伊拉克人），紐約股市也沒有重挫33%，反而是S&P 500指數勁揚30%，道瓊指數上漲25%，小型股飆升60%，結果1991年股市表現竟是二十年來最棒的。如果當時你稍微注意這些專家的危言聳聽，保證錯過大行情。

過去六年來座談討論的悲觀看法，如果全聽進去，你可能就被嚇出大多頭行情，而對世界末日充耳不聞的投資人，卻很快樂地賺了三、四倍。所以下次聽到什麼日本快破產，或隕石會撞上紐約證交所，別人勸你趕快賣股票時，千萬不要忘記上面的教訓。

「股市驚疑不定，愁雲滿布。」這是《巴隆週刊》1991年座談紀錄，結果沒多久股市買氣大熾，道瓊指數再創新高。

## 學會從更大角度來觀察

「嘿！下次股市回檔，我才不管那些賣出消息，應該趁機逢低承接。」說起來簡單，做起來可不容易。每次有狀況發生，好像都比以前嚴重，要對壞消息置之不理愈來愈難。我認為只有以規律方式定期投資股票，才不會被消息面嚇倒，例如定期提撥固定金額投資股票的退休理財，或先前提過的股友社團，就比憑感覺殺進殺出賺得還多。

跟著感覺走，結果反而容易被蒙蔽。股價指數已上漲600點，許多股票已經超漲的時候，投資人反而比較有信心，但指數下跌600點，買點一再現身向你招手時，大夥卻都沒啥信心。所以，如果不定期投資的話，你最好想個法子來堅定信心。

如何堅定信心和選股，通常不會一起討論，但選股之後能否以畢全功，就看你信心夠不夠。資產負債表、本益比或許對你來說都不是問題，可是如果缺乏信心，一丁點壞消息就會讓人方寸大亂。你或許選了個好基金，把畢生積蓄全押上去，可是信心若不夠堅定，在驚懼最高點時拋賣，保證碰上價位最低點。

我所謂的信心是什麼？就是相信世界會繼續存在，大夥早上起床穿上褲子，還是一次先穿一隻腳，生產褲子的公司會繼續為股東賺錢，如果老公司喪失競爭力慘遭淘汰，充滿活力的新血輪如沃爾瑪百貨、聯邦快遞和蘋果電腦等馬上會取而代之。我們相信大夥勤勉而有創造力，即使故作風雅的雅痞偷個懶，也會被責罵。

如果對未來感到疑慮或失望時，我會試著從更大的角度來觀察世界，全神貫注地勾畫出更大的藍圖。如果你想堅定信念，維持投資信心，就得學會從更大角度來看問題。

由更長遠的視野來看，過去七十年來股票投資年報酬率平均為11%，而國庫券、債券及定期存單均不及其半。就算二十世紀以來發生過多少次大小災難，千萬個理由都可能帶來世界末日，股票投資報酬還是債券的兩倍。相信兩、三百個經濟分析師、證券顧問公司的經濟大蕭條預言，結果得到什麼？只憑著簡單而堅定的信念，長期投資股票的人硬是賺得荷包飽飽。

還有，在過去七十年裡，股市跌幅10%以上的回檔共計40次，然無損於股票的投資龍頭地位。這40次回檔中，跌幅達33%或以上者計13次，這可算是恐慌性重挫，其中最嚴重的一次就是1929年到1933年的大空頭市場。

我認為1929年的股市大崩盤，已經由單純的事件演化成一種文化上的痛苦經驗和記憶，這種文化創傷到現在還讓幾百萬投資人視股市如畏途，轉而投向債券和貨幣市場的懷抱，以免自己又成崩盤祭品。大蕭條年代到現在已安然度過六十餘年，但投資人一直到現在仍心有餘悸，連我們這些1929年以後出生的人，也不曉得在怕什麼。

這種大崩盤後的創傷症候群，讓投資人付出高昂代價。把錢放在債券、貨幣基金帳戶、存在銀行或購買定期存單，不但錯過了六十多年來股票的投資利得，還飽受通貨膨脹的鯨吞蠶食。通貨膨脹長期來看，對資產的消蝕力遠甚於崩盤，而閣下還不見得有幸碰上崩盤。

由於當年股市大崩盤之後，就遇上全球經濟大蕭條，於是大家就把股市崩盤和經濟蕭條畫上等號，認為股市一崩，經濟隨後就垮。但是事實根本不是這樣，例如1972年的股市崩盤，和1929年差不多（像塔可貝爾〔Taco Bell〕公司這種績優股竟從15美元跌到只剩1美元），但經濟景氣安然無恙。最近的1987年大崩盤也是如此。

或許股市終有崩盤的一天，但誰能預測到這種事呢？我不能，出席巴隆座談的專家也不能，那麼閣下慌慌張張，因噎廢食，又是為什麼呢？況且在過去七十年裡，40次回檔如果都把股票賣了，有39次你會後悔得要命。就算不幸碰上那種恐慌性重挫，股價仍有回來的一天。

股市回檔有啥好訝異的，這根本是一再重演的事，好比大夥都知道明尼蘇達州冬天冷得要死。如果待在苦寒之地，低溫早就習以為常，一旦碰上零度以下的日子，誰會以為冰河期要來了？只需穿上雨衣，走道撒點鹽就搞定了，到夏天自然變暖，沒啥好煩惱的。

成功的投資人看待股市回檔，就和明尼蘇達州人民適應寒冷一樣。你知道大跌會來，心裡早已做好準備，一旦看好的股票與大盤同步回檔，正是逢低加碼的好機會。

1987年10月19日道瓊30種工業股價指數單日重挫逾508點，大夥都以為全完蛋了。最後道瓊指數共跌了1,000點（由當年8月頂部回檔33%），但世界末日也沒有來。這是二十世紀以來，13次回檔逾33%最近的一次，雖然跌得相當慘，但只是個正常的回檔而已，沒啥好怕的。

如果股市再跌10%以上，就是二十世紀第41次回檔（也許現在已成事實），要是大跌33%就是第14次。當年在麥哲倫基金年報上，我一再提醒投資人，股市免不了有回檔的時候。

當我對未來感到疑懼，陷入憂鬱之際，就常以過去40次回檔來安慰自己，誰都曉得這是用公道價格買績優股的好機會。

# 3 基金總覽

投資共同基金應該能避免很多麻煩才是，起碼不必擔心買哪支股票才好，可是現在光是要選哪家基金，就夠你頭大的了。1976年的時候，美國總共只有452家基金，其中278家為股票型共同基金。然而現在股票型基金有1,266家，收益型1,457家，必須繳稅的貨幣市場基金566家，還有276家短期地方公債基金，總共3,565家。

基金激增的情況，迄今仍無減緩跡象。各式各樣的分類標準都有，例如：國家基金、區域基金、避險基金、產業基金、價值基金、成長基金，有非常單純的基金，也有多樣混合的基金，有所謂的相對基金，也有股價指數基金，還有以基金為投資標的的基金，或許未來我們還會碰到以所有獨裁國家為投資對象的基金，或是三流國家的基金，以及投資對象專以基金為主的基金。這到底怎麼回事？難道華爾街最近流行，要是哪家投顧獲利銳減，就趕快再設一家基金嗎？

近年來美國所設立的基金，已達前所未有的歷史紀錄：基金家數比紐約證交所加上美國證交所，兩家證券交易所的上市公司總合還多。而且在上市證券中，還有328家實際上是基金喬裝打扮的（請看本章稍後封閉型基金一節）。我們要如何殺出基金的重重包圍呢？

## 投資組合設計

兩年前美國新英格蘭地區幾位投資人，就碰上這個問題。我剛才說過，我們幾個投資專家曾應非營利組織之邀，協助他們重新規畫投資組合。和其他公益團體差不多，該X組織也常常缺錢。他們的投資，多年來都由一位基金經理人負責，分別投資債券和股票，就如同一般投資人。

在我們向該組織建議如何調整投資組合時，必須面對的問題，通常也是一般投資人要解決的投資難題。

第一個要決定的是，過去那種債券和股票兩路並進的方式，是否必須改變。這問題很有趣，因為你最先要考慮的戰略問題，是要追求成長，還是穩定收入，這對你未來投資報酬影響深遠。

以我本身而言，則稍偏向債券，因為我現在沒有薪水，所以要有穩定的收入才行，不過在股票上我還是非常積極。然而現在大部分投資人根本就搞錯方向，靠錯邊，收益型投資太多，成長型太少。這個情況現在尤其嚴重。1980年美國共同基金投資人，有69%選擇股票型基金，可是到1990年時反而減為43%。如今全美共同基金的債券及貨幣市場部位，共高達75%左右。

投資人喜歡債券，對政府當然是好事一樁，如此國債發行永無止境。可是債券對你的財富可沒啥好處，應該去買股票才對！我在導言中早說過了，股票投資報酬比債券更高，過去七十年來股票平均每年投資報酬率達10.3%，而長期公債只有4.8%。

股票比債券好，是非常明顯的。上市公司規模變得愈大，賺得錢愈多，股票價值也跟著水漲船高，配股配息也會增加。股息的豐瘠，絕對是這支股票成不成材的重要關鍵。如果你專挑過去十年或二十年股息不斷增加的股票，損龜機會微乎其微。

穆迪投資服務公司出版的《股息贏家手冊》（*Handbook of Dividend Achievers*，在下最喜愛的床頭書之一），就專門摘列這些股息常勝軍，根據我手上的1991年版，美國共有134家公司股息連續成長二十年，維持十年者有362家。想在華爾街揚名立萬，有個最簡單的方法：就只買穆迪手冊刊出的上市公司股票，除非哪天慘遭除名，否則死抱到底。普特南股息成長（Putnam Dividend Growth）基金就是緊盯上市公司股息狀況來操作的。

企業如果賺錢，發給股東的股息當然就會增加。但是反觀債券呢？即使回溯到十五、十六世紀的麥第奇（Medicis）時代，也沒有哪家公司因為賺錢，就自願提高債券利率。你買公司債，不會有人請你參加年度大會，不但看不到表演，也不能免費吃點心，公司不會對你必恭必敬、有問必答，而且賺錢也不會分給你。債券持有人頂多拿回飽受通貨膨脹侵蝕的老本。

現在美國之所以投資債券比較多，主要是全國財富集中在年紀比較大的人，而老年人要靠利息過活。年輕人有賺錢能力，當然可以全部投資股票，一旦年老體衰再轉入債券，靠固定利息過活。但是這種年輕人買股票，老年人買債券的觀念，已經落伍囉！因為現在的人活得比較久。

現在，一個62歲健康的人預期壽命可到82歲。往後還有二十年要花錢，資產購買力也要讓通貨膨脹侵蝕二十年。原準備靠債券和定存快樂過活的老年人，根本打錯算盤。以後還要付二十年的帳單，如果想維持一定的生活水準，勢必要提高投資組合中的成長部位才行。即使閣下資產雄厚，如果碰上低利率時代，光靠利息也很難過活。

在這種情況下，老年人怎不哀歎：「光靠定存利率3.5%，怎麼活下去啊？」

假設一對退休老夫婦全部資產為50萬美元，如果全砸在短期債券或定存會怎樣呢？利率如果降低，定存利率更低，結果收入大幅縮水；如果利率上揚，收入是增加了，但物價壓力也跟著走高。如果50萬美元全買利率7%的長期債券，每年穩收3.5萬美元，可是通貨膨脹率若是5%，那麼3.5萬美元的購買力十年後只剩一半，十五年後只剩三分之一。

到時候，這對老夫婦可能就不敢再出去旅行，甚至要開始吃老本了，不但以後收入更少，留給孩子的遺產也跟著縮水。所以，除非是很有錢的人，一般人想過好日子，就得靠股票才行。

當然啦，股票投資金額佔個人資產的比例，主要看你的財務能力，還有這筆錢的迫切度而定。我的建議是，盡量把股票比重提高到所能容忍的上限。

對X組織的主事者，我也如此建議。過去他們是採股債各半的比例，50%股票，50%債券。當時債券（五到六年期）殖利率為9%，而股票股利為3%，所以整個投資組合的報酬率共6%。

一般而言，債券到期後以原價贖回，因此債券部位毫無增長，而股票部位一年預期上漲8%，漲幅遠高於配股率（根據過去情況，股票投資報酬率約11%，其中3%為股息，8%為股價漲幅。當然，股價上揚的主要理由，可能就是公司增加配股，因此更刺激股價上揚）。

佔投資組合一半的股票部位每年增值8%，但債券卻不動，總計整個投資組合每年僅增值4%，幾乎趕不上通膨速度。

如果我們調整一下投資比例，情況如何？如果把股票部位加大，同時減少投資債券的話，X組織頭幾年收入勢必減少，但股票股利的發放，以及股價的長期增值，絕對可以彌補其短期犧牲還有餘。

調整債券及股票投資比重後，總報酬變化狀況請參考表3-1。該表由貝克威特（Bob Beckwitt）提供，他是富達資產管理資金的經理人，操作績效斐然。

貝克威特數理分析能力極強。這種人思考方式非常複雜，所處理的問題，不是我們這些單線思考者所能理解，連講的話都只有其同類才聽得懂。但貝克威特難能可貴的是，他隨時可以跳脫數理分析模式，用普通英文和我們溝通。

貝克威特的表中假設三種狀況，每種情況都是投資1萬美元，債券利率定為7%，股票配股率3%，股價每年增值8%。

甲案1萬美元全部買債券，二十年後共收取利息1.4萬美元，再拿回

1萬美元本金。

乙案股債各半，二十年後債券利息收入為1萬422美元，股票股利6,864美元，總資產增為2萬1,911美元。

丙案則全部投資股票，二十年後股票股利為1萬3,729美元，再加上股價增值，總資產共計4萬6,610美元。

由於股票股利不斷增加，到最後股票收入會比債券的固定收益還多，因此二十年後乙案的收益，比甲案多3,286美元。而丙案中，

## 表3-1 股票／公債投資比重一覽表

| | | 公債到期總值 | 公債利息所得 | 股票總值 | 股利所得 | 總投資所得 | 年終本金 |
|---|---|---|---|---|---|---|---|
| 甲案：100%公債 | 第一年 | $10,000 | $700 | — | — | $700 | $10,000 |
| | 第二年 | 10,000 | 700 | — | — | 700 | 10,000 |
| | 第十年 | 10,000 | 700 | — | — | 700 | 10,000 |
| | 第廿年 | 10,000 | 700 | — | — | 700 | 10,000 |
| | 廿年總額 | 10,000 | 14,000 | — | — | 14,000 | 10,000 |
| 乙案*：50%公債 50%股票 | 第一年 | 5,000 | 350 | 5,400 | 150 | 500 | 10,400 |
| | 第二年 | 5,200 | 364 | 5,616 | 162 | 526 | 10,816 |
| | 第十年 | 7,117 | 498 | 7,686 | 300 | 798 | 14,803 |
| | 第廿年 | 10,534 | 737 | 11,377 | 647 | 1,384 | 21,911 |
| | 廿年總額 | 10,534 | 10,422 | 11,377 | 6,864 | 17,286 | 21,911 |
| 丙案：100%股票 | 第一年 | — | — | 10,800 | 300 | 300 | 10,800 |
| | 第二年 | — | — | 11,664 | 324 | 324 | 11,664 |
| | 第十年 | — | — | 21,589 | 600 | 600 | 21,589 |
| | 第廿年 | — | — | 46,610 | 1,295 | 1,295 | 46,610 |
| | 廿年總額 | — | — | 46,610 | 13,729 | 13,729 | 46,610 |

* 乙案投資公債和股票各佔一半，因為兩部分增值幅度不同，必須定期調整才能維持比重各半，也就是增值較快的股票部位必須減少投資金額，轉以挹注增值較慢的公債部位。

投資人在收益方面只減少271美元，但換來二十年股價巨幅增值。

若再進一步分析，你會發現即使需要固定收益，也沒有必要買債券。這個相當激進的結論，也是根據貝克威特的資料而來，請參考表3-2。

假設投資10萬美元，每年需要7,000美元來維持生活。如果需要固定收入，一般建議就是去買債券。假如不這麼做，反而全部投資股利只有3%的股票，又如何呢？

第一年股利3%，收入只有3,000美元，還得賣掉4,000美元股票以為挹注。假設股價每年上漲8%，因此，閣下的股票部位也增為10萬8,000美元，拋賣4,000美元後，還剩10萬4,000美元。

第二年股利增為3,120美元，故只須賣掉3,880美元的股票。以後每年股利愈多，需要賣掉的股票也就愈少。到第十六年股利超過7,000美元，就不必再賣股票了。

二十年以後，閣下10萬美元本金已增值為34萬9,140美元，如果再加上這段期間14萬6,820美元的生活費，資產大概膨脹為原來的五倍。

好啦，咱們又再次得出股票優於債券的證明，即使你需要固定生活費也一樣。可是債券愛用者還是會怕，害怕股價上漲並非如此規律，每年哪會剛好都有8%？有時甚至連跌好幾年哩！以股票代替債券的投資人，不但要熬過歷次回檔，為了彌補股利的不足，有時還得認賠拋股。

如果一開始投資股票，就倒楣碰上股市回檔，整個投資組合都在虧本，生活壓力會讓投資人感到特別沉重。投資人總是擔心，萬一全部投入股市就碰上大跌，把老本賠個精光，又該怎麼辦？即使你已

**表3-2　100%股票投資策略**

| 年 | 100%股票年初總值 | 股利所得 | 股票年終總值 | 支出 | 年終資產總值 |
|---|---|---|---|---|---|
| 1 | $100,000 | $3,000 | $108,000 | $7,000 | $104,000 |
| 2 | 104,000 | 3,120 | 112,320 | 7,000 | 108,440 |
| 3 | 108,440 | 3,250 | 117,200 | 7,000 | 113,370 |
| 4 | 113,370 | 3,400 | 122,440 | 7,000 | 118,840 |
| 5 | 118,840 | 3,570 | 128,350 | 7,000 | 124,910 |
| 6 | 124,910 | 3,750 | 134,900 | 7,000 | 131,650 |
| 7 | 131,650 | 3,950 | 142,180 | 7,000 | 139,130 |
| 8 | 139,130 | 4,170 | 150,260 | 7,000 | 147,440 |
| 9 | 147,440 | 4,420 | 159,230 | 7,000 | 156,660 |
| 10 | 156,660 | 4,700 | 169,190 | 7,000 | 166,890 |
| 前十年總額 | | 37,330 | | 70,000 | 166,890 |
| 11 | 166,890 | 5,010 | 180,240 | 7,000 | 178,250 |
| 12 | 178,250 | 5,350 | 192,510 | 7,000 | 190,850 |
| 13 | 190,850 | 5,730 | 206,120 | 7,000 | 204,850 |
| 14 | 204,850 | 6,150 | 221,230 | 7,000 | 220,380 |
| 15 | 220,380 | 6,610 | 238,010 | 7,000 | 237,620 |
| 16 | 237,620 | 7,130 | 256,630 | 7,130 | 256,630 |
| 17 | 256,630 | 7,700 | 277,160 | 7,700 | 277,160 |
| 18 | 277,160 | 8,310 | 299,330 | 8,310 | 299,330 |
| 19 | 299,330 | 8,980 | 323,280 | 8,980 | 323,280 |
| 20 | 323,280 | 9,700 | 349,140 | 9,700 | 349,140 |
| 後十年總額 | | 70,660 | | 76,820 | 349,140 |
| 廿年總額 | | 107,990 | | 146,820 | 349,140 |

假設每年股票股利3%，股價上漲8%，支出7,000美元。

*十位數以下四捨五入。

充分瞭解表3-1及3-2，而且也相信全部投資股票，長期來看才屬明智，還是可能被這種大跌恐懼症嚇得不敢買太多股票，寧可抱著債券來避風險。

讓我們做個悲觀假設：閣下全力投入股市，馬上碰到大跌，一夜之間損失25%。一下就輸掉四分之一的財產，當然懊喪不已。但是只要不賣掉股票，結果還是比債券好很多。貝克威特以電腦計算，閣下的二十年後投資組合成長為18萬5,350美元，幾乎是10萬美元債券本金的兩倍。

或者碰上更糟糕的情況：景氣持續低迷二十年，股利發放和股價漲幅都只有正常的一半，這必然是近代金融史上最久的大災難。但若仍全部投資股市，每年從中取出7,000美元來過活，二十年後還是有10萬美元，結果和投資債券一樣。

如果當時向X組織遊說時，手上有貝克威特的分析就好了，我就可以說服他們不要把子彈浪費在債券上。最後我們達成結論，提高股票的投資比例，至少這是正確的第一步。

## 債券及債券基金

決定投資比例後，先把債券部位搞定再說。我個人不熱中債券投資，所以這段討論也不會太長。你們應該都看得出來，我比較偏好股票，不過稍後再來討論我最熱中的投資，現在先講債券。一般認為債券最能保本，事實卻非如此。

有些人以為買債券，不買股票，晚上才睡得安穩。如果你聽聽我以下要說的，大概半夜就驚醒囉！買利率8%的美國三十年期公債很安全嗎？如果通貨膨脹能維持三十年低檔，才算安全。萬一通貨膨脹率上升為兩位數，公債價格至少跌個兩、三成。這種情況可讓人進退兩難了，如果先賣掉，必然蝕老本，如果死抱著等三十年到期，本金是拿回來了，但幣值卻只有原來的一半而已。酒或棒球卡也許愈老愈值錢，但錢卻只會愈來愈貶值，例如1992年美元幣值只有1962年的三分之一（值得向大家說明的是，市場輕視的貨幣市場基金，現在表現未必會像以前那麼糟。目前通貨膨脹率為2.5%，而貨幣市場利率為3.5%，至少還多出一個百分點。如果利率上揚，貨幣市場殖利率也會跟著走高。當然啦，我不是說光靠3.5%利率就能過活，至少你不用怕會蝕掉老本。現在許多投資公司的貨幣市場基金，管理費用都很低，因此更具吸引力。況且利率不可能永遠維持低檔，一旦利率開始上揚，貨幣市場基金比長期債券更安全）。

另一個關於債券的錯誤觀念是，買債券基金比直接投資債券來得安全。如果是公司債或垃圾債券，這個說法是沒錯，因為透過基金運作，可以分散債務人倒帳的風險。如果是碰上利率上揚，債券基金可也沒轍，而投資長期債券最怕的，就是碰到利率走高。利率一開始上揚，債券基金行情和期限相近的個別債券一樣慘。

或許你可以撥點錢，投資垃圾債券基金，或同時操作公司債和公債的債券基金，這種基金的報酬率會比投資個別債券好。我想不通的是，怎麼會有人把所有錢都投資在中期或長期公債基金上。可是很多人這麼做！目前美國公債基金投資金額在千億美元以上。

話說得太白，可能會讓我失去一些債券基金部門的朋友，不過我還是要說，他們到底為何而存在，實在讓我百思不解。投資人如果買中期公債基金，還要付0.75%的管理年費，負擔基金公司的薪資、會計費用及出版年度報告書。可是直接去買七年期公債，不但不用支付任何額外費用，報酬率也比較高。

你可以透過營業員或直接向美國聯邦準備理事會（Fed）各地分行，直接購買公債或國庫券，不必支付什麼手續費或佣金。三年期國庫券最低購買金額為5,000美元起跳，十年及三十年公債只要1,000美元就可直接購進。國庫券利息是期前支付，直接由國庫券價金扣除，公債利息則自動轉存閣下的券商帳戶或銀行帳戶，一點都不麻煩。

推銷公債基金的人會說，由專業經理人來操作，不但能在最佳時機適時拋補，風險也較低，報酬率相對提高。說得好，可惜這種情況並不多見。紐約債券交易商GHC公司的研究報告指出，從1980年到1986年，債券基金行情一直比個別債券差，有時一年竟落後2%之多。而且債券基金期限愈久，相對個別債券的表現也愈差。經由專家管理是有些好處，但還不值得投資人付出的管理費成本。

GHC的研究報告同時指出，許多公債基金有犧牲日後整體報酬，蓄意將當前殖利率拉到最高的情況。對此我沒有證據加以支持或反駁，但我確信直接投資七年期國庫券，七年後一定能取回本金，但買中期公債基金就不見得有此保障，基金價格視當日債市行情，隨時都在浮動。

還有一個令人百思不解的是，為什麼有這麼多人願額外支付管銷費用，來購買公債基金和所謂的吉尼梅（Ginnie Mae）基金。如果是股票基金表現絕佳，付錢去買還有點道理，因為可以從操作績效把本金撈回來。但一張美國三十年期公債或吉尼梅票券，和其他的公債或票券又有什麼差別？如果公債、票券走勢差不多，基金經理人又如何凸顯自己的操作不凡？事實上，收費的債券基金與不收費的債券基金，操作績效幾乎一樣，因此彼得定理第5條是：

幹嘛花錢請馬友友來開收音機？

最後X組織共雇用七位經理人來管理債券部位：兩位傳統債券經理人控有大部分債券資金，另外又找三位來負責可轉換公司債（本章稍後討論），兩位專責垃圾債券。垃圾債券如果壓對寶，獲利非常可觀，不過也別太魯莽。

## 股票及股票基金

從某方面來說，股票基金就跟股票一樣，獲利不二法門就是要緊抱不放。想長期持有，意志力要很強。在股票市場中，會嚇得賣股票的人，投資股票基金可能也是一樣。平時操作績效最好的股票基金，在大盤回檔整理時，可能反而比一般個股跌得還慘，這是常有的事。在我接掌麥哲倫期間，有九次股市回檔10%，而基金跌幅更大。不過反彈幅度也比較高，對此稍後再詳細說明。若不想錯失反彈行情，最好就是緊抱不放。

擔任麥哲倫經理人時，我常在公開說明書拉警報，說麥哲倫巨艦也可能熬不過巨浪滔天而沉沒。這麼做是要讓投資人有點心理準備，雖然有點緊張，但事到臨頭比較不會嚇破膽。我想大部分投資人都能保持冷靜，緊抱不放，可是有些人就是辦不到。華倫．巴菲特（Warren Buffett）曾經說過，如果無法忍受股價腰斬，就不要買股票。股票基金也是如此。

無法坐視基金價值遽減兩、三成的人，就不該投資成長型基金或一般的股票型基金。這種投資人比較適合混合股票和債券的平衡式基金，或資產分配基金（asset allocation fund）。這兩種基金行情起伏比純股票型小，不過最後報酬也比較少。

針對目前市場上令人眼花撩亂的1,127種股票型基金，彼得定理第6條就是：

既然要選基金，就得挑個好的。

說起來簡單。但過去十年來，美國股票型基金75%連二流水準都稱不上，年年落後大盤指數。事實上，基金經理人只要和指數打平手，就在千餘家基金中排名前四分之一。

很奇怪的是，組成指數就那幾檔股票，而這麼多基金公司買賣的，也是那些股票，但基金績效硬是不及指數。多數經理人連平均水準都搆不上，聽來不可思議，但實際情形就是如此。1990年基金平均績效再次輸給S&P 500指數，八連敗！

這個怪異現象因何而生，目前眾說紛紜。有人認為基金經理人根本不會選股，不如把電腦扔了，光靠射飛鏢有時能矇對，操作績效還會好點。有人以為基金經理人表面上追求卓越，實則深受華爾街集體意識所制，終其一生只求和指數打平手就夠了。可悲的是，這幫傢伙實在缺乏創意，連大盤指數都趕不上，就像聰明絕頂的大作家腸思枯竭，卻擠不出一本幼稚的暢銷書。

第三種說法算是比較客氣的，認為基金表現不若大盤，主要是過去十年來大型股及小型股行情分歧所致。大盤指數的採樣股票，尤其是S&P 500指數，通常是大型公司，而大型股近年來漲幅甚大，所以在1980年代想擊敗大盤，比1970年代難。1980年代裡面，S&P 500指數採樣股中，許多上市公司曾捲入經營權爭奪，把股價炒翻天。此外，外資大筆湧入美國股市，專挑有名的大型股，也增強股價動能。

反觀在1970年代，許多知名上市公司（如拍立得、雅芳、全錄公司及鋼鐵業、汽車業者），因經營不善導致股價疲軟。有些企業雖然獲利頗佳，如默克製藥等績優股，股價卻已經太高了。因此當時刻意避開大型股的基金經理人，反而佔盡優勢。

第四種說法是，指數型基金大受歡迎，刺激指數本身漲幅更大。由於愈來愈多法人投資機構模擬指數採樣來投資，指數採樣股聚集更多買氣，股價當然強勢高揚，支撐指數型基金表現更為突出。

想選家好基金，根本是百中挑一的苦差事，不如乾脆選一家或幾家指數型基金？我和麥克．理柏（Michael Lipper）討論過，他在基金界可是首屈一指的權威。他把一般的股票型基金和S&P 500指數（股利再投資，並扣除指數型基金手續費）相比較，做成表3-3。

從表3-3可以看到剛才提到的，近十年來指數型基金操作績效，一直優於一般股票型基金，而且幅度相當大。如果1983年1月1日投資先鋒500指數基金10萬美元，然後放著不動，到1991年1月1日會增值為30萬8,450美元。若投資一般的股票型基金，八年後只有23萬

## 表3-3　股票共同基金與S&P 500指數

| 年度 | 一般股票基金(%) | S&P 500指數股利再投資(%) |
|---|---|---|
| 1992 | 9.1 | 7.6 |
| 1991 | 35.9 | 30.4 |
| 1990 | -6.0 | -3.1 |
| 1989 | 24.9 | 31.6 |
| 1988 | 15.4 | 16.6 |
| 1987 | 0.9 | 5.2 |
| 1986 | 14.4 | 18.7 |
| 1985 | 28.1 | 31.7 |
| 1984 | -1.2 | 6.3 |
| 1983 | 21.6 | 22.6 |
| 不過長期來看，基金稍佔優勢 | | |
| 1982 | 26.0 | 21.6 |
| 1981 | -0.6 | -4.9 |
| 1980 | 34.8 | 32.5 |
| 1979 | 29.5 | 18.6 |
| 1978 | 11.9 | 6.6 |
| 1977 | 2.5 | -7.1 |
| 1976 | 26.7 | 23.9 |
| 1975 | 35.0 | 37.2 |
| 1974 | -24.2 | -26.5 |
| 1973 | -22.3 | -14.7 |
| 1972 | 13.2 | 19.0 |
| 1971 | 21.3 | 14.3 |
| 1970 | -7.2 | 3.9 |
| 1969 | -13.0 | -8.4 |
| 1968 | 18.1 | 11.0 |
| 1967 | 37.2 | 23.9 |
| 1966 | -4.9 | -10.0 |
| 1965 | 23.3 | 12.5 |
| 1964 | 14.3 | 16.5 |
| 1963 | 19.2 | 22.8 |
| 1962 | -13.6 | -8.7 |
| 1961 | 25.9 | 26.9 |
| 1960 | 3.6 | 0.5 |
| 總投資報酬(%) | | |
| 1960～1992 | 2548.8 | 2470.5 |

過去十年內共有八年，S&P 500指數年度漲幅超過共同基金。

資料來源：理柏分析服務公司。

6,367美元。指數基金八連勝紀錄，到1991年才打破。

如果以三十年時間來看，股票基金和指數漲跌非常接近，前者略勝一籌。投資人耗時費力，拚命想挑個好基金，選個熱門的偉大經理人，結果根本佔不著便宜。除非幸運碰上少數幾家持續戰勝大盤的基金（稍後詳論），否則只是白費氣力。不過關於射飛鏢投資法，有人認為最好的辦法是：把整個靶包下來，不就搞定了？

理柏個人也認為，想找出哪個基金經理人是明日之星，根本沒有用。證據已經讓各位看過了。可是投資人永遠抱著希望，華爾街仍是人氣鼎沸，精神盎然，大夥汲汲於揀沙淘金，想找出永遠戰勝大盤的股票基金。

我和幾位同事也接受挑戰，為X組織探訪操作高手。花好幾個小時審查75位經理人的簡歷及操作紀錄，從中挑選25位面談。

後來我們雇用幾位不同領域的經理人，分別成立投資組合。閣下也能如法炮製，同時投資幾種不同形式和管理風格的基金。我們認為股市變化無常，周遭情況也常改變，特定經理人或特定一種基金，不可能在市場通殺。股票如此，共同基金也是如此。誰曉得金雞母會跑到哪？所以懂得兼容並蓄，往往就有所獲。

如果只買一種基金，或將覺得時不我予，可能經理人表現失常，或者基金裡全是些過氣的股票。例如，股票價值基金（value fund）或許三年來意氣風發，但往後六年卻衰到底。1987年10月19日黑色星期一以前，股票價值基金連八年勝出大盤，成長型基金表現落後。之後換成長型基金獨領風騷，但1992年又嘗敗績。

基金種類愈趨複雜。為方便討論，下面介紹幾個重要基本類型：

1. 資本增長型基金（Capital appreciation fund）：各類股票都可投資，不拘泥於特定投資觀念。麥哲倫基金即屬此類。
2. 股票價值基金（Value fund）：經理人選股主要看公司資產，而非獲利狀況，例如天然資源開採、擁有大筆地產、有線電視、輸油管及裝瓶業者等等。所謂的價值公司，有許多是大筆舉債購置資產。他們的算盤是，債務一旦清償，所購資產即有回收。
3. 績優成長型基金（Quality growth fund）：主要投資在中、大型績優股，企業經營良好，穩定擴張，盈餘每年至少成長15%以上，所以景氣循環類股、成長遲緩的績優股及公用事業股，都不包括在內。
4. 新興成長型基金（Emerging growth fund）：主要投資小型股。小型股落後大盤多年，1991年轟然一聲，崛然而起。
5. 特殊情況基金（Special situation fund）：以發生重大事件之上市公司，足以影響其未來發展者為投資標的。

知道持有哪一類基金，你才能充分判斷是否要繼續抱著。瑪利歐·加百列的股票價值基金連續落後大盤四年，但這並不表示就該放棄（幸好1992年反彈了）。一旦資產股失寵，加百列、林德耐（Kurt Lindner），或普萊斯等資產股高手當然跟著灰頭土臉，難與當道的成長型基金匹敵。

要比較基金操作優劣，必須以同類型相互比較才公平。如果加百列績效多年來一直贏過林德耐，當然就挑加百列。但若加百列不如成長型基金經理人，那就不是加百列的問題，而是資產股整體行情的問題。

同樣地，如果去年金礦類股下跌10%，金礦股基金也下跌10%，就是非戰之罪，沒啥好苛責的。如果手中基金表現不佳，自然反應就是轉搭順風車，換一家比較好的基金。但若未考慮基金種類，在轉機前夕失去耐心，也許資產股正開始觸底反彈，而成長類股已是高處不勝寒，卻在這個關鍵時刻棄守股票價值基金，轉搭才要走下坡的成長型基金，可就不妙了。

事實上，在資產股普遍低迷之際，某價值基金表現特別突出，反而有點問題（成長型或其他類型基金也是如此）。因為這可能是基金經理人對資產股已感厭倦，轉而投資一些大型績優股或公用事業股。

這種經理人缺乏自律，也許短期內有所斬獲，卻反而犧牲了長遠利益。一旦資產股開始回升，他手上可能沒有多少資產股，結果投資人辛辛苦苦付管理費，卻享受不到應得的好處。

思慮周到的投資人會先看看年度報告書或半年報，以瞭解投資的股票是否與基金類別相吻合。例如，在股票價值基金中不應該有微軟公司（Microsoft）的股票。事後批評基金經理人的操作，雖非一般投資人能力所及，卻是我們股票狂最愛幹的事。

## 組成明星隊

為了提高勝算，確保能照顧到各個面向，我們最後選了13家基金和經理人，包括一位價值型經理人、兩位績優成長型經理人、兩家特殊情況基金、三家資本增長型基金、一家新興成長型基金、一家專打股利牌的基金，以及三家可轉換債券基金（稍後詳論）。

我們認為由各個類別挑出高手組成明星隊，應該每年都能超越大盤。這種分頭並進方式，萬一其中有人落後，也能由其他同伴的優越操作加以彌補。我們是想擊敗大盤指數。

一般投資人也可以簡單模仿這個辦法。把資金分成六部分，買進上述五種基金，最後加上公用事業股基金或證券收益型基金。這兩種基金在股市震盪之際，極具穩定功效。

1926年到現在，新興成長型股票便一直大幅領先S&P 500指數，所以壓點寶在上頭是對的。或者利用指數基金來搭配，例如S&P 500指數基金即涵蓋績優成長類股，羅素2000指數基金則由新興成長類股組成。至於加百列資產基金、林德耐基金或普萊斯的烽火基金（Mutual Beacon）專門投資資產股，而麥哲倫基金（廣告一下）則屬資本增長型。

最簡單的方法是把錢分為六等份，買六個基金，就大功告成了。若是想再增加投資，還要重施故技。比較複雜的做法則是，各類投資比重不同，如果想擴大投資，落後大盤者優先加碼。個人投資還要考慮課稅（公益團體免稅），所以最好不要常常進出、頻頻轉換。

那麼如何判定哪些類股落後大盤呢？1990年秋天為X組織擬定投資計畫時，我們也討論過這個問題。那時我認為部分大型成長類股已經太高，差不多該休息了，例如，布里斯托—麥爾（Bristol-

Myers）、菲利普摩里斯和亞培實驗室（Abbott Labs）等，都已到了讓人目眩神搖的新高價位。第7章我會進一步解釋，如何判斷股價太高。

那些股票都是S&P 500指數中，藥物或食品業的典型大型股。另一方面，道瓊指數則偏重景氣循環類股，那斯達克股價指數和羅素2000指數，則以小型新興成長企業為主，如連鎖餐飲業及高科技類等。

回顧過去十年來S&P 500指數和羅素2000指數的表現，就能看出兩者不同的波動模式。首先，新興成長類股震盪遠比大型股激烈，宛如巨鷹平穩翱翔，而燕雀上下跳躍。再者即使小型股重挫超跌，最後還是會趕上大型股。

1980年代下半期，新興成長類股雖上漲47.65%，但若與S&P 500指數114.58%漲幅相比，可謂沉悶異常。不過1991年新興成長類股開始反敗為勝，短短一年間羅素2000指數即飆升62.4%。有些新興成長型基金表現更出色，漲幅高達七、八成。

如果當時注意《巴隆週刊》、《華爾街日報》等專業刊物報導，留心各類指數的不同變化，顯然1990年就是壓寶新興成長類股的好時機。

想搞清楚該投資小型股還是大型股，還有一個有用方法，就是根據羅威．普萊斯（T. Rowe Price）公司的新展望（New Horizons）基金。新展望基金創於1961年，主打小型股。該基金投資的企業中，若資本額超過一定規模，馬上就會處理掉這支股票。注意觀察新展望基金的動向，你就能掌握新興成長類股的變化。

圖3-1是羅威．普萊斯公司定期更新刊出，比較新展望基金所投資的股票和S&P 500種股票的本益比。由於小企業成長一般比大公司快，小型股本益比通常高於大型股。所以理論上新展望基金本益比，應該一直比S&P 500指數高才對。

但實際狀況並非如此，這就是圖3-1有用的地方。某些時候新興成長類股不受青睞，股價低迷，新展望基金本益比可能跌到和S&P 500指數一樣（相對本益比值1.0）。

有時候小型股狂飆，股價高得不合理，新展望基金本益比可能是S&P 500指數的兩倍（相對本益比值2.0）。

## 圖3-1　相對本益比

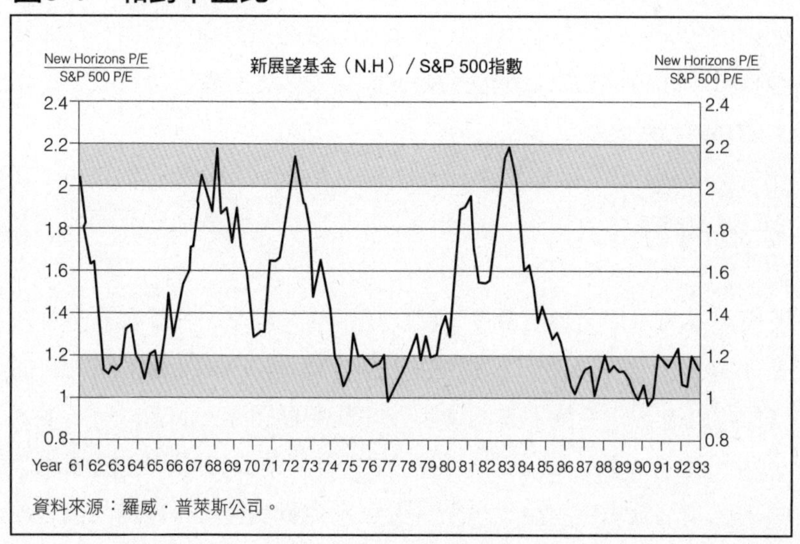

資料來源：羅威．普萊斯公司。

由圖可見，過去二十年來只有兩次突破2.0水準（1972及1983年），但之後均重挫多年。事實上，1983到1987年的股利大多頭行情，小型股幾乎沒趕上。因此，當新展望基金和S&P 500指數相對本益比值逼近2.0時，就是避開新興成長類股，專心大型股的時候。

由圖可清楚看出，新興成長類股最佳進貨時機，就是相對本益比值在1.2以下。要利用這個方法賺錢，耐心必不可少。先要經過幾年生聚教訓，小型股才會開始漲，而且行情真正走完還要再花幾年時間。例如1977年的時候，小型股已連漲一、兩年了，華爾街普遍認為行情已經結束，該換大型股表現了。那時我算是初生之犢不畏虎，並不趨附眾人看法，繼續緊抱小型股。往後五年，麥哲倫基金即賴此得以連續擊敗大盤。

在成長型或價值型基金的取捨上，也一樣能用這個方法。理柏分析服務公司自己彙編兩種指數，一種以30家價值基金價格為採樣，另一則由30家成長型基金組成，每期《巴隆週刊》均有刊出。1989年至1991年間，理柏成長型基金指數勁揚98%，而價值型基金指數只上漲36%。若價值型基金已落後多年，就該是買進的時候了。

## 基金的得分王

不管黑貓、白貓，總要會抓老鼠才是好貓，那怎麼判斷哪家基金才是好貓？大部分投資人就根據過去操作情況，研讀專家刊物，如《巴隆週刊》上定期追蹤基金績效的理柏專欄等。或者一年，或者三年、五年，甚至更長期紀錄，現在對基金過去績效精挑細選一番，已成為全國性的消遣活動。投資人耗費幾千小時東挑西揀，相關書籍、專論也著實不少，可惜都沒啥用處。

有人以為買去年漲幅最大的基金就行了。理柏一年期排行榜第一名，就是這家！蠢透了，這樣丟錢。只是一年期的冠軍，很可能只因為湊巧壓中寶，買了某種或某家熱門股，否則他憑什麼高人一等？明年如果好運不再，說不定就成了最後一名。

嘿！就算用三年或五年紀錄來挑，可能還是行不通。美國《投資遠見》（*Investment Vision*）雜誌（現名為《價值》〔*Worth*〕）研究指出，從1981至1990年，如果每年以過去三年最佳基金為投資對象，結果是落後S&P 500指數2.05%。五年期明星隊只贏0.88%，十年期夢幻隊也僅勝出1.02%，光付基金管理費還不夠哩！

如果專挑五年期或十年期最佳基金，然後緊抱五年呢？前者不過和S&P 500指數差不多，後者反而落後0.61%。

所以說嘛！不要浪費太多時間研究那些老紀錄。當然，我們還是要有過去良好的操作表現來做基礎，但要懂得緊抱操作穩當、持續有好表現的基金，不要盲目跟著大勢跑，進進出出反而自誤。

還有一個值得研究的是，基金在空頭市場表現如何。這相當複雜，有些基金跌幅較深，但反彈力道也強，有些跌得輕，反彈也相對較弱，還有一些是跌多漲少，傻瓜也不會去碰最後一種。

關於基金在空頭市場的表現，《富比世》雜誌每年9月號的英雄榜（Honor Roll）值得參考。想列入英雄榜起碼要設立多年，曾經歷過兩個多頭市場和至少兩個空頭市場。《富比世》會列出每家基金經理人姓名和掌舵時間，管理費多少，手中股票的本益比以及十年平均報酬率，替每家基金打分數（A到F）。

要登上《富比世》英雄榜很難，因此可以利用它來挑基金。如果是多、空市場都有A或B級表現，應該就錯不了。

全美共有1,200餘家股票型基金，其中只有264家早在1978年或更早以前就成立。在這264家裡面，到現在每年度持續上漲者只有九家：鳳凰成長（Phoenix Growth）、美林資本A（Merrill Lynch Capital A）、美國投資公司（Investment Company of America）、約翰．韓考克元首（John Hancock Sovereign）、CGM共同基金（CGM Mutual）、全國（Nationwide）、伊頓．凡斯投資者（Eaton Vance Investors）、世界和平（Pax World）、歐瑪哈收益共同基金（Mutual of Omaha Income）。其中鳳凰成長基金尤佳，從1977年至今，每年複合成長率20.2%。這九家基金中，有八家每年至少上漲13%。

## 基金的銷售佣金

投資基金是否須支付額外佣金，也要列入考慮。付費表示這家基金操作較好嗎？未必見得。有些很不錯的基金要收費，但有些無需佣金的基金也一樣很成功。若準備抱好幾年，那麼2%到5%佣金就不是很重要，而且佣金的有無也不該是投資決策的重點。

基金的管理費用的多寡，對其整體績效當然有影響，這正是指數基金佔便宜的地方。而在相互比較操作績效時，投資人不必管這些費用，因為在計算年度報酬時，這些費用即以成本列入。

有些人也擔心基金規模的大小，其中特別是麥哲倫基金。1983年麥哲倫資產超過10億美元時，我第一次聽到「規模太大，很難成功」這種話。隨後又一路「規模太大」到20億、40億、100億美元，我離開時已達「很難成功」的140億美元。到史密斯（Morris Smith）接手時，我猜大約是200億美元吧？隨著麥哲倫規模日益壯大，這些冷言冷語就不斷出現。

史密斯才剛接管麥哲倫，《波士頓全球報》（*The Boston Globe*）馬上刊出一個報導史密斯操作情況的專欄（叫「Morris Smith Watch」），其實真正用意是要「看史密斯因基金規模太大栽跟頭」。事實證明史密斯在1991年表現極佳，那個等著看好戲的專欄才停掉，但還是有很多人在重彈「基金太大」的悲調。如今史密斯又傳給維尼克（Jeff Vinik），由維尼克繼續來掌管這個「規模太大，不會成功」的基金。

規模龐大的基金確實不好管理，就好像巨無霸靠小點心活下去一樣，要一直吃很多才夠營養。巨無霸基金的操盤人也是如此，即使進到某支小型飆股，對整個基金不過是杯水車薪，所以要把主力擺在大型股上頭。而即使大型股，要吸納到足夠分量的持股，也要花好幾個月的時間，至於出貨可能還要更久。

這些都可藉管理技巧來克服。麥克・普萊斯的股票共同基金（Mutual Shares）就是證明（該基金已不再對外開放，普萊斯另有烽火共同基金）。而接替我管理麥哲倫的史密斯，也證明巨無霸基金一樣可以靈活操作。

最後，我準備再介紹四種基金：類股基金、可轉換債券基金、封閉型基金和國家基金。

## 類股基金

類股基金約在1950年代開始出現。一直到1981年，富達公司才首次推出多支類股基金，投資人只要支付一點點手續費，就能在不同類股基金間來回操作。如果投資人看好某項產業，例如石油，但無法研究個別石油業者，那投資石油及天然氣類股基金也行。

可是對那些老是突發奇想的投資人而言，類股基金常被誤為僅憑第六感，就可以順利操作的投機標的。也許某日你忽受神啟，以為油價馬上要大漲。萬一沒猜準，即使你不是敲進埃克森石油（Exxon）的股票，而是買進石油及天然氣類股基金，還是難逃賠錢之殃。

最適合類股基金的投資人，必須特別瞭解某種商品或產業。像珠寶商、營建商、保險精算師、加油站經理、醫生，或科學研究人員等等，對貴金屬、木材、石油價格、保險費率、新藥許可或生物科技的商業化等等，都比較容易掌握近況。

若能適時搭上產業快車，包你很快就大賺一票，1991年富達生物科技基金的投資人就是如此幸運，樂享一年暴漲99.05%。不過萬一時機不對，類股基金也會跌得很慘，富達生物科技基金1992年前九個月即大跌21.5%。科技類股基金從1982年中期一路飆到1983年中，但之後連衰了好幾年。過去十年來，醫療保健、金融服務及公用事業類股走勢最強，貴金屬則敬陪末座。

理論上每個產業終有翻身之日，所以我對黃金類股又有興趣了。

我剛操作麥哲倫的頭幾年，金價大漲特漲。那時候我們這種小老百姓不敢去看牙，不是怕疼，而是金牙套貴得嚇死人。當時各類基金中，黃金基金表現最是傲人，可是它們的名字偏偏叫什麼投資策略基金、國際投資人基金或聯合服務基金等等，外人根本不曉得到底是啥名堂。一想到這個，我就一肚子火。

當時理柏的五年期基金排行榜上，有家黃金基金常壓在我頭上，可是很多投資人不曉得那其實是黃金類股基金。一般投資人看起來，好像有些基金經理人硬是比我強，哪知道那些全是專門操作黃金類股的特殊基金？不過它們也沒風光幾年，理柏排行榜頭幾名漸漸看不到黃金基金，最近幾年更包辦最後幾名。

一直到1992年6月的十年內，美國表現最差的基金中，有五家就是黃金基金。這當然是非戰之罪，在這段期間一般共同基金成長三倍或四倍之際，黃金類股漲幅只有可憐的15%。即使投資貨幣市場或美國儲蓄公債，也不像黃金基金這麼慘。

然而早在遠古時代老祖宗就喜歡黃澄澄、亮晶晶的黃金，我不相信它會就此失寵。由於某慈善機構的關係（他們也持有黃金類股），最近有幾位行家告訴我黃金市場的情況，據悉過去在美國、加拿大、巴西及澳洲等國新礦開採，及前蘇聯共和國大量拋金下，黃金市場供過於求。但1980年代以來，世界最大黃金產國南非產量大減，減產幅度遠非美加巴澳增產可比，因此未來金市是否仍供給過剩，專家甚感懷疑。

目前正開採的新礦，很快就會採完，況且連續十餘年金價低迷不振，金礦業者對鑽探開發新礦區，當然更是興趣缺缺。如此狀況若經五年，金價必然大有炒作條件。在黃金供給可能減少的同時，珠寶飾品業者需求卻會上升，而且通貨膨脹率哪天又上了兩位數，投資人必定又急著買黃金來保值避險。

另外，金價還有一個「中國利多」。隨著經改有成，中國人民收入漸增，可是購買力卻無處消化，不管是汽車、電器用品或房地產都很少。為了紓解民怨，政府當局可能開放民間持有黃金，如此世界金市再生需求生力軍。而另外一些開發中國家，也可能循中國模式，成為黃金的新買家。

目前美國共有34家黃金類股基金，有些基金以南非金礦股為投資標的，其他則專門操作南非以外的黃金類股。有些基金則屬綜合型，一半投資黃金類股，另一半買進公債。這種黃金公債綜合型基金，最適合一會兒擔心經濟大蕭條，一會兒又憂慮惡性通貨膨脹的膽小鬼。

## 可轉換債券基金

可轉換債券基金可提供雙重好處，讓投資人享有小型股的高度成長力，同時保有債券的穩定 。可惜投資人對這種基金認識不夠。一般來說，發行可轉換債券大都是規模較小的企業，債券利率通常也比較低。投資人所以接受低利率，主要就是著眼於能以特定價位，將債券轉換為普通股的權利。

轉換價格習慣上比現價高20%到25%，一旦標的股市價漲到轉換價格以上，可轉換債券就開始值錢了。在市場價格超過轉換價以前，投資人起碼還能收利息。而標的股市場價格可能大跌，但可轉換債券價格則相對較穩，因為價格一旦下跌，殖利率就相對升高，因此比較抗跌。比方1990年時，發行可轉換債券的普通股平均下跌27.3%，但可轉換債券只下跌13%。

不過投資可轉換債券，還是可能碰上一些陷阱，所以這方面最好讓專家來幫你解決。可轉換債券有許多種，某些比較簡單的，業餘投資人也可直接投資，不過一定要下很大工夫來研究才行。目前，操作優秀的可轉換債券基金投資殖利率約達7%，比一般股票的3%配股率高。例如普特南可轉換債券收入成長信託基金（Putnam Convertible Income Growth Trust），過去二十年來總投資報酬率為884.8%，不但比S&P 500指數高，也非一般股票基金可比。

為新英格蘭的X組織擬定投資策略時，我們選了三家可轉換債券基金，是因為當時可轉換債券價格似已超跌。怎麼說呢？通常普通的公司債殖利率，會比可轉換債券高出1.5到2個百分點。如果這個幅度擴大，表示可轉換債券價格太高，反之則太低。1987年10月大崩盤以前，普通公司債殖利率竟比可轉換債券高出四個百分點，顯示可轉換債券價格漲得實在太離譜了。可是到了1990年10月波灣局勢開始吃緊，美國股市相應走軟之際，同一家企業的可轉換債券殖利率，竟反而比普通公司債高出一個百分點。這非常罕見，此時不搶進可轉換債券，更待何時？

善用可轉換債券和普通公司債殖利率差幅，就可以賺錢：當差幅縮小時（例如兩個百分點，或更低），買進可轉換債券基金，到差幅又擴大時才獲利了結。

## 封閉型基金

封閉型基金就在交易所掛牌交易，和股票一樣。目前全美共有318家封閉型基金。不過各家規模和種類相差甚多：例如封閉型債券基金、地方公債基金、一般股票基金、成長型基金或股票價值型基金等等。

封閉型和開放型（如麥哲倫）的最大差別，即發行額是固定的。封閉型基金投資人若要撤出，是將受益憑證賣給其他投資人。而開放型基金發行額則隨時在變，新資金進入，基金總額變大，投資人若要求贖回，基金總額就縮小。

基本上，封閉型基金的管理和開放型差不多，不過封閉型基金經理人在工作上有保障。封閉型基金經理人不必接受「民意」考驗，即使憑證賣壓大增，自有市場來消化，基金總額還是不會改變，除非操作實在太爛，大賠特賠才會丟官。操作封閉型基金的經理人，就好像取得終身聘書的大學教授一樣，除非有啥滔天大罪，否則絕不會被解雇。

封閉型和開放型基金到底哪個操作績效較佳，到目前為止我還沒看到具決定性結論的研究報告。就一般觀察，兩種基金都沒什麼特殊優勢。在《富比世》雜誌的基金英雄榜中，表現很棒的基金，既有封閉型也有開放型，可見事在人為，跟類型關係不大。

封閉型基金交易方式和股票一樣，因此其價格波動也和股票差不多，市場價格和資產淨值相比，會出現折價或溢價。因此基金價格如果跌得太深，與淨值相比折價幅度太高，馬上會有短線客進去撿便宜。

## 國家基金

有許多封閉型基金，就是投資特定國家（或地區）的國家基金（或區域基金）。不光是投資一家企業，而是投資整個國家！聽起來似乎更有想像力、更浪漫。想像一下，在某個義大利古城的廣場，和好友共享好酒後，誰會拒絕投資義大利基金呢？基金行銷人員該好好動腦筋，如果在國外各大旅館附上免費洽詢電話的號碼，包你有生意可做！

目前全美至少有75家國家（或區域）基金，特別是在共產集團分裂後必定更多。生意人嗅覺總是特別靈敏，比方說古巴到現在仍為共產國家，獨裁者卡斯楚還在幹他的土皇帝，可是最近邁阿密就推出了兩家古巴基金。

國家基金作為長期投資，最吸引人的地方是，這些地區經濟成長都比美國快，因此股價漲勢也強。過去十年來，情況正是如此。以我個人在麥哲倫的經驗來說，投資國外股票的勝算，也比本國股票高。

不過想賺國家基金的錢，你必須有耐心及毅力才行。投資人常以為國家基金很快就能削到大把銀子，特別是那些有空就胡思亂想的人更以為如此。最近一個最好的例子就是德國基金，和後來出現的「新」德國基金。投資人以為柏林圍牆倒囉！德國統一囉！全世界投資人奔相走告，偉大的德國又站起來囉！

柏林圍牆垮了！在情緒作祟下，似乎連整個歐洲大一統都不再只是個遙不可及的夢。大夥以為東西德統一，連歐洲各國長久以來的衝突、矛盾都能在一夜之間化解。法國人和德國人相擁和好，英國人也會和法國人、德國人握手言歡，義大利會放棄自己的里拉，荷蘭人會放棄基爾德，歐洲貨幣單一化。整個歐洲即將邁入團結、和諧、繁榮的超級時代。呸！我認為死灰復燃的可能性，還比偉大的歐洲統一高一點。

當柏林人踩著圍牆瓦礫手舞足蹈之際，德國和新德國基金的價格，馬上比基金淨值高出25%，大夥搶買啊！一夜暴漲25%，德國股票有啥改變嗎？沒有，充其量只是大夥夢想德國經濟繁榮的一廂情願而已。最近投資人也熱切期待南北韓統一，我認為不久的將來即可成真。

然而六個月之後，投資人又全洩了氣，終於注意到兩德統一問題還真不少，於是熱情轉為絕望，德國基金價格又跌到淨值的20%到25%以下，而且自此之後即低迷於折價狀態。

1991年大夥正對德國狂熱之際，德國股市表現卻很糟，但到了1992年上半年，利空頻傳，股市反而連連上揚。這種情況，即使在德國境內恐怕還搞不清楚葫蘆內到底賣啥藥，遑論我們這些遠在國外的旁觀者。

由上可知，國家基金的最好進貨時機，就是大夥全不看好之際，閣下得以折價20%到25%撿便宜。德國遲早都會站起來的，那些曉得逆勢撿便宜的投資人，到時一定樂得合不攏嘴！

事實上，國家基金不利因素不少。例如管理費、手續費通常不低，此外基金投資的企業賺錢也還不夠，有時候也得看匯率的變化，當地匯率如果震盪、疲軟，投資利得很容易被匯率吃掉。政府方面也是重要因素，如果公布啥不利企業的新稅或法規，就慘啦！還有基金經理人也得好好做研究，才跟得上國外狀況。

光要挑選國家基金經理人就不簡單。哪種人比較適合呢？當然要到過那個國家，但只是去觀光夠嗎？還是最好曾在那兒定居、工作，和國外大企業有所接觸，能時時追蹤其近況？

對於美國和其他各國孰優孰劣，我個人有話要說。最近大夥都以為外國月亮比較圓：德國人效率較高，生產的汽車也較好；日本人工作較勤奮，電視機做得最棒；法國人最有生活情趣，法國麵包最好吃；新加坡人教育水準高，生產的磁碟機品質最佳。可是我到國外的經驗和觀察，我認為部分美國企業還是全球頂尖，而要投資這些頂尖企業，也數美國最有制度。

歐洲是有些大財團，和美國的績優股相當，可是歐洲可稱為成長型的企業卻不多。正是因為成長型企業太少，股價往往炒得太高了。例如有家法國化妝品公司萊雅，這是我老婆在百貨公司的香水專櫃「實地訪查」發現的，我對這支股票很有興趣，可惜其本益比已高達50倍！

在美國，企業獲利連續成長二十年者比比皆是，但在歐洲想找個十年的，已經很不容易了。在歐洲，即使績優股也很少有盈餘連續成長幾年的紀錄，但在美國卻是司空見慣。

關於歐洲企業的消息，報導通常太簡略，有時根本就是錯的，只有英國的媒體可以和美國一較長短。在歐洲大陸，所謂的證券分析師，你搞不清楚他到底混哪裡。我在瑞典幾乎碰不到半個分析師，唯一找到一位，他老兄卻連富豪汽車公司都沒去過。喂！這可是和通用汽車或IBM同等級的大企業。

歐洲企業的盈餘預估，也是想像居多。我們在美國常說分析師胡吹，拿到歐洲比，可算神準！我在法國的時候，曾經讀到一篇馬特拉集團的報導，說那家集團多好又多好。懷著樂觀期待，我就親自走一趟，拜訪馬特拉集團。他們派了一個發言人向我簡報集團各部門狀況，結果盡是壞消息：某部門面臨毀滅性的競爭、某部門突有損失、某部門又有罷工等等。最後我說：「聽起來實在不像我看到的這家公司，報導說今年盈餘會成長兩倍呢！」他瞪著我直瞧。

如果自己下工夫研究歐洲企業，外頭那些亂七八糟的報導，反而可助長閣下優勢。例如透徹研究富豪汽車公司後，你會發現其股價總值只和其流動現金資產差不多，市場還沒反映其他固定資產。這就是我操作麥哲倫時，在國外股票上大有斬獲的原因。在美國自己選股很困難，因為大概有1,000個比你聰明的傢伙，也在盯同一支股票。但在法國、瑞士或瑞典，情況卻非如此，聰明人都在研究魏吉爾（Virgil）或尼采，誰管富豪或雀巢？

那些在資本主義世界稱王，工作起來不眠不休的日本人又怎樣呢？日本人買下紐約的洛克菲勒中心，買下哥倫比亞電影公司，搞不好有一天連華盛頓紀念碑都會落入他們手中。可是你如果走趟日本，好好的研究、研究，你會發現日本根本沒有比較好。

日本堪稱全世界最有錢的國家，可是國民卻被日常花費壓得抬不起頭來。日本什麼都好嗎？日本人還羨慕美國人的大衣櫥、低物價，和週末度假小屋哩！在日本，一顆蘋果5美元，一頓不算高級的晚餐100美元。每天擠著電車上下班，也許坐了一個半小時，還在大東京地區裡繞，這個地方比整個羅德島還大。擠在電車裡沒事幹，只好做做白日夢，想想若搬到夏威夷，就能痛快地花錢買東西。可是他們只能待在日本，辛苦工作一輩子，償付100萬美元的房屋貸款。你以為這房子有多大？不過是1,000平方呎的鴿子籠罷了！如果搬家換房子，同樣還是100萬美元的鴿子籠，不然就是一個月1.5萬美元租間公寓。

日本人的處境讓我想到一個笑話。有個人吹說自己養過100萬美元的狗，問他怎麼知道這麼值錢？他說後來換了兩隻50萬美元的貓。日本人現在是很有錢，或許他們真的有50萬美元的貓，也許還有50萬美元的高爾夫球場會員證，然後拿去換些一股就要10萬美元的股票！

有句廣告說：「荷頓一開口，大夥跟著走。」日本的情況比這還慘，大概可以說：「野村證券一聲令，大家都遵命！」投資人完全信任證券經紀商，簡直奉之為教主。或許只要經紀商耍耍嘴皮，大夥就真的去買50萬美元的貓。

日本投資人這麼聽話，結果造成嚇人的股市奇觀，本益比50倍、100倍甚至200倍。這麼離譜的高價搞得我們這些老外一頭霧水，最後只好歸諸東洋文化特性。事實上，1960年代末美國股價也是賽天高，如果把通貨膨脹因素考慮進去，道瓊30種工業股價指數前後共耗了二十二年，才在1991年真正趕上1967年的天價。

日本股市背後一直有些黑幕和黑手，這是華爾街股市自1920年代以來就銷聲匿跡的現象。大戶聽經紀商的話進場拉股票，萬一賠錢，就由經紀商墊款。如果美林證券或美邦證券也這樣保證，咱們的股市自然信心猛進。

1986年我第一次到日本，就聽說日本股市受到操控。當時是東京的富達公司請我去的，該公司共有80位員工。以前亞當・史密斯（Adam Smith）曾寫過一本書《金錢遊戲》（*The Money Game*），其中提到富達創辦人強森，後來這書在日本出版，富達公司在當地就開始出名了。

雖然行程由日本的富達安排，後來還是經過多次書信和電話討論，我才能訪問多家日本企業。訪問之前，我先取得各企業的年報，翻成英文，詳讀後再提出我想搞清楚的事。我把在美國那一套搬到那兒，先說個無傷大雅的笑話暖暖身，再提出一些跟實際狀況有關的問題，表示我之前也下了番工夫，不是來混的。

日本企業可是一板一眼，會議進行好像儀式或典禮，咖啡一直倒，鞠躬鞠個不停。有次在某公司我問資本支出是多少，用英語來說只花15秒，可是翻譯員用五分鐘轉述給日方人員，對方答以日語再花七分鐘，然後翻譯員告訴我：「1億500萬日圓。」日文真是博大精深！

後來我又拜訪一位有名的證券經紀人，更加深股市被操縱的想法。

他一直在講最看好的某支股票，我忘了叫啥名字，言談之中他不斷提到一個數字，好像是10萬日圓，我搞不清楚指的是什麼，是營業收入、盈餘或是其他意義，結果他告訴我是一年後該股的價格。果不其然，一年後我注意一下，這支股票就到了這個價格！

對基本分析師來說，日本企業更是一場噩夢。許多日本公司資產負債狀況其糟無比，獲利時好時壞，股價高得不像話，本益比更是荒謬無比！連金融史上最大的國營企業民營化者——日本電話公司——也不例外。

一般來說，碰到電話公司官股釋出，我是迫不及待地搶著要（參見第17章），但日本電話公司我可不碰。日本已非開發中國家，人民也不會搶著裝電話，因此日本電話公司業務及獲利不可能快速成長。像日本電話公司這種已近成熟的企業，在企業體分裂之前，受到政府諸多管制，一年大概就是成長6%或7%，不可能以兩位數飛快擴張。

日本電話公司首次官股釋出於1987年，上市價格每股110萬日圓，當時我就在想這根本是瘋了，可是後來竟又漲為三倍！現在日本電話公司股價本益比大約是3,000倍，若以股價市價總值計算，全公司共3,500億美元，比整個德國股市還高，連《財星》500大企業前100名全部加起來都不是對手！

關於這樁上市案，我認為不但國王根本沒穿衣服，連百姓的襯衫都輸光了。首次釋出價格110萬日圓還算折扣價哩！1987年全球股市大崩盤後，日本政府再高價釋出官股兩次，分別為每股225萬日圓及190萬日圓。但自此以後日本電話公司股價兵敗如山倒，敝人寫這本書的時候是每股57.5萬日圓，與最高釋出價相比砍了85%。如果把日本電話公司股東的損失全部加起來，大概等於《財星》前100大企業全倒了！

然而即使每股跌到57.5萬日圓，日本電話公司股價本益比仍高達50倍，股票市價總值還是比菲利普摩里斯公司高。菲利普摩里斯可是美國數一數二的大企業，而且盈餘連續成長三十年！

聽說日本投資人只關心上市公司的現金流量，對盈餘反而不在意，或許是因為盈餘根本沒多少吧？日本企業花起錢來像爛醉如泥的水手，尤其是併購活動和買房地產。結果企業的備抵折舊和負債大幅膨脹，現金流量是很高，但盈餘卻很低。這就是日本企業。

研究日本股市的人會說，注重現金流量是另一項桃太郎文化特性，可是若談到虧損，可就沒啥文化可言囉！用100萬美元買狗、50萬美元買貓，日本銀行業竟然還會借錢給他，難怪現在火燒屁股。

在日本經濟中，投機所扮演的角色，比在美國重要得多。美林證券最風光的那幾年，也不曾躋身《財星》500大企業中的全美前100大，但日本前25家大企業，曾經有五家證券商同時上榜，而且另外五家到十家為銀行業者。

以前美國房地產超貸弊案，如李奇曼（Reichmann）案和川普（Trump）案爆發時，美國銀行業者被罵慘了，說有誰這麼蠢會借錢給這些空心大佬倌？可是這兩件最笨的房地產放貸起碼還有一點抵押品，日本銀行業竟然還100%全額放款給房地產飆得最兇時，租金收入也難以支應開銷的辦公大樓，而且沒有設定抵押權。

如今日本股市已大幅回檔，我認為最合算的股票就是小型股，這些螞蟻雄兵是日本經濟未來成長和繁榮的關鍵，如同小企業在美國的重要性。過去日本股市狂飆之際，一般人不太注意小型股，而我則全力搶進。後來這些小型股價格也和大盤一樣，飆到瘋狂地步，我就全部出清了。經過重重考慮之後，我寧可回來投資穩健的美國新興成長型股票基金。

以下總結共同基金投資策略：

1. 盡可能把資金放在股票基金。即使需要固定收入，以股利充數，偶爾再賣點股票週轉，長期而言還是比較好。
2. 如果閣下一定要投資公債，就直接向財政部買，不要透過公債基金。因為你只是白付管理費，什麼好處也撈不到。
3. 搞清楚投資的股票基金類型，才能以相同類型正確比較操作績效，以免牛頭對上馬嘴，還嫌嘴長！
4. 最好把資金分散投資三或四種不同類型的股票基金（如成長型、股票價值型、新興成長型等等），這樣不管市場趨勢為何，你都不會錯失良機。
5. 若想擴大投資，先加碼那些落後大盤好幾年的基金類型。
6. 以昨日成績挑選明日之星，雖非全然無用，但成功率很低。所以只要操作情況穩健，就該緊抱不放。常常換來換去，成本非常高，對財富累積殊為不利。

# 4 麥哲倫經驗談：早期

最近我把新收到的募股說明書清掉，再從書架上把塵封已久的麥哲倫基金年報搬下來，希望搞清楚那十三年我是怎麼管理麥哲倫基金的。在此要特別感謝富達公司的電腦專家佩羅（Jacques Perold）以及瑟倫多羅（Guy Cerundolo）和塞爾（Phil Thayer），幫我算出十三年來賺、賠最大的股票。這張表比我原先所想的還有用，當時所操作的股票，有些連我自己都很意外。大家都以為麥哲倫基金很成功，是拜小型飆股所賜，事實上根本不是這樣。

回顧過去經驗，是希望給專業經理人實務上的參考，業餘投資人也能從我個人的錯誤中學到東西，或者有些投資人對當時麥哲倫情況很感興趣，希望知道哪些股票助我成功，哪些又讓我扼腕不已。歷史回顧分為早期、中期和晚期三章，看來似外交官寫回憶錄，這是為了行文方便，不是我這個股市老鳥自賣自誇，自以為了不起。

富達公司股票並未公開上市，否則我一定叫大家搶進。當年我在富達公司，親眼目睹資金源源湧入，公司成立許多新基金，而且管理階層也非常高明，最先是老強森掌舵，後來由他兒子耐德．強森（Ned Johnson）接手。

麥哲倫基金一開始並非由我管理。耐德．強森首先在1963年設立富達國際基金，後來甘迺迪總統對國外投資課稅，基金方面只好出清國外股票，只操作本國股票。1965年3月31日改名為麥哲倫基金，在此之前兩年，富達「國際」基金實際上只是國內基金。當時基金投資最多的股票，就是克萊斯勒汽車公司。二十年後克萊斯勒從破產邊緣起死回生，在我管理麥哲倫時也持有最多，證明有些公司你絕對不要放棄。

麥哲倫剛成立時，我還在波士頓學院念書，週末當桿弟打工。那是基金業異常蓬勃的時代，每個人都想買基金，連我媽都染上基金熱。事實上家母守寡多年，手頭資金相當有限。當時有位當老師的，兼差賣基金，他極力向家母推銷富達資本基金。家母很喜歡這家基金，因為是由華人操作的，她認為東方人很聰明。那位華人叫蔡至勇（Gerry Tsai），和富達趨勢基金的耐德．強森一樣，在當時基金界中非常特別。

如果不是那位兼差賣基金的，我媽永遠不會知道有個華人操作富達資本基金。當時基金銷售就靠這些人遊走各州，其中很多都是兼差打工的，和吸塵器、保險、陰宅福地及百科全書的推銷員一樣，挨家挨戶去拉生意。我母親很中意推銷員說的終生投資計畫，每月投資200美元，讓孩子以後順順利利的。事實上她負擔不起一個月投資200美元，不過富達資本基金操作績效實在很不錯，不但漲幅超過S&P 500指數，總計1950年代上漲三倍，1960年代前六年又漲了兩倍。

說來讓人難以置信，儘管股票有時連漲好幾年，但本質上仍是反覆無常。一旦大回檔開始，又缺乏消息面主導，行情必然陷入長期低迷，往日圍著股市打轉的新聞媒體如今閃得一乾二淨，宴會上的股票經銷聲匿跡，投資耐心受到嚴苛考驗。這時仍然一心一意專注股市的投資人，就像是淡季的孤單遊客一樣。

我剛到富達公司幹研究員時，美國股市正好陷入低潮。當時股市高峰已過，開始邁向1972至1974年的空頭市場，這是1929至1932年大崩盤以來最嚴重的一次。突然間沒有人再對共同基金感興趣，市場上一點買氣也沒有。基金業生意糟透了，過去遊走四方的銷售大隊被迫解散，只好再回去守著基金熱以前的老本行，賣賣吸塵器或汽車亮光蠟等等。

投資人能逃就逃，把資金從股票基金轉入貨幣市場或債券基金。這時候富達公司就靠貨幣市場或債券基金來賺錢，盡量維持一些不受歡迎的股票基金可以繼續下去。市場中股票族已是微乎其微，但這些僥倖存活下來的股票基金，還得使出渾身解數去爭取這些客戶。

那時候各家股票基金都差不多，大部分就叫「資本增長型基金」，這種含含糊糊的名稱讓經理人比較不受限制，景氣循環股、公用事業股、業績成長股或有特殊情況的股票，均得任君自選。雖然各家基金所買的股票都不同，但對投資人來說全是一樣的貨色。

1966年富達麥哲倫基金規模還有2,000萬美元，但受益人持續要求贖回，結果到1976年只剩600萬美元。當時管理年費為總資產的0.6%，也就是一年3.6萬美元的營運費用，這點錢連電費都湊不齊，更別提員工薪水。

看來不是辦法，所以1976年富達公司把600萬美元的麥哲倫基金，和同樣乏人問津，總資產1,200萬美元的艾賽斯基金（Essex Fund）合併，擴增總資產以符合經濟規模。艾賽斯基金當年曾達1億美元，可是大盤行情實在很差，艾賽斯大虧特虧，累積了5,000萬美元的抵稅額。這就是艾賽斯魅力所在。富達公司就是看中其抵稅優勢，合併後的麥哲倫基金在賺飽5,000萬美元的資產利得以前，一毛錢都不用繳稅。在和艾賽斯合併以前，麥哲倫基金在1969年到1972年間，由耐德．強森和赫伯曼（Dick Haberman）共同管理，1972年到1976年合併時由赫伯曼獨掌。

1977年我剛接手麥哲倫基金就是這樣子，兩個基金併成一個，總資產1,800萬美元，資本利得免稅額5,000萬美元。然而當時股市行情還是很差，投資人愈來愈少，而且絕不會再有新客戶，因此麥哲倫決定關起門來自己幹，不再接受申購。

四年之後，也就是1981年，麥哲倫才又開放招攬新客。麥哲倫閉關自守這麼久，外界不知原因何在，媒體常有錯誤臆測。最常見的說法是以為，富達公司希望先把績效做出來，再開放招攬新客，以利銷售。市場有所謂的開路先鋒，做為開路先鋒的基金一旦能通過長期市場考驗，基金公司就可藉其聲勢再推出更多基金。當時很多人以為麥哲倫就是富達的重頭戲。

真實狀況根本不是這樣。我們很希望有更多新客戶，但就是乏人問津，所以乾脆關起門來撐著。那時候基金業生意一場糊塗，連證券商的基金銷售部門都裁掉了，所以根本沒人賣基金給那些還可能有興趣的怪胎。

不過我一直認為，在我剛接手麥哲倫的那四年，不再招攬新客戶反倒是福不是禍。這段時間讓我真正學會股票交易，不必在大庭廣眾之下丟人現眼。基金經理人就跟運動員一樣，一開始慢慢帶領，等上了軌道，長期表現會更好。

要管理一個任何股票都可以買的資本增長型基金，整個股市所有上市公司只熟悉四分之一，是絕對不夠的（以我而言，大部分是紡織、金屬及化工股）。幸好我從1974年到1977年擔任富達研究部主任，也要參與投資委員會的討論，因此其他產業對我也非陌生。另外，1975年我開始幫波士頓某公益機構管理投資組合，這就是我的基金處女航。

以前拜訪上市公司的日誌，我保存得非常好，就像大情聖珍藏約會紀錄一樣。翻開日誌，1977年10月12日我參觀了通用影業（General Cinema），當時我一定沒啥興趣，因為後來根本沒買過這支股票。那時候通用影業股價還不到一美元，現在卻已經漲到30美元以上。唉，錯過了三十多倍！（這裡提到的30美元股價，是經過股票分割調整後的價格。本書所提股價都是如此處理，因此與目前情況或有差異，不過漲跌情況都是絕對正確的。）

看看我以前的日誌，錯過的良機俯拾皆是，不過股市還是非常仁慈，笨蛋總有第二次機會。

剛接手麥哲倫那幾個月，我邊忙著調整投資組合，換上我的最愛，一方面還得不時賣股票，才有現金應付無止無休的贖回賣壓。1977年12月底，我買進最多的個股是Congoleum公司（共5.1萬股，總值83.3萬美元，十年後這點錢可不算什麼了），以及Transamerica公司、聯合石油和安泰人壽。另外，還有漢斯公司（Hanes，我老婆對他們生產的雷格斯絲襪簡直迷瘋了）、塔可貝爾公司（我第一個交易員邁斯菲爾〔Charlie Maxfield〕接到我下單時問說：「這啥玩意？墨西哥電話公司嗎？」），以及房利美三萬股。

所以押上Congoleum公司，是因為他們發明一種無縫乙烯地板，可以整片鋪在廚房，跟地毯一樣。除了地板以外，該公司還幫國防部打造小型驅逐艦，使用的方法跟組合式房子一樣，據說這種組合式戰艦很有看頭。塔可貝爾是因為它的墨西哥玉米餅很好吃，美國人九成沒吃過這麼好吃的玉米餅。塔可貝爾的獲利紀錄極佳，資產負債狀況非常穩健，而且總公司跟隔壁的車庫差不多。因此，彼得定理第7條就是：

辦公室的豪奢程度，和公司回饋股東的意願成反比。

除了都是股票上市公司以外，我最先買進的股票沒什麼共同點（Congoleum、Kaiser鋼鐵公司、Mission保險公司、La Quinta汽車旅館、二十世紀福斯影業公司、塔可貝爾和漢斯等）。一開始我就覺得很奇怪，因為裡頭沒有化工股，而這是我幹研究員時就徹底研究過的股票。

1978年3月31日我操作麥哲倫滿十個月，年報出爐，就是我的成績單。年報封面是精緻的古南美洲地圖，河流及出海口都詳細標明。邊緣有三艘西班牙古帆船，就當是麥哲倫船隊意興風發地朝最南端的合恩角駛去。又過了幾年，基金規模愈來愈大，封面設計則趨簡化，河流及出海口的西班牙名字拿掉，船隊也由三艘變兩艘。

我記得1978年的年報說，麥哲倫基金過去一年勁揚20%，但同期道瓊指數下跌17.6%，S&P 500指數也下跌9.4%。麥哲倫得以逆勢上揚，我這個菜鳥經理人當然有點苦勞。年報上我有義務說明這個意外的結果，讓投資人瞭解。我說我的投資策略是這樣的：「減少汽車、航太、鐵路、防污、公用事業、化工、電子及能源類股；加碼廣播、娛樂、保險、消費產品、觀光旅館、租賃、銀行及其他金融股。」當時手中只有2,000萬美元，投資的股票還不到50支。

其實我從來沒有什麼全盤策略，選股全憑經驗，跟訓練有素的獵犬嗅味追蹤差不多。一有特別的新聞，我特別關心一些細節。例如某家電視公司今年獲利為何比去年好，我就想知道為什麼，至於我廣播業持股太多或太少，則不是那麼重要。為了搞清楚廣播業情況，我可能拜訪某個廣播業者，他或許就會透露景氣正在好轉，然後告訴我他們公司最大對手是誰，我再繼續追蹤細節，然後通常會買最大對手的股票。任何方向我都會追一追、聞一聞，其實很多產業都知道一點，也沒什麼壞處。

因為麥哲倫屬資本增長型，所以國內外股票，甚至債券都可以操作，我的獵犬作風當然更是如魚得水。在類股的選擇上，我不會像成長型基金經理人一樣自我設限。成長類股幾年可能超漲一次，這時若只為嚴守投資標的，成長型基金經理人就必須高價買進股票，而不得不從最差的股票中挑最好的。可是我能隨意發揮，不會放棄Alcoa公司因鋁價上揚使盈餘回升的機會。

1978年1月我們告訴股東：「投資組合主要有三類股票：特殊狀況股、價格偏低的景氣循環股和中小型成長類股。」如果還不清楚，下一年我們解釋得更詳細：

> 為達資本增長目標，麥哲倫主要投資五種普通股：中小型業績成長公司、轉機股、低迷的景氣循環類股、配股配息持續增加

的公司，最後是市場忽略或低估其實質資產的企業……未來某個時候，國外股票投資可能也會相當多。

也就是說，只要證交所有賣，我們都可能買。

其實「彈性」才是關鍵，總是有些股票價格偏低。剛接掌麥哲倫那幾年，手中兩支漲幅最大的股票，都是大型石油公司：優諾可（Unocal）公司和荷蘭皇家石油公司。僅有2,000萬美元的小基金，你可能以為我們不會注意大型石油類股，只會專注操作成長率較高的小型股。但當時我很清楚荷蘭皇家石油公司業績正在好轉，而華爾街顯然還不知道，所以我趕快搶進。麥哲倫還在跑龍套時，我就押了15%在公用事業股，那時已有波音公司、陶德造船廠（Todd Shipyards）、皮肯賽便利商店（Pic 'N' Save），和葬儀業的老大國際服務公司（SCI）。大夥都以為成長類股對麥哲倫貢獻最大，但我懷疑該類持股是否曾經超過50%。

在投資上我從不採取守勢，而是積極進攻，只要有更好的投資機會，找到比我手中股票更有上漲潛力的，我就換股，絕不會在股票表現不如預期時，找藉口粉飾太平（現在華爾街仍有許多人樂此不疲）。1979年股票行情大致不差，S&P 500指數全年上漲18.44%，麥哲倫基金則上漲51%。在年報上我再次說明投資策略，好像我真的有什麼法寶一樣，不過我只能說：「加碼觀光旅館、餐飲業，及零售類股。」

速食餐飲業之所以吸引我，是因為這一行容易瞭解。連鎖餐廳如果在某個地方做得起來，可能在別處也會成功。例如塔可貝爾公司成功進駐加州多家商場後，便往東部發展，每年盈餘成長約20%至

30%。我買進脆餅桶（Cracker Barrel）連鎖餐廳股票後，就曾親自前往喬治亞州梅肯郊區的脆餅桶餐廳吃飯。當時我到亞特蘭大參加投資說明會，決定順道彎到那兒。從租車上附的地圖來看，梅肯離我住的亞特蘭大飯店好像只有幾哩遠。

結果呢？我好像開了100哩，塞在交通尖峰時段裡，我的「順道」足足花了三小時才到。不過還是相當值得，不但吃到美味的鯰魚，而且對該公司的營運印象深刻。這支上漲50倍的股票，對麥哲倫極有貢獻，故列入我最重要的50支股票（見第6章表6-1）。

那時我還順便看了另一家公司，即亞特蘭大的自助工具店Home Depot。那兒的服務人員親切有禮，且專業知識豐富，各類庫存如螺絲、門閂、磚塊、灰泥等都很多，且價格低廉。在這裡，像我們這種家庭業餘油漆匠和水電工，無須再忍受東西又少又貴的小油漆店或五金行。

那時候Home Depot公司才剛開始，股價只有25美分（由分割後股價倒推）。在親眼目睹其經營後，我買了這支股票，但不久覺得沒趣，一年後就賣掉了。結果是讓我跳腳的圖4-1，股價由25美分漲到65美元，十五年翻了260倍。當時我就在現場呀！卻沒看出它的潛力。

這大概也要靠點運氣吧！如果Home Depot公司是在我老家新英格蘭地區，或者我對那些雜七雜八的工具知道得更多的話，就不致錯過這支好股票。另外，玩具反斗城也賣得太早，這兩支股票是我一生最大遺憾！

## 圖4-1　HOME DEPOT公司（HD）

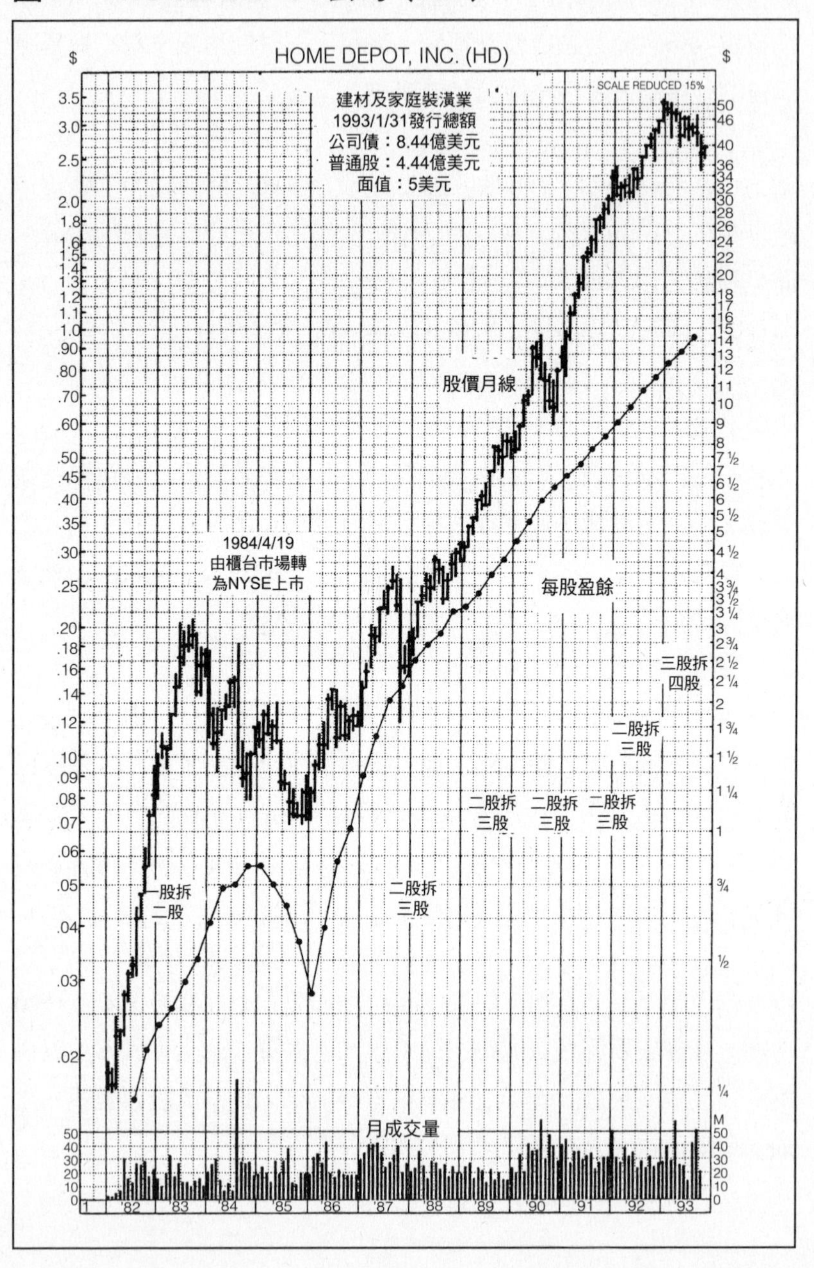

雖然沒有好好掌握Home Depot，1980年麥哲倫再有斬獲，持續上漲69.9%，而S&P 500指數才上揚32%。此時我最大持股是賭場（正確地說是Golden Nugget和國際度假中心）、保險，以及零售類股等。此外，我很看好便利商店，所以同時買進Hop-In Foods、皮肯賽、Shop & Go、Stop & Shop，及Sunshine Jr.等便利商店的股票。

回顧早期管理經驗，當時我的股票買賣週轉率，幾乎讓我嚇一跳；第一年投資組合共有41支股票，週轉率343%，之後三年每年也達300%。自從1977年8月2日出清30%持股開始，就以驚人速度在石油、保險及消費類股間來回操作。

1977年9月我買進景氣循環類股，到11月又全部賣掉；同年秋天買進房利美及漢斯，隔年春天又賣掉。我最大持股從Congoleum變成席格諾（Signal）公司，然後又由米遜保險公司、陶德造船廠、龐德羅莎（Ponderosa）牛排館依序領銜。壹號碼頭公司（Pier 1）出現又消失，另一支叫四階段（Four-Phase）的股票也是來來去去。

我操作四階段股票，跟月亮盈虧週期差不多，時進時出。後來摩托羅拉買下這家公司（其後頗為後悔），我就不再來回操作該股。我記得他們做的東西和電腦終端機有關，當時我搞不清楚，現在也一樣。還好我對不瞭解的東西從不押太多，例如波士頓地區128號公路那些科技業就是。

我會突然換股操作，通常跟投資策略改變沒啥關係，而是找到更喜歡的股票。當然啦，如果兩支都能留著最好，可是像我們這種小基金，而且贖回賣壓不斷，哪能有此奢望！為了能買更棒的股票，就得清掉一些舊的。而且因為我老有更好的點子，所以我一直拋股。

每天每天，我似乎都會找到比前一天更讓人興奮的股票。

因為買賣頻繁，年報上就得對投資人有所交代，讓他們瞭解我這麼做不是亂搞。有一年我這麼寫：「景氣循環類股已漲過了，所以麥哲倫基金將重心轉到營收及盈餘可望增加的非景氣循環類股。企業盈餘可能受景氣回檔影響者，麥哲倫已經減碼，不過那些股價低估的景氣循環類股，本基金仍大量投資。」

如今再看這些年報，有些只持有數月的股票，其實應再抱久一點。這不是無條件的忠誠，如果企業基本面愈來愈好，當然就得死盯不放。我後悔賣掉的股票包括：亞伯森（Albertson's）公司，帥呆了的成長類股，漲了300倍；玩具反斗城，理由同上；皮肯賽便利商店，先前已提過；華納通訊公司，有個技術分析師勸我賣掉的；聯邦快遞公司，5美元買進，漲到10美元很快拋出，結果眼睜睜地看它兩年後飆到70美元。

為了買那些較差的股票，而賣掉飆股，像這種「摘花澆野草的情形」，實在是司空見慣，連我也不例外。以投資及寫作聞名的華倫．巴菲特有天晚上就打電話問我，能否引用「摘花澆野草」這句話。榮膺選用，我興奮得很。據說有些投資人為了巴菲特寫的年度報告，才買他的波克夏公司（Berkshire Hathaway Company）股票（每股1.1萬美元）。波克夏公司年報，大概是有史以來最貴的出版品。

## 與企業共餐

在麥哲倫閉關自守那四年，沉重的贖回賣壓（共贖回約三分之一）

逼得我必須先賣股票，才能再買進。不過同時我也得以摸熟許多企業和產業，知道哪些因素會刺激股價漲跌。那時我壓根沒想到這是為日後管理上百億美元的基金鋪路。

那時我學到最重要的經驗，就是要自己做研究。我親自拜訪許多企業的總公司，從各地投資說明會知道許多公司的狀況。此外，來參觀富達公司的企業也很多（1980年代早期約一年200家）。

以前我們在公司都是和好友或營業員一起吃午飯，話題不外高爾夫球或波士頓紅襪隊。後來富達公司推動新政策，邀請企業人士與我們共餐。雖然和營業員、好朋友一起吃飯很不錯，但總不如熟知保險業、煉鋁業的企業執行長或公關人員有價值。

原來只邀企業人士一起吃午餐，很快又擴大到早餐及晚餐，幾乎足不出戶就能在公司餐廳碰上S&P 500家大企業。每星期祕書會整理出一張用餐名單，像是學校讓學生帶回家的菜單（星期一義大利麵，星期二漢堡）。我們則是來賓名單（星期一AT&T或Home Depot；星期二安泰保險、富國銀行、Schlumberger等等）。總是有不少選擇。

當然，餐約無法全都參加，所以那些沒投資過的公司我一定參加，看看是否錯失良機。例如，不看好石油類股時，和石油業者吃飯我一定到，透過他們很快就能知道石油業現況。

從跟某個產業直接或間接相關的業者，如生產商、供應商等等，也都能探聽到有用資訊。例如想知道石油業情況，包括油輪業者、加油站老闆或設備供應商等，都很清楚其變化，而且最有資格利用這個優勢。

波士頓是美國的基金重鎮，所以我們在公司裡面，每年就能和幾家公司碰面。包括企業管理階層和財務主管，都會來波士頓拜訪普特南公司、威靈頓公司、麻州金融公司、富達公司等投資業者，為自家股票找買主。

除了每天三餐之外，富達公司也鼓勵分析師和經理人在會議室喝下午茶，交換投資訊息。我們邀請許多企業人士來喝下午茶，不過也有不少貴賓不請自來。

如果是企業主動來說明什麼事，通常也早已傳遍華爾街，所以換我們採取主動，邀請公司來說明比較有效果。

我曾經花一個小時，和西爾斯百貨公司的人談怎麼賣地毯。殼牌石油公司副總裁也向我簡介石油、天然氣及石化市場（殼牌石油公司曾透露情報，讓我及時出掉某乙烯業股票，不久該公司就垮了）。坎培爾（Kemper）公司的人則告訴我，保險費率是否要調高。十次閒聊總有兩次會發現重要訊息。

每個月我至少和各主要產業代表見次面，以探查景氣是否有變，或任何華爾街可能疏忽的消息。這種早期預警非常有效。和業者碰面，最後我總會問：「你最尊敬哪個對手？」當企業執行長承認某同業做得不錯或比他還好時，就是最有力的背書。結果我買的通常是那些對手公司的股票。

我們探查的消息，既非內幕也不是什麼最高機密，所以企業人士很樂於將他們知道的說出來。大多數企業人士都相當客觀，對自己的優缺點也不刻意隱瞞。如果生意不好，他們直言不諱，並預期何時會有轉機。我們都容易懷疑別人，特別是跟錢有關時，不過在接觸這麼多企業代表後，我只上過很少幾次當而已。

事實上，華爾街的騙子可能比街上還少。在華爾街，我們得到的幾乎都是第一手消息。並不是說金融圈內比街上商人還善良，而且因大家都不相信他們，所以證管會查得特別嚴。而少數滿嘴胡言的人，即使偶然僥倖得逞，到下季盈餘報告攤開時就真相大白了。

午餐及會議上遇見的業者，我總是仔細地記下來，這些人往往都變成我的重要消息來源。對那些我不熟的產業，他們會告訴我資產負債表該注意哪些要項，該問哪些問題。

我開始熟悉保險業，是因為認識了安泰保險、旅行者（Travelers）保險及哈特福的康乃狄克保險（Connecticut General）等公司的高級主管。他們在短短幾天內，給我密集上課。雖然還不算是保險業專家，至少我也知道哪些因素會影響保險業的盈餘，這樣才能搔到癢處（我曾經說過，保險專家應善用自己的優勢，如果不注意保險類股，反而買自己一無所知的鐵路或廢物處理公司的股票，那可就白白浪費自己的專業。雖說無知是福，代價也未免太高了）。

說到保險，在1980年3月時，我在產物保險及意外險公司的持股，即曾高達25.4%。當時保險類股並不為投資人青睞，或許是因為我持有不少，因此保險業者視我為親密戰友，邀請我到他們的股東大會演講。要是他們知道一年後我就出清保險類股，轉進銀行股的話，恐怕就不會請我去了。

美國利率水準在1980年為歷史最高，當時是卡特政府已快下台了，美國聯邦準備理事會（Fed）正對經濟猛踩煞車。這種情況下，銀行類股即使成長前景極佳，股價竟仍低於淨值。我發現銀行股潛力十足，可不是坐在桌前胡想利率下跌會怎樣，而是參加一場亞特蘭大的投資會議才知道的。

其實我是在會議之「外」，發現銀行股契機的。因為議程頗為沉悶，聽來聽去都是些既無業績、又無盈餘的企業，所以我就溜去拜訪亞特蘭大第一銀行。該行盈餘連增十二年，比說明會中大多數公司好太多了。但投資人顯然漏掉這匹黑馬，五年後亞特蘭大第一銀行和北卡羅萊納的華喬維亞（Wachovia）銀行合併時，股價已上漲30倍。

對那些在生死線上掙扎的企業，華爾街通常興奮得要命，但像這麼穩健的銀行股，股價本益比只有別人的一半，卻視而不見。

我知道亞特蘭大第一銀行的情況以後，就開始注意地區銀行業者，同時對投資人疏忽成性驚訝不已，而且法人投資機構對銀行股也不很在意。隨便找個基金經理人，問他圖4-2、4-3、4-4這幾個很賺錢的公司是哪些，他可能說是沃爾瑪百貨、菲利普摩里斯或默克大藥廠。這些看來像是小型成長類股的企業，有誰知道全是銀行股呢？圖4-2就是十年內漲十倍的華喬維亞銀行；圖4-3是明尼亞波里斯西北銀行；圖4-4為底特律NBD銀行。

像NBD銀行多年來盈餘每年成長約15%，和小型成長類股差不多，本益比卻這麼低，到現在我還覺得很驚訝。投資人都以為銀行業像已經熟過頭的公用事業股，實在錯得離譜。

地區銀行類股價格未來能反映實質基本面，就是買進良機，所以麥哲倫基金的銀行股部位比重，一向是其他人的四、五倍。有支我最喜歡的股票，由2美元漲到80美元，就是FT（Fifth Third）銀行（多

## 圖4-2　華喬維亞銀行

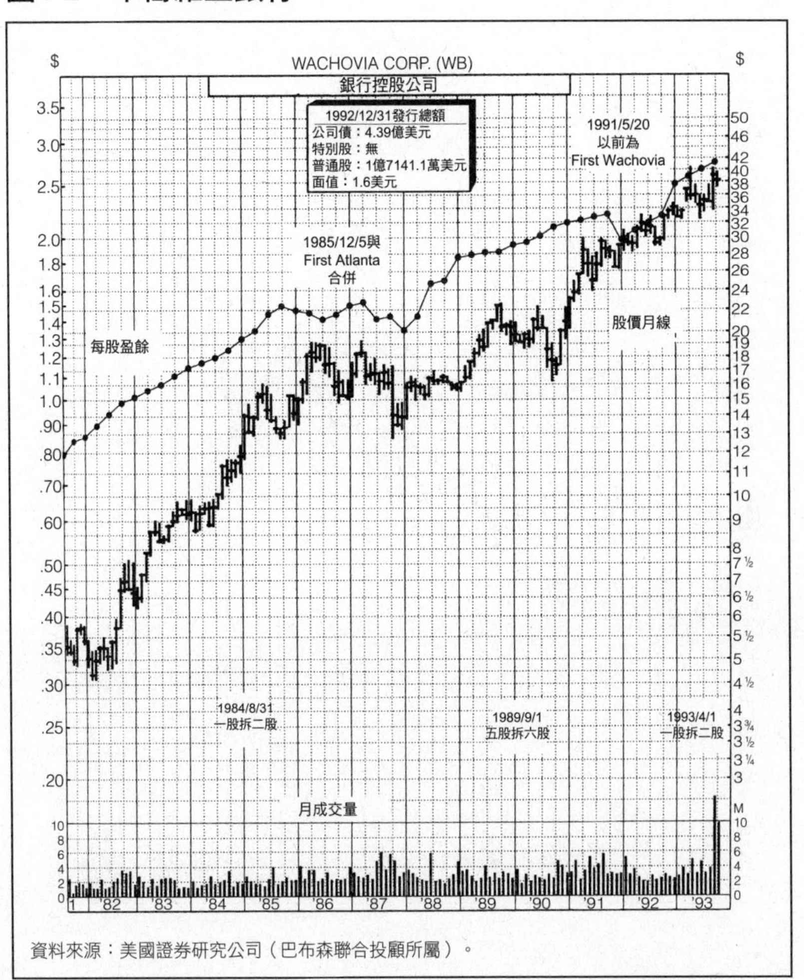


資料來源：美國證券研究公司（巴布森聯合投顧所屬）。

麼迷人的名字）；還有頂盛銀行（Meridian Bank），投資人已冷落多年；奇鑰銀行公司（Key Corp），以特有的「寒帶」經營理念，專門收購高山地區的小銀行與信合社，高山居民不但節儉、保守，也比較不會賴帳不還。

## 圖4-3　西北銀行

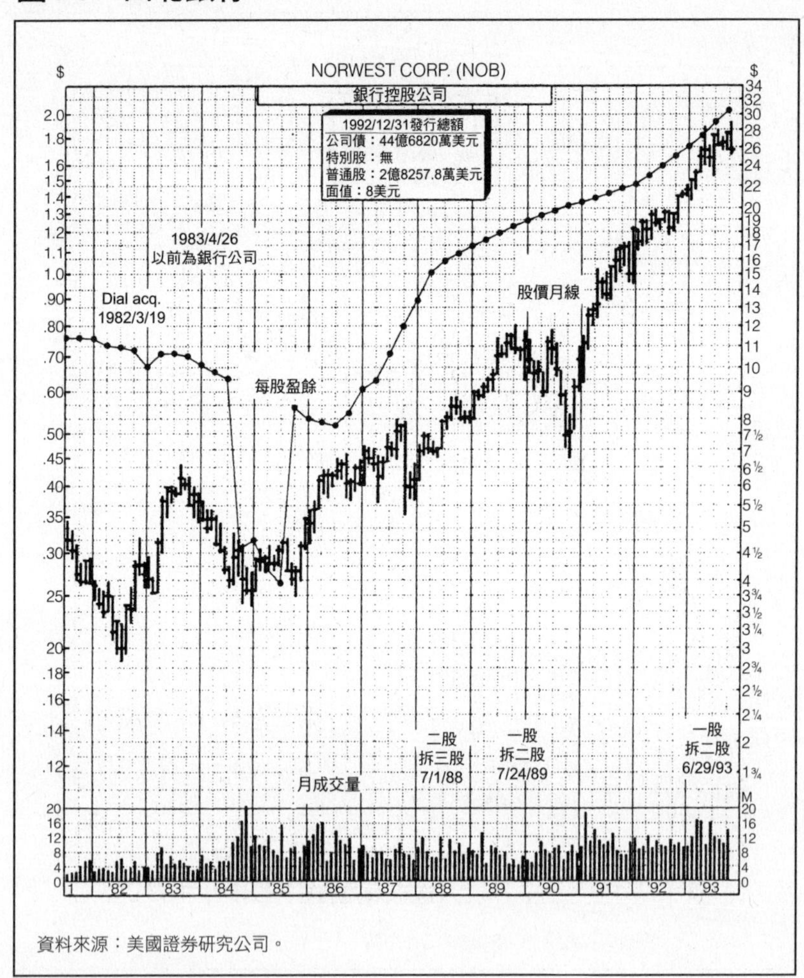


資料來源：美國證券研究公司。

## 圖4-4　NBD銀行

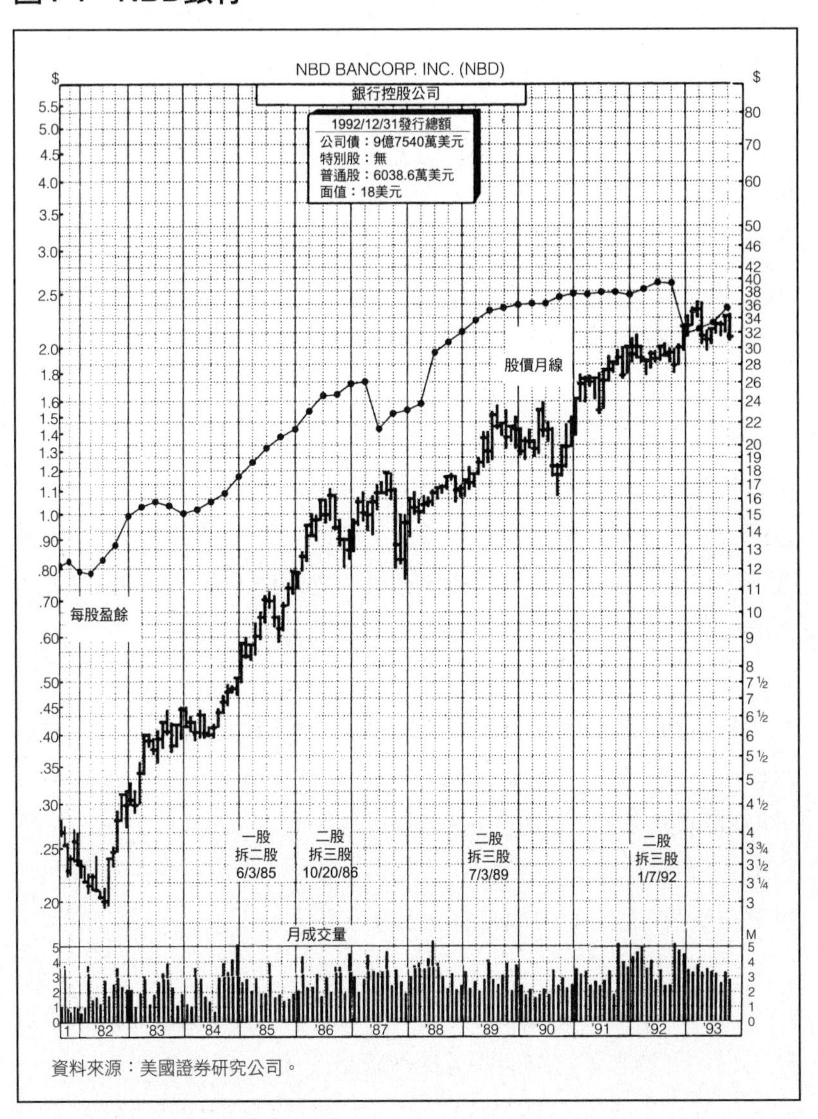


資料來源：美國證券研究公司。

讓我賺最多錢的銀行股，一直是那些地區銀行，例如圖4-2到4-4。我所選的銀行，必須在當地有高額存款，而且是有效率又謹慎的商業銀行。麥哲倫基金最重要的50支銀行股，請見第6章表6-2。

銀行股一支接一支，到1980年底，我分別投資12支銀行股，佔基金總資產9%。

1981年3月年報中，我很高興地通知投資人資產已經加倍，基金淨值比去年3月成長94.7%，同期間S&P 500指數漲幅則是33.2%。

麥哲倫基金雖然連續四年擊敗大盤，但投資人卻持續流失，在這段期間共贖回三分之一。不曉得為何如此，我猜是因為原先艾賽斯基金的投資人，並不樂意加入麥哲倫，所以等大致撈回本，就急著離開。所以，基金再成功，投資人還是可能虧錢，特別是情緒在作祟的時候。

雖然資本利得不少，卻都拿去支應投資人的贖回，結果麥哲倫總資產成長非常有限。合併之初麥哲倫共2,000萬，四年增值四倍後應有8,000萬美元，但事實上只有5,000萬美元。1980年麥哲倫共持有130支股票，比剛接手那兩年約50至60支增加不少，但之後贖回賣壓再次激增，我只好又緊縮戰圈到90支股票。

1981年麥哲倫再與賽倫基金（Salem Fund）合併，賽倫基金也是規模太小才併過來，它以前叫道氏理論基金（Dow Theory Fund），同樣因操作虧損而有利得免稅額。這項合併早在1979年就宣布，一直到正式合併的兩年中，由華倫．凱撒（Warren Casey）負責管理，成績還算不錯，但它還是太小了，根本不符經濟效益。

等到賽倫加入後，麥哲倫基金才又開始接受申購。關閉這麼久才重現江湖，可見當時股票投資的確很沒人緣。麥哲倫的促銷，富達公司執行長耐德．強森決定由內部業務人員負責，不再像十年前一樣，另雇銷售員在外招攬生意。

一開始申購手續費訂為2%，由於反應相當熱烈，所以就提高價碼到3%，後來為了衝業績，我們又打出60天期限2%的優惠。

結果這個促銷行動差點攏烏龍，因為我們印錯電話號碼。投資人興匆匆地打電話，卻打到麻省眼耳醫院（Massachusetts Eye and Ear Infirmary），害院方忙了好幾週，不斷否認是基金公司，真是糟糕。

因為已經做出一點成績，又和賽倫基金合併，再接受投資人申購，麥哲倫基金在1981年首次突破一億美元。可是我們才剛挑起大夥興致，結果怎樣呢？股市崩盤了！事情就是這樣，大家才剛覺得股市很安全，股價馬上回檔。不過儘管大盤下跌，麥哲倫基金那一年仍上漲16.5%。

麥哲倫基金有個好開始，不是沒有原因的。1978年我持有最多的十支股票，平均本益比只有四到六倍，1979年更降到三至五倍。當績優股的本益比只有三到六倍時，精心選股的投資人是不會吃虧的。

那幾年，我看中的股票大都屬二類股，亦即中小型股，其中包括我之前提過的零售業和銀行。1970年代末期，許多經理人和分析師都說該換大型績優股揚眉吐氣了。還好沒聽他們的話，大型績優股一來沒啥振奮人心的消息，股價又比二類股貴一倍。人家說小而美，小不只美，還更有賺頭呢！

# 5 麥哲倫經驗談：中期

## 群策群力

我每天的工作，從早上6時5分開始。友人摩爾（Jeff Moore）開紳寶汽車從麻博罕過來，順道送我進城。他老婆芭比（Bobbie）在前座，我在後座，夫婦倆都是放射線科醫師。

因為天色還不亮，芭比在前座點著小燈看X光片，我在後座也有一盞小燈來看年報及圖表，還好我這些資料從不曾和芭比的病歷資料搞混。在車上我們不常說話，大夥各忙各的。

6時45分我進辦公室，很多同事也到了。富達公司在新英格蘭可一點也不含糊，分析師和基金經理人天還沒亮就到了，甚至到週末也能從公司裡找到十個人打場籃球。至於其他基金公司，我想要湊兩個人打牌恐怕都有問題。

不過我們不是去打球的，我們在工作。耐德．強森希望大夥都能很努力地工作，他自己常常一上班就12個小時。

我從亂成一團的桌上，翻出做股票需要的東西，券商送的S&P股市指南，筆記本和2B鉛筆，以及用了十五年，按鍵特大的夏普計算機。桌上還堆著過期的S&P指南，桌旁架上就放著國通（Quotron）即時交易系統。

早期的國通即時系統，要先鍵入股票代碼，才會出現股價，不然螢幕上啥也看不到。閣下或許已看過後來的新版，整個投資組合所有股票價格全部顯示，即時跳動。我覺得舊系統比較好，因為新系統會讓你整天盯著螢幕，跟著股價起起伏伏，結果我反而要把螢幕關了，不然實在太刺激。

在股市開盤，電話開始響個不停以前那幾小時，我會先看同事整理好的前一天買賣簡報，從這些報表可以看到富達公司各基金經理人的操作狀況。公司分析師與各企業電話訪談，摘錄出來的內部簡報也要看看，還有《華爾街日報》。

大概到8時，我就整理出一張新的操作明細，主要是過去兩天來所買的股票，以便在合理價位慢慢進貨，累積足夠股數。然後下單給我的交易員林登（Barry Lyden）。

我的辦公室和交易室之間，在九層樓高度有條走道互通，走在上頭好像是走鋼索過峽谷。公司這麼設計，一定是想讓經理人別老去煩交易員。對我來說，這方法挺管用的。

剛開始，只有林登負責執行麥哲倫的交易，後來到1983年底，麥哲倫規模變大，買賣操作愈來愈忙，公司又派迪魯加（Carlene DeLuca）來協助。林登負責買單，迪魯加負責賣單。兩位都對我很有耐心，我也盡量讓他們有發揮的空間。

買賣股票，是我最不擔心的事。不過現在回想起來，或許我還是浪費太多時間在上頭，只需十分鐘的事，卻花了一小時才搞定。買賣股票是很有趣，但若能省下50分鐘打電話給兩家公司，收穫也許更大。投資的成功關鍵是：重心要擺在上市公司，而不是股票。

交易明細送出後，就開始我的主要工作，研究企業瞭解狀況。方法跟記者差不多，先從公開資料中找線索，再跟分析師及公關人員討論，然後追本溯源：向上市公司討教。

每次和上市公司接觸，不管是用電話或親自拜訪，我都會記錄：公司是哪家，目前股價多少，和短短一、兩行探訪摘要。這種紀錄對投資人非常有用，不然很容易忘記當初為何買進。

隨著麥哲倫日益增長，訪談紀錄愈來愈多，我得花更多時間來看。與業界人士用餐的次數減少了，雖然這樣還是很有用，可是邊打電話給企業人士，邊隨便吃點三明治，似乎更有效率。因為從過去的餐約，我已經布下周密的情報網，如今只要打打電話，大概就能取得想要的訊息。

我門外有四位祕書，由冷靜的蘇利文（Paula Sullivan）帶領，每個人都忙著接電話。她們一喊：「某某人在一線。」我就接。誰也不會在我辦公室待很久，因為椅子已變成檔案櫃，除了地板根本沒地方坐。

我一離開座位，不是去冰箱拿可樂，就是上洗手間。洗手間旁有間小會客室，來賓或來訪的分析師都會在此等候。因為常有熟人在會客室，所以我都繞到後面樓梯，上另一個洗手間。不然我可能花太多時間在寒暄上，要不就得疏忽冷落了朋友，我可不願這樣。

## 我的伙伴不沉默

麥哲倫基金絕非只有我一個人單打獨鬥，從1981年開始一定有助理幫我，打電話給上市公司或分析師，讓我得以掌握最新狀況。第一個助理是芬廷（Rich Fentin），為這個職務立下典範，他後來管理富達成長基金及富達清教徒基金。芬廷之後的幾位助理，都從我的錯誤中學到不少，所以獨當一面時相當成功；法蘭克（Danny Frank）管理特別情況基金；諾伯（George Noble）設立海外基金；史坦斯基（Bob Stansky）接管成長基金；丹諾夫（Will Danoff）在康查基金（Contrafund）；維尼克現執掌麥哲倫基金。還有巴梅爾（Jeff Barmeyer，已逝）、惠勒（Deb Wheeler）、多摩奇（George Domolky）、費列史東（Kari Firestone），和現在擔任維尼克助理的道爾頓（Bettina Doulton）。

這些精力旺盛的助理，讓我的分身可以同時在很多地方出現，刺探軍情。這證明充分授權的好處，要讓員工發揮全力，就是讓他們負全責，充分授權給他，他就會拚命去幹。

富達公司在管理上就是充分授權，讓所有基金經理人為自己的研究負責。這是相當革命性的管理方式，不過不是每個人都喜歡。傳統做法是分析師做研究，再選出股票推薦給基金經理人。這樣對經理人不但方便而且安全，萬一哪支股票成了廢紙，大可把責任推給分析師。其實很多投資人也是這樣，或許聽了親戚朋友的話就買股票，萬一賠錢就對老婆說：「某某怎麼這麼呆？」和基金經理人跟老闆說的差不多。

為了不惹禍，分析師只好避重就輕，不拿出具有想像力的點子，只打些安全的爛牌，像IBM之類的股票。只要所推薦的股票是一般人都能接受的，萬一行情很差，經理人績效不好，也不會被K得太慘。

可是富達公司不會這樣。不管這麼做是好是壞，基金經理人都得自己研究，對結果負完全責任。一方面分析師照樣做研究，把心得告訴經理人，經理人自行決定取捨。這樣就比傳統方法多一層研究。

富達公司每設立一個新的基金，就會聘請一位新的經理人，這位經理人也同時會替同儕蒐集資訊。所以富達旗下基金愈來愈多，公司內部情報網也愈形周密。同事的情報和幫忙，對我尤其有用，因為麥哲倫屬資本增長型，舉凡特別情況、小型股、成長型、價值基金或上櫃股票等經理人所推薦的股票，都是我的投資目標。

我對發行新基金特別熱心，例如櫃台市場基金，海外基金，退休成長基金等等。新基金大都很受歡迎，即使不甚成功，至少我們在新領域也培養出更多研究人才。對他們的研究成果，我必然充分利用。特別情況基金的法蘭克，最先看到房利美的潛力，和好幾支轉機股；天命基金的凡德海登（George Vanderheiden）推薦了歐文－康寧公司（Owens-Corning）；資本增長基金的史溫尼（Tom Sweeney）則報給我一支超強股環戴恩公司（Envirodyne）。

新基金同時開闢出新戰線，讓優秀人才得以嶄露頭角，獲得公司的拔擢，不然可能會被同業挖走。所以富達公司擁有史上最佳專業投資隊伍。

剛接掌麥哲倫時，我就刻意推動內部資訊交換。過去只在冰箱走道的閒聊，改在會議室舉行，讓所有分析師和經理人提出本週明星股。

後來我用一個小小的廚房計時器來控制會議時間，每人設定三分鐘說一支股票。事實上，我限定的時間愈來愈短，最後只有一分半而已。現在老實招來，他們若想要回去，也太遲囉！

因為大家討論得很熱烈，誰也不會注意到我動了手腳，而且90秒說一支股票，也很夠了。如果你看中哪支股票就要能簡單的說明，讓五年級小朋友也聽得懂，而且還不能講太久，太久就沒人理你了。

討論的目的不在於辯倒對方。華爾街充滿了火藥味，伶牙俐齒、能言善道的人才活得下去。但若想讓大夥暢所欲言，一味地爭鬥、攻訐絕非好方法。如果你被大夥圍剿，下次哪敢再吭聲？倘若大家群起而攻之，可能連信心都被打垮。

也許別人的敵意，不會馬上影響士氣，但這種痛苦經驗很難忘記。你認為克萊斯勒汽車公司股票一股5美元非常划算，可是大夥都笑你。有天克萊斯勒漲到10美元時，你也許就會想到：「搞不好那些聰明的傢伙才對！」隔天醒來馬上賣掉，結果又漲到30美元，你太早下轎了！這不是很嘔嗎？

為了維護討論者的信心，聽完別人的說明，不准提出意見或反駁，要取要捨閣下寸心獨斷。我最注意的是點子的好壞，而不是誰提出的，或說明技巧好不好。最棒的情報常常來自那些精於選股，卻拙於言辭的人，所以會後我一定選取那些不善言辭的意見。

到最後因為會議室塞不下這麼多分析師和經理人，所以每週例行會議取消，改為每天提出個人研究心得摘要。

外頭的分析師和基金經理人，也是重要情報來源。我每週至少和競爭對手的經理人碰次面，偶爾在街上或開會碰到時，互道安好後，接著說的是：「你最近喜歡什麼股票？」這就是股市老鳥的溝通方式。什麼「你老婆好嗎？」「哇塞！你看到大鳥那一球嗎？」這種廢話是不會有的。我們通常先說：「你最近喜歡什麼股票？」然後是：「達美航空最近開始有搞頭了」，或者「我認為聯合碳化公司（Union Carbide）快有轉機了」等等。

在理柏、《巴隆》和《富比世》的基金排行榜上，我們這些基金經理人可是爭得你死我活的，因為排行高低，隔年生意馬上有影響。儘管大夥互相競爭，一有機會我們就會透露自己的明星股，至少上了車就沒啥好隱瞞的。

我想棒球隊的教練不會一起分享比賽經驗吧？可是我們基金經理人都樂於互通有無，你報他一支明牌，他也會回報你。

外頭的分析師和券商營業員的意見，我就比較保留。因為他們的為人和研究素質差異非常大，盲目聽信券商建議非常危險。有些功成名就的分析師志得意滿、養尊處優，或許《投資法人》（*Institutional Investor*）雜誌評為一流高手，可是他們可能好幾年沒真正下工夫，親身造訪上市公司扎實地研究。

華爾街現在愈來愈多這種閉門造車的分析師，他們把時間盡花在解釋或推銷自己的看法，卻沒空真正搞研究。每天都會打電話給好幾家公司的分析師，現在已經很少了，親自登門拜訪公司者更是鳳毛麟角。

如果認識嚴肅研究的分析師，我一定和他保持聯絡，例如波士頓第一銀行的吉利安（Maggie Gilliam），其他像是納維斯特（Nat West）公司的凱勒尼（John Kellenyi）、格魯托（Gruntal）公司的許耐德（Elliot Schneider）、所羅門兄弟（Salomon Brothers）的夏普羅（George Shapiro）等人，都是非常認真的分析師。他們的意見很值得一聽，特別是你主動向他們請教，而非他們來推銷看法的時候。

分析師都喜歡吹說「最早發現」哪支股票，什麼當時每股25美分，十年後漲到25美元。我認為最重要的不是誰最早報明牌，而是能否一路緊咬不放？在股價上漲到5美元、10美元或15美元的時候，他是否還敢堅持這個看法。古早以前報過一次明牌，誰會記得？如果只是十年前報過一次就丟，十年內不知錯過多少次上車良機。

## 耐心有償

1981年麥哲倫再度對外開放時，我比以前更有耐心，麥哲倫的投資人也懂得靜觀後效，贖回賣壓已漸減輕，這表示我不必再被迫拋股求現，因此基金的買賣週轉率大幅降約三分之二，由原來的一年300%降低為110%，操作上愈趨穩定，持有最多的幾支股票有時連續幾個月都相同，包括瓦斯公司尼珂（Nicor）、冷氣機製造商菲德（Fedders）公司、連鎖葬儀社SCI等等。

這時候麥哲倫還算小角色，總資產一億美元，在股票型基金中排行倒數第五。我將資金分散投資200餘種股票，幾乎想得到的類股都有：強布萊爾（John Blair）廣播公司、雪克電台（Radio Shack）的老闆譚帝（Tandy）公司、塑料安全柵欄製造商吉柯德（Quixote）、電信信貸（Telecredit）公司、前總統布希也是股東之一的柴巴達公司（Zapata Corporation）、化學除草公司（ChemLawn）、百貨行折扣券服務商七橡樹（Seven Oaks）公司、歐文銀行（Irving Bank），以及兩家速食連鎖店恰特（Chart House）及史基波（Skipper's）。

我對連鎖餐廳及零售業的長期成長潛力，愈來愈印象深刻。這兩類企業一旦能成功打開全國市場，每年成長20%，且連續維持十年、十五年都不是問題。打打算盤，就知道這個生意太棒了。若盈餘每年增加20%，三年半翻一倍，七年後就是四倍。股價也會跟著大幅上漲，且漲幅通常比盈餘更高，因為投資人樂於為企業美好遠景多付代價（麥哲倫基金最重要的50支零售類股，請見第6章表6-3）。

要計算資金增值狀況，「72定律」很管用。以72除以投資年報酬率（分數），就能知道資金增值為兩倍的時間。例如投資報酬率25%（72除以25），則三年內資金能增值一倍；投資報酬率15%，五年內資金成長一倍。

眼看各產業的起起落落，我發現即使投資景氣循環類股及股價偏低的特別狀況類股，可能讓資金增值為兩倍或五倍（如果萬事順利的話），但零售業和餐飲業卻更有賺頭。一方面零售業及餐飲業成長速度很快（和高科技產業，如電腦軟硬體製造商、醫療業者差不多），且風險也低。電腦業者可能因同業的競爭產品，整個公司的價值一夜間縮水一半。但新英格蘭地區某甜甜圈連鎖店，不會因為俄亥俄州有家更棒的甜甜圈連鎖店就關門大吉。對手來踩地盤也許要花十年時間，而且生意消長有目共睹。

1981年底，我賣掉Circle K便利商店和差點破產的賓州購物中心股票，獲利了結。另外，我還賣掉經營吃角子老虎和賭場的巴力（Bally）公司，轉入另兩支賭場類股艾西諾（Elsinore）和國際度假村（Resorts International）。1982年初，我再買進Circle K便利商店股票。當時麥哲倫最大部位是玩具商馬泰爾（Mattel）公司，投資比率達3%。其他還有華友銀行（Chemical Bank）、加州折扣連鎖商店皮肯賽、磁碟製造商維巴廷公司（我又迷上高科技股）、餐飲及禮品郵購業者宏恩哈特（Horn & Hardart）和汽車零件股派普男孩（Pep Boys）。

從派普男孩、七橡樹、恰特、電信信貸及古柏輪胎（Cooper Tire），我發現我喜歡的股票有些共同點。這些公司的資產負債表均相當健全，獲利前景佳，但不獲法人投資機構的青睞。如我所言，為了保住飯碗，基金經理人傾向於投資一般人可以接受的股票，如IBM之流，而不會買進先前提過，在墨西哥設廠的服務業者七橡樹公司。因為七橡樹公司如果賠錢，基金經理人就倒楣了，如果賠錢的是IBM，那就是IBM的錯，因為它「讓整個華爾街失望」。

為何不像其他經理人一樣呢？麥哲倫基金非常開放，沒人在我背後盯著，任何投資無須層層上報。很多公司都是分層負責，層層節制，每個人都要盯著下屬，並且擔心上司的看法。

我覺得一旦考慮到上司的看法，就沒什麼專業可言了，你也不必為你的所作所為負責。同時，你也會懷疑自己是否能力不足，不然他們幹嘛盯著你不放？

我有幸無須忍受上司的批評，可以自由買進名不見經傳的股票，也許40美元賣掉，稍後改變心意，又用50美元追回來（我老闆可能覺得我瘋了，但還是沒講話），我不用每天或每週在會議上為操作辯護，也不曾遭到批評打擊士氣。

為了讓操作績效比大盤好，基金經理人已經夠忙了，實在不必再要求他們遵守什麼計畫，或每天為買賣辯護等額外負擔。只要遵守公開說明書中明定的法則，年底再來算算總帳也就夠了。至於操作過程中，為何買進甲股而不買乙股，並不是那麼重要。

1981至1982年時，我忙到週六也得上班。我要加班清清桌面，好好看看郵件（有時一天三呎高），2月和3月必須看上市公司的年報，複習企業訪問紀錄，觀察基本面狀況是否有變，推敲股票波動原因何在（紀錄上載有當日股價）。我總希望到下午就能全部搞定，但有時也沒辦法。

1982年上半年股市行情很差。民間基本利率高達兩位數，通貨膨脹和失業率也飆上兩位數高峰。住在郊區的有錢人忙著搶進黃金，囤積罐頭，還買槍自保防身。也許二十幾年沒釣過魚的人，忙著清理釣具，整理行頭，以防雜貨店關門時自力救濟。

因為利率實在漲得太高了，麥哲倫有好幾個月把主力放在長期公債，政府付我13%至14%的利息。我不是不敢買股票，而是因為公債殖利率已經超過股票平均報酬。

所以彼得定理第8條，就是公債唯一贏過股票的特例：

> 如果長期公債殖利率，比S&P 500指數採樣股票平均配股率高出6%以上，就該買公債。

那時我認為利率已經到頂了，也很難長期維持高水準。如果利率一直這麼高，經濟恐怕就會崩潰，也許我們都要自己去捕魚。如果利率一直這麼高，我也要自己去捕魚，麥哲倫基金要怎麼操作就沒啥好擔心的了。但利率不會一直維持高水準，所以我準備把所有資金全押在股票及長期公債上。

有些人急著變現，好像隨時有什麼大災難，我可一點都想不通。如果災難真的來臨，放在銀行的鈔票和證券、股票一樣，都沒有用。萬一災難沒發生（就歷史紀錄來看，這比較可能），「謹慎」的人賤售資產，反而變成最魯莽。

1982年初，股市還是天天上演震撼教育，我則把目光放得更遠。如果財經情況不會更糟，會怎樣呢？利率遲早得下來。一旦利率回跌，股票和債券就會大漲（事實證明，1982年到1990年S&P 500指數漲幅四倍，美國三十年期公債漲幅更高。不過到了1991年，股價再漲31%，但公債其差無比，再次證明股票長期勝過債券）。

在那個晦暗時代，金融分析師盡彈悲調，好像汽車銷售率永遠不會回升一樣。但我認為不管經濟是否衰退，消費者總會回到汽車展示間的。如果有什麼像死亡或紅襪隊老吃敗仗那麼肯定的事，那就是美國人一定會買汽車。

就是這麼想，我才在1982年3月買進克萊斯勒汽車公司股票。事實上，我原來的目標不是克萊斯勒。我本來是對福特汽車公司有興趣，認為車市復甦有利於福特公司。但拜訪福特公司後，我認為克萊斯勒會更好。我在股票研究過程中常常如此，從甲公司挖到乙公司，就像沿著河中的金沙探源。

當時克萊斯勒已是美國第三大汽車製造商，但股價僅兩美元，華爾街普遍預期這家公司快玩完了。仔細檢視資產負債表後，我發現克萊斯勒把戰車部門賣給通用動力公司（General Dynamics）後，還留有十多億美元的現金，說它快倒實在太誇張。克萊斯勒是有可能倒閉，不過還能撐幾年。而且美國政府也已伸出援手，讓克萊斯勒短期內不致告急。

如果車市已大幅上揚，但克萊斯勒還賣不好，那麼未來就很悲觀了。不過當時情況是汽車業普遍低迷，但馬上要反轉了。既然克萊斯勒債務壓力已經減輕，在營收不振之際也能勉強打平，那麼銷售一旦回升，獲利必然大有可觀。

那一年6月克萊斯勒公關部主任強森（Bob Johnson）安排我訪問總公司，參觀新車種，並和幾位部門主管見面。在我二十一年的投資生涯中，大概就數這一天最重要。

後來原訂三小時的訪問，延長到七個小時。原來只準備和克萊斯勒救星艾科卡（Lee Iacocca）稍稍交換意見，結果成了一場兩小時的會議。最後，我深信克萊斯勒不但有足夠財力繼續下去，且其業務也不失活力。

那時道奇（Dodge）Daytona、克萊斯勒Laser和G-124渦輪跑車都已上線量產。G-124渦輪跑車從啟動加速到60哩，時間比保時捷還短。克萊斯勒不但生產適合年輕人的敞篷車，也有名為「紐約客」的前輪傳動車系。艾科卡非常興奮的提出「汽車界二十年來第一鮮貨」：T-115迷你廂型車。後來九年共賣出300萬輛。

我原來對轎車比較有信心，但挽救克萊斯勒的卻是迷你廂型車。不論你對某項生意多懂，總有讓你驚訝的事。迷你廂型車的設計和引擎上的突破不是來自日本或瑞典，而是底特律自行研發。後來在美國市場中，克萊斯勒迷你廂型車銷售量，以五比一擊敗所有富豪車系。

克萊斯勒為大型上市公司，有數百萬股流通在外，所以麥哲倫才能充分進貨。因華爾街認為它快完了，所以投資法人早就放棄這支股票。1982年從春天到夏天，我安心的進貨，到6月底已成為麥哲倫的最大部位。7月底，麥哲倫基金把5%資產全押上克萊斯勒，這已是證管會規定的上限。

一整個秋天，克萊斯勒都是我的最大押注，超過宏恩哈特公司、史達普便利商店、IBM和福特汽車的股票。如果可以的話，我還會加碼到10%甚至20%。不過大多數朋友及同事都說我瘋了，認為克萊斯勒即將破產。

10月時麥哲倫的債券比重降為5%，因為股市大多頭行情已經起跑了。美國開始降低利率，景氣漸趨活絡。就跟過去衰退剛結束時一樣，大盤由景氣循環類股領軍，全面反攻。現在我持有11%的汽車類股和10%的零售類股，賣出一些銀行和保險類股。

我並非看到報上有啥消息，或美國聯邦準備理事會（Fed）主席說了啥話，才調整持股，而是親自看到一家家企業生意陸續好轉。

當時基因科技（Genentech）公司以25美元上市，一天之內就漲到75美元，這是我買的新上市股之一。

萬聖節之前那個週末，我第一次上電視節目《華爾街一週》（*Wall Street Week*）。直到最後一分鐘，我才看到主持人魯凱瑟（Louis Rukeyser）。他走進攝影棚到我面前，然後彎下腰對我說：「別緊張，不會有問題的，大概只有800萬個觀眾在看而已。」

魯凱瑟以萬聖節笑話開場，說政客比那些頑皮小鬼更讓華爾街害怕。然後有三位來賓回顧和評論本週情況。一如往常，他們擔心很多事情，第一是道瓊30種工業股價指數上週五跌了36點，報上大驚小怪，說是「1929年以來最大單日跌勢」。這實在是不倫不類，指數在990點跌36點，跟大崩盤時280點跌36點，根本是天差地別。

很多事情都是這樣，今天看來驚天動地，隔日或覺平淡無奇。當時談到股市利空時，三位專家說的是汽車製造商迪羅林（John De Lorean）被起訴，泰勒諾（Tylenol）止痛藥恐慌，還有國會選舉將至，許多現任議員可能落選等等。魯凱瑟還唸了封觀眾來函，指銀行及儲貸機構若有危機，可能連聯邦存款保險公司（Federal Deposit Insurance Corporation）也收不了爛攤，不過對此專家來賓不太擔心。魯凱瑟最後開玩笑說政府該「多印點鈔票以防萬一」，詎料日後證明一語成讖。

我個人則是以「五年來共同基金最佳經理人」介紹出場，據理柏基金排行榜，五年漲幅305%。我穿著素面褐色西裝和藍色襯衫，很適合上電視，但還是很緊張。在金融界能上魯凱瑟的節目，等於得到奧斯卡金像獎。

魯凱瑟先問我「成功祕訣」為何，我說我一年拜訪兩百多家公司，看700份企業年報，我改寫愛迪生的話說：「投資是99%的努力。」當時我就是如此。但魯凱瑟反駁說：「愛迪生說的是天才，不是投資。」我卻接不上話，太緊張了。

魯凱瑟又問我的投資方法。我該怎麼說？「喔，喜歡的就買！」我當然沒這麼說，我說麥哲倫的股票可分兩大類：一類是小型成長股和景氣循環類股，另一類則屬保守型股票。「當股市下跌時，我就賣掉保守股，轉進成長股及景氣股。股市上漲時，成長股和景氣股獲利了結，加碼保守股。」當時我向800萬名觀眾說這些話，其實若與事實相符，純屬巧合。

魯凱瑟又問我最喜歡哪些股票，我說巴塞特家具（Bassett Furniture）公司、史達普便利商店和汽車類股，尤其是克萊斯勒。汽車業已連續兩年低迷，我認為汽車業一復甦，克萊斯勒就會跟著翻上來。其中一位來賓跟所有華爾街人士看法一樣，認為克萊斯勒風險太高，我則答道：「甘冒奇險。」

後來有人問某高科技公司的問題，氣氛就變得比較輕鬆了。當時我自嘲對高科技一無所知，甚至「從不瞭解電流是怎麼回事」，大夥都笑了。魯凱瑟又問我，是否想過自己「相當老派」，我機智地回答：「噢，還沒。」

儘管電視上我緊張兮兮，卻帶來神奇的促銷效果，處理詢問和申購電話，讓富達業務部快忙死了。1981年和賽倫基金合併時，總資產為一億美元，隔年年底就膨脹為4.5億美元。新資金之踴躍，實為四年前無法想像：10月增加4,000萬美元，11月7,100萬美元，12月再增5,500萬美元。這跟股市熱絡大有關係。

現在我不必拋售既有股票，就有錢介入新目標。因為不能把所有資金都押在克萊斯勒，所以我又買了幾支汽車類股、化工股及零售類股。三個月內共買進166支股票。

其中有些是大型股，但多數不是。在此讓我想不透的是，在麥哲倫基金還小時，我把主力放在大型股，但基金規模變大時，反而集中在小型股。我並未特別安排，但情況就是如此。

進入1983年後，麥哲倫投資熱潮仍未消退。2月湧進7,600萬美元，3月更增加1億美元。其實空頭市場較有股票可買，但1983年初道瓊指數從去年谷底上揚300餘點。許多科技股已是高處不勝寒，或許六、七年都難以重探的天價。股價節節上揚，整個華爾街瘋狂大樂，我卻很不高興，寧可指數跌個300點，可以逢低搶進。

股價超跌才是成功投資的不二法門。股市重挫時，跌個10%或30%都不要緊，如果回檔就低價搶進更多股票，這才是致勝之道。

那年麥哲倫的克萊斯勒部位，大概都是滿檔5%，佔第一位。過去八個月來克萊斯勒股價已上漲一倍。宏恩哈特公司、史達普便利商店和IBM，都在前五大持股部位之列，其中IBM佔3%（比S&P 500指數中4%的比重略低）。那時候大夥都以為，不買IBM股票，哪算基金經理人？對此錯誤想法，或許我個人也有責任。

到了4月，麥哲倫基金膨脹為10億美元，回首前塵往事，大夥感慨不已。不久有個分析師說麥哲倫基金已太大，很難成功，市場很快就相信這個鬼話。

# 6 麥哲倫經驗談：晚期

擁有愈多股票，研究時間也隨之增加。一支股票一年得要幾小時，包括讀年報、季報，和定期打電話給公司等等。如果只持有五支股票，那真是個消遣。中小型基金經理人嘛，還可以朝九晚五的上下班，但大型基金卻得一週60到80小時，才照顧得好。

1983年年中，麥哲倫共持有450支股票。當年秋季，再翻倍為900支。如果要對同事一支支解釋買進緣由，我必須在90秒內說完一支才行。為了確實掌握每家企業的情況，幸得能幹助理幫忙調查，追蹤情報。

當時美國的基金王，是約翰．耐夫的先鋒基金。不過到1983年底，麥哲倫已成長為16億美元，緊跟其後。麥哲倫此時資產激增，也刺激一些評論家大放厥詞，說麥哲倫會像古羅馬帝國一樣，擴張太大而自行崩潰。他們認為，麥哲倫持有900餘支股票，是不可能超越大盤指數的，因為這麼做本身就和大盤指數差不多，似乎認定我所管理的，是全世界最大的指數基金。

現在仍有人以為基金愈大表現愈平凡，不過這跟十年前一樣，根本不正確。有創意的經理人就能跳脫常軌，見人所不能見，挑出1,000支或2,000支華爾街不看好的股票，就是能「避開（華爾街的）雷達區」。他可能持有300家儲貸機構股票，250支零售類股，但完全沒有石油公司或製造業的股票，結果其操作績效或與大盤剛好相反。反之，那些沒創意的經理人把目標限制在50家投資法人普遍認可的企業，結果其投資組合只是個具體而微的S&P 500指數。

所以彼得定理第9條是：

並非所有普通股都一樣平凡。

基金規模、持股數目，和操作績效一點關係也沒有。大家都知道我一次持有900支股票，後來又擴增為1,400支，可能就讓某些投資人覺得害怕，而不敢投資麥哲倫，這真是個壞消息。1983年麥哲倫共持有900支股票，但其中約700支全部加起來還不到麥哲倫的10%。

比重這麼少，原因有二：①股本本來就小，即使我吃到滿檔，取得公司10%股權，總金額還是不大；或②還不值得大進。這些股票很多都是隨時在調節，只須持有一點股票，公司就會主動寄些資訊、報告，繼續追蹤才較容易。

原本只是個小公司，有時卻會導出大機會，例如珍貝爾行銷（Jan Bell Marketing）公司的故事。珍貝爾為珠寶供應商，股本只有區區兩億美元，絕不是《財星》500大那一種。該公司有次派人到富達拜訪，因為我有他們的股票，所以我趕到會議室參加說明會。除了我以外，沒有其他經理人在場。

珍貝爾公司股本很小，麥哲倫也吃不飽，但我還是很慶幸參加那場說明會。珍貝爾代表說明經營情況時，曾表示最大客戶都是折扣商店，而且因為訂單很大，珍貝爾得卯起來幹才能應付。

聽完說明會後，我就想到折扣商店。如果像珍貝爾所說的，折扣商店能賣掉那麼多珠寶，整體銷售狀況也一定很棒。於是我拜託零售業分析師丹諾夫調查一下。丹諾夫後來接管富達康查基金。

折扣商店剛上市時很受歡迎，但熱潮短暫。市場預期過高，與實際獲利不相符，於是投資人紛紛拋售持股，整個華爾街都意興闌珊。丹諾夫和幾家大型投資法人接觸，卻發現沒人研究折扣商店。後來我們兩人直接拜訪幾家折扣商店，證實珍貝爾所言不虛，而且各家折扣商店也都減輕負債，大幅提升財務結構，盈餘年年增加，股價仍處低檔，實在太美了。我馬上買進數十萬股的好市多（Costco）、批發俱樂部（Wholesale Club）和蓓斯（Pace）。這三支後來都漲了，好市多還漲了三倍。

這些折扣商店的員工和顧客，和我們一樣，如果多加注意，就能知道生意好轉的情況。在零售類股方面，如果投資人夠機警，就會比華爾街更早掌握第一手資訊，在股價還低的時候趕快搶進，把消費的錢全部賺回來。

1980年代中期，所有股票上市的儲貸機構，我幾乎是一網打盡。儲貸機構多數股本很小，為使投資部位在麥哲倫佔有相當比例，我得買進一大堆才行。況且因美國利率降低，部分金融業者獲利漸有改善，所以我預期其他金融業者也會因此增加獲利。1983年4月在我新買進的83支股票中，銀行及儲貸機構共佔39支，到年底儲貸機構股票共100支，投資部位已達3%。

媒體注意到我對儲貸機構的「青睞」，大肆報導，不少投資人以為儲貸機構類股的漲跌，對麥哲倫的操作績效一定影響很大。幸虧這不是真的。後來那些經營狀況比較差的儲貸機構破產倒閉時，財務狀況健全者也跟著大跌。如果當時麥哲倫持有的儲貸機構部位高達20%的話，恐怕我早就下台一鞠躬了。

雖然當時我持有不少銀行和儲貸機構的股票，但讓我賺最多錢的卻是汽車類股。拜訪福特後，我極力搶進克萊斯勒，後來又跟著買進速霸陸和富豪汽車的股票。在景氣狀況好轉時，某家企業獲利增加，整個產業也會跟著一起 。

因為克萊斯勒股價漲勢極猛，麥哲倫的克萊斯勒部位很快就超過5%上限，因此我除了緊抱持股以外，依規定不得再加碼。所以我轉而買進福特和富豪股票，最後這三支汽車股共佔8%，加上其他汽車公司股票，麥哲倫的汽車類股部位共計10.3%。

如果只是個散戶，自然就可以只挑一家最好的汽車公司，把錢全部押上去。但大型基金經理人不能這麼做，為搶搭景氣復甦列車，必須把資金押在整個產業才行。壓產業的寶，方法也各有不同，例如你認為汽車業不錯，準備把汽車類股比重提高為8%，然後閉上眼睛，隨便挑幾家汽車類股；或者也可以一家一家來研究，再決定要選哪幾家黑馬股。

在第一種情況中，準備把汽車類股部位提高到8%，顯然就經過深思熟慮的，但選中哪幾支股票則全靠運氣。第二種狀況，則是挑中哪些股票比較重要，但總部位有多大卻不一定。猜也猜得到，我喜歡第二種方法。做研究當然要花點時間，但1983年時若隨便選股，可能不幸選到通用汽車公司。

我從沒買過很多通用汽車的股票，即使當時汽車類股正是主流中的主流。因為我認為通用汽車公司是家「悲慘」的企業，這麼說算是客氣了。儘管通用汽車股價在1982年到1987年共上漲三倍，但同期間福特上漲17倍，克萊斯勒差不多50倍。誰若把寶全壓在通用汽車上頭，只怕不氣得傻眼才怪。

今天我必須承認，在上窮碧落下黃泉的調查研究後，我準確抓到汽車業景氣的反轉，但整個汽車業大遠景卻沒看對。我一直認為日本汽車業者仍將集中在小型車市場，沒想到後來他們又攻入中型車及高級車市場。雖然跟我的預期有點出入，福特、克萊斯勒和富豪汽車的股票，已讓我大有斬獲。

從1982年到1988年整整六年內，麥哲倫前五大持股部位，有時這三家汽車股同時名列其中，不然至少也有兩家上榜。這三支汽車股中，福特和克萊斯勒漲幅最大，各讓我賺了一億美元以上，富豪則賺了7,900萬美元。在這幾個重點投資大有斬獲後，麥哲倫操作績效自是不同凡響。

雖然麥哲倫一直被認為是成長型基金，但我還是可以買進任何類股，所以才能搭到汽車類股這種特快車。克萊斯勒及福特公司，都不屬於成長型股票，因此一般成長型基金不會買這種股票，但汽車類股已是跌無可跌，所以反彈勁道也非成長類股可比。

除了執著於基金類型之外，擔心股票的「變現性」，也讓部分經理人老是捆手縛腳的。如果把小型黑馬股全部集合起來，對大型基金也能帶來令人驚喜的成果，但經理人可能因為這些股票「交投清淡」，因此刻意避開這些黑馬股。他們只關心那些能在五天內就順利買進、賣出的股票，以至於忽略那些小型飆股。

投資股票就像談戀愛一樣，如果一開始就考慮怎麼離婚最方便，哪裡還會互許終生、永世不渝呢？婚前明智的選擇，就不會隨便離婚。萬一情況不若預期，那時已是一場糊塗了，你覺得痛苦，免不了賠錢，「變現性」也難扭轉大局。

例如1973年時，拍立得的股價一年內慘跌90%，讓許多經理人捶胸頓足，恨不得從沒買過這支股票。拍立得公司很大，且交投十分熱絡，因而一成市場焦點，賣壓馬上排山倒海而來。其實拍立得股價已緩步下跌三年之久，若想退出，不愁沒機會。不過就我所知，連幾個投資專家都著了道，未能及時撤出，他們根本沒注意到拍立得要倒大楣了。

全錄的股票也是，有機會落跑，卻未及時賣出。所以，只因為某支股票「每天成交不到一萬股」，就不敢買進，實在既荒謬又可笑。且不提99%的上市股票每天成交股數都不到一萬股，擔心變現能力的經理人只能在1%的股票中挑三揀四。況且上市公司若經營不善，不管交投熱絡與否，基金經理人還是得賠錢。反之若企業賺錢，悠哉悠哉地獲利了結，誰不樂意呢？

麥哲倫漸漸成長為中型基金後，我就很難在一天之內買到足夠的股票。偶爾有機會從法人機構大筆進貨，例如有次一天就買到200萬股歐文—康寧公司的股票，還有一次買到200萬股美國商業銀行。但這些都是特例，一般而言都要分批慢慢進貨。

基金一變大，情況就是如此，各個部位幾乎每天都得加碼買進，以維持相關比重。其中小型股特別麻煩，進貨時間往往要幾個月。如果太過急躁，可能反而拉抬股價上漲到我想出貨的程度。

一整個1984年，麥哲倫前十大持股部位大概都差不多，當時我一買進就緊抱不放，跟早期隨買隨丟的情況大有差別。某個月福特部位最大，再來依序為克萊斯勒和富豪；或者某個月富豪最多，接著是克萊斯勒和福特。另外，我還持有不少去年買的公債，由於美國利率降低，公債價格持續上漲。

汽車股投資最高潮時，麥哲倫前十大個股部位中，有五家是汽車股，包括克萊斯勒、福特、富豪三家，和速霸陸、本田等等，有一陣子連通用汽車也上榜了。隨著美國車市復甦，再平常的汽車公司也會賺大錢。

提到錢，1984年麥哲倫又吸收了十億美元。我花了點時間，才習慣買賣單上要加個「〇」，早上指示交易員也耗時愈來愈久。

那時候想到哪兒度假，只考慮到時區和聯絡方便與否。奧地利很不錯，因為美國股市開盤時，那兒已經傍晚，所以在打電話回美國交易室之前，我可以滑一整天的雪。在美國，我最愛去新罕布夏州的巴薩姆（Balsam）滑雪，因為山腳的纜車站就有電話亭。我從山上滑下來，打個電話給交易員，搞定一張買賣單，再搭上纜車好好想想。

在麥哲倫的第一個五年，我不常外出旅行，但第二個五年我常出去，大都是參加美國境內舉辦的投資研討會。這些研討會就像密集課程，兩、三天就能聽到數十家公司的報告。

蒙哥馬利證券（Montgomery Securities）9月會在舊金山開會。韓伯里希（Hambrecht & Quist）5月會舉行小型科技公司說明會。羅賓森－韓福瑞（Robinson-Humphrey）每年4月在亞特蘭大舉辦美東和美南企業說明會。戴恩・鮑斯華茲（Dain Bosworth）也在明尼亞波里斯舉辦說明會，介紹中西部企業。普雷斯可（Prescott）、巴爾（Ball）及杜班（Turben）分別在秋天，於克利夫蘭舉行研討會；亞力士・布朗（Alex. Brown）在巴爾的摩，亞當斯、哈克尼斯及希爾（Adams, Harkness, & Hill）則在8月於波士頓召開會議。霍華・威爾（Howard Weil）每年會在路易斯安納舉行兩場研討會，一場針對能源業者，另一場為能源服務業。此外，生物科技、餐飲、有線電視及銀行等產業，也各有投資說明會。

參加投資研討會，讓基金經理人省下許多時間和氣力。不過常有兩、三個說明會同時進行，讓人不免分身乏術。通常富達公司每一場都會派人參加，以免遺珠之憾。有時會議中得到寶貴訊息，逼得我連會都還沒開完，就溜到大廳打電話下單。

在外地參加研討會一得空，我就租車或搭計程車去拜訪不在會議之列，但總公司就在附近的企業。我對城市的認識，並非根據什麼特殊地標，而是《財星》500大企業中有誰設址在此。像華盛頓的MCI或房利美、舊金山的雪芙蘭和美國商銀、洛杉磯的里頓和優諾可、亞特蘭大的可口可樂和透納廣播公司，還有克利夫蘭的TRW、國民市銀（National City Bank）及伊頓等等，就是我的度假地點。

## 海外探險

除了坦伯頓（John Templeton）之外，我算是美國首位大量投資國外股票的基金經理人。坦伯頓管理的基金，即是麥哲倫的全球版。麥哲倫的國外股票部位可能高達10%或20%，而坦伯頓幾乎全部投資國外股票。

1984年我開始認真操作國外股票，但當時要即時取得可靠的國外交易所報價可不容易，我的交易員每晚要打電話到斯德哥爾摩、倫敦、東京和巴黎等地，盡量搜羅我隔天要用的資訊。電話費很高，但非常值得。1986年，麥哲倫設立了國外部。

由於手頭資金充裕，我幾乎是被迫要投資國外股票。因為麥哲倫規模相當大，所以我也要找到股價會動的大企業才行，而歐洲大企業的比例就比美國高。這些大企業的股票，很多不為投資人所重視，不過外商公司的資訊揭示和會計制度，都跟美國不一樣，所以研究起來並不容易。但若真下工夫，就能找到富豪汽車這種黑馬股。

1985年9月中，我展開個人最成功的研究之旅，三週內參觀23家企業。比起1973年的秋季之旅，這次更累但收穫更大。1973年我還是富達分析師時，受邀訪問道氏化學（Dow Chemical）的工廠。在接受全美道氏各廠熱烈招待後，我才恍然大悟，一家工廠就足以代表全部，何勞一一走訪？

這次我先在週五拜訪三家波士頓企業，下午便搭機直飛瑞典，抵達時已是週六。結果航空公司弄丟我的行李，真是個不好的開始。那是沙班那（Sabena）航空公司，我很高興沒買這支股票。

瑞典人頗為拘謹，而未來兩天我會和好幾位當地工業鉅子見面。我實在不敢想像，如果我一身上飛機時的燈芯絨褲，皺巴巴的運動外套，還穿著球鞋，不知他們會做何反應？這場文化災難大概躲不過了，因為：①沙班那航空公司根本不曉得把我的行李送到哪兒去了；②斯德哥爾摩所有商店都沒開。

看來我得硬著頭皮了。朋友的妹妹卓吉爾小姐來機場接我，到斯德哥爾摩郊區辛圖那的住家，我準備在此落腳。沒想到奇蹟出現了，她瑞典老公的身材竟和我一模一樣，連鞋號都相同，我馬上借到一整套體面的瑞典服裝。因為我的白髮和比較淡的膚色，穿上當地服裝，跟在地人差不多。每次一出門，就有人來問路，至少我覺得他們是在問路。不過我不懂瑞典話，所以也不是很確定。

行李一直沒找到，但我已不太介意了。週一我穿著全套瑞典盛裝，跟艾索特（Esselte）執行長見面，他們賣辦公室設備，包括抽屜的文具盤。我還參觀了ASEA，是財團績優股，跟美國的奇異（GE）差不多；阿爾發拉伐（Alfa Laval）採取奇特的多角化經營，生產擠乳機，也搞遺傳科技。晚上我稍看一下隔天行程，伊萊克斯（Electrolux），是吸塵器及家電巨擘，董事長就像是克萊斯勒的艾科卡；Aga的本領是靠這裡稀薄的空氣來賺錢。

靠空氣來謀生的企業？投資這種公司，好像沒啥道理，因為哪裡沒有空氣？這根本不算稀有商品。但參觀Aga以後，我才知道鋼鐵業對氧氣需求量很大，速食業也需要很多氮氣，但僅少數幾家業者具有這種技術，能在空氣中挖金礦。因為原料成本幾乎等於零，這幾家業者（包括Aga）都做得非常好。

參觀完Aga後，我便驅車前往易利信（Ericsson），這是電話設備公司，類似美國的西方電器（Western Electric）。下午我參觀斯堪地亞公司（Skandia），聽起來像賣家具的，其實是大型保險業者。若非富達海外基金的諾伯替我安排，誰會來參觀這家公司？

以美國保險業而言，保險費率調高後幾個月，公司獲利才會增加。保險類股跟景氣循環類股差不多。如果保險費率提高，馬上買進股票，會賺很多錢。保險類股常因費率調高，先漲一倍，等獲利確實增加後，股價再漲一倍。我以為瑞典情況亦然。當我知道當局已通過提高保險費率時，我以為斯堪地亞股價應該已經上漲。可是沒有。瑞典投資人根本不注意這項利多，只關心眼前獲利不佳。這真是做夢都想不到的好事。

我揉揉眼睛，更仔細看看這家公司。看是不是漏了什麼大利空？負債過高？半數資產投機垃圾債券或房地產？有高風險的高額理賠保單嗎？答案都是否定的。這是家保守的保險業者，只單純承作產物保險和意外險，盈餘保證加倍。之後股價在18個月內漲了4倍。

兩天密集參觀七家公司，還要再趕到瑞典另一邊的富豪公司，當然沒空洗洗三溫暖，遊覽特有的冰蝕峽灣風景。為了拜訪富豪公司做準備，我找到瑞典獨一無二的金融分析師，他任職於某卡內基氏開設的證券商。同樣叫卡內基，瑞典這位只能待在北國天寒地凍中默默奮鬥，但在美國的幸運兒卻有幸致富發跡。

富豪公司是瑞典的企業龍頭，對瑞典而言，富豪公司的重要，就好像汽車業之於美國一般，而且除了汽車之外，還有其他多角化經營。然而我們這位獨一無二的分析師，卻從沒拜訪過富豪公司！看來我只好親自出馬一探究竟，自己開車跟卡洛琳到瑞典第二大城哥特堡（Göteborg）。現在卡洛琳已趕來和我會合。

在哥特堡的富豪公司，很歡迎投資人到訪。我先和富豪的董事長、執行副董事長、卡車部門主管和財務長見面，然後他們帶我參觀公司。當時富豪正為工會問題所擾，但還不足以為憂。短期內股價盤旋於34美元，而資產中的現金餘額平均每股也達34美元，所以花34美元買這支股票，等於免費跨足汽車業生意，擁有裝配廠、食品廠、醫藥公司和能源公司等富豪資產。在美國，或有市場忽略的小公司，會讓你佔到這種便宜，但像通用電力或菲利普摩里斯這種大企業，股價會這麼低，一輩子也碰不上。這就是我遠征歐洲的原因。

有人以為國外股市可能因為不同的文化背景，股價或許永遠偏高或偏低。但是，從前我們一再聽到日本股價偏高的重重解釋，但現在日本股市不是下來了嗎？所以文化因素不是關鍵，股價不會永遠脫離基本面。瑞典投資人確實低估了富豪、斯堪地亞及許多績優企業的價值，而我相信真相必將大白，瑞典投資人一定會大為吃驚。

離開哥特堡後，我和卡洛琳轉赴挪威的奧斯陸參觀諾斯克資訊公司（Norsk Data）及諾斯克水力公司（Norsk Hydro）。前者可稱為挪威的惠普，是潛力產業中的潛力企業。後者所經營的事業頗無聊，如水力發電、製鎂、煉鋁和化學肥料工廠，但這家公司仍是潛力十足。我認為這是支景氣循環股兼帥呆的能源股。諾斯克水力公司的油田和天然氣井的開採年限，是德士古、埃克森或其他大型石油業者的三倍以上，但股價最近才剛腰斬，正是撿便宜的好時機。

我忙著研究歐洲股票時，卡洛琳則忙著玩外匯。歐洲諸國財長決定調整匯率水準，美元匯率一夜之間下跌10%。但隔天卡洛琳用美國運通銀行的旅行支票買件狐皮大衣時，奧斯陸皮草店老闆一定沒看報，仍以原價賣出，等於打九折。

我們再從奧斯陸搭火車到貝根（Bergen），車行越過美麗農田，蜿蜒群山之間，再到這個迷人的海岸城鎮。但我們沒時間領受這份悠閒，因為明天得起個大早，飛往德國法蘭克福，拜訪德意志商業銀行、赫斯特公司（Hoechst）和德利（Dresdner）銀行的經營者。後天再轉赴杜塞道夫參觀製造商KHD公司，和過去生產阿司匹靈，現已成為化學、製藥集團的拜耳公司。

有次在德國某個火車站，有位好心的德國人自願幫我提行李，我以為他是腳夫，所以給他2美元的小費。結果他只是普通的生意人，我覺得很難堪，竟粗魯的用小費來打發他的好意。因為太專注於歐洲企業的財務資料，我錯過不少歐洲文化景觀和各地風景，不過我注意到德國的男人似都互稱博士（Doctor），甚少直呼其名。

我們沿萊茵河而下，北行至科隆拜訪更多公司，接著轉往巴登巴登（Baden-Baden），再租另一輛車上高速公路。除了到愛爾蘭科克親吻布列尼之石（Blarney Stone，據傳吻後會使口齒伶俐）以外，能在德國高速公路風馳電掣一番，也是我的人生目標之一。結果證實這兩個經驗一樣可怕。

要親吻布列尼之石，你得戰戰兢兢地走過百尺深淵。在德國高速公路上，就好像在印地安納波里500大賽車拚命一樣。我猛踩油門，時速超過100哩，有卡洛琳拍照存證。我一鼓作氣再超越前車，瀟灑的滑到內線道，加速到120哩，比我成年後最高時速還要高出一半。直到我注意後照鏡之前，每件事都很順利。因此彼得定理第10條為：

在德國高速公路上，絕對不要往後看。

我往後一看，有輛賓士也以120哩高速緊貼著我，距離大概只差三吋。實在貼得很近，連對方的指甲都看得一清二楚。他的指甲修得很漂亮。如果我敢放開油門，即使只有一秒，我想那傢伙就會撞進我的前座。我不得不再咬緊牙關加速前進，超過右車滑出外線道，也就是慢車道。之後我就維持在100哩。

一直到第二天，我還是驚魂未定。當天我們開車去瑞士巴塞爾，山多士（Sandoz）總公司在此，為瑞士知名的製藥及化工業者。在美國的時候，我就曾打電話給山多士公司，表達參觀意願。正常而言，企業負責人應能瞭解我企圖何在，但山多士則不然。山多士公司由一位副總裁接電話，我說想參觀他們公司，他問說：「為什麼？」我說：「想進一步瞭解你們的生意，好決定是否加碼。」他又問：「為什麼？」我繼續說：「我希望知道最新狀況。」他又問：「為什麼？」我說：「如果買了股票，價格上漲，就能為投資人賺錢。」他還是問：「為什麼？」我就說掰掰了。後來聽說山多士已放寬參觀規定，但我還是沒去過。

我們繼續穿越阿爾卑斯山進入義大利，到米蘭參觀蒙泰迪生公司（Montedison），這也是水力發電業者。在蒙泰迪生三百年歷史的會議廳中，有個奇妙的滴漏裝置，規律滴下的水滴，實際上就是引自通過水壩，推動發電機的澎湃怒潮。除了蒙泰迪生公司外，還參觀附近的IFI公司，和著名壁畫《最後的晚餐》。另外，也看了歐里維蒂公司（Olivetti）。像我這種把蒙泰迪生、IFI和歐里維蒂公司，與《最後的晚餐》相提並論，當作義大利北部名勝的觀光客，大概很少吧！

當時義大利的物價壓力其高無比，政壇上更是風波連連。不過通膨壓力已稍降低，政治上也漸上軌道。我突然覺得，1985年的義大利跟1940到1950年代的美國很像，家電業、電力公司和超級市場，未來極富成長潛力。

卡洛琳隻身前往威尼斯，因為那兒沒啥企業好看的（總督宮殿和歎息橋都尚未公開上市），所以我先到羅馬參觀史岱特公司（Stet）和SIP公司。10月9日我和卡洛琳從羅馬搭機返國，10日回到波士頓。一回來後我馬不停蹄，又參觀四家公司：康地斯可（Comdisco）、A. L. 威廉斯（A . L . Williams）、花旗銀行和蒙泰迪生（即一週前在米蘭參觀的同一家）。

因為這趟歐洲旋風之旅，我無法參加耐德・強森的結婚25週年紀念日。他是我老闆，不過我缺席是有好理由的。從歐洲回來以後，我開始買進富豪、斯堪地亞和艾索特等股票，結果表現非常好。

那時麥哲倫國外股票部位共10%，其高額報酬對麥哲倫維持排名第一大有裨益。麥哲倫表現最好的11支國外股票，分別為標緻汽車、富豪汽車、斯堪地亞、艾索特、伊萊克斯、Aga、諾斯克水力、蒙泰迪生、IFI公司、東武鐵路公司，及近畿日本鐵路公司，一共為投資人賺了2億美元以上。

那兩家日本鐵路公司股票，是富達海外基金的諾伯推薦，後來我在日本親自研究一番。那趟日本行，跟歐洲一樣讓人興奮，細節在此就不提了。東武鐵路漲勢最猛，五年386%，只可惜部位太小了，只佔麥哲倫的0.13%。

## 超越50億美元

1984年S&P 500指數下跌6.27%，但麥哲倫仍小贏2%。1985年在汽車類股及國外股票的幫助下，麥哲倫大勝43.1%。當時我最大部位還是公債和汽車類股，為了某些理由，IBM也買了不少，但表現一直不好。另外還有吉列、伊頓、雷諾、哥倫比亞廣播、原來的國際哈維斯特公司（International Harvester，現稱那維斯塔〔Navistar〕）、史派利（Sperry）、坎培爾、迪士尼、沙利美、紐約時報和澳洲公債。而SK貝克曼（SmithKline Beckman）、新英格蘭銀行、大都會媒體（Metromedia）和羅威（Loews）的股票也不少，足以名列十大持股。那時希望沒買的股票是：OT馬鈴薯（One Potato Two）、東方航空（Eastern Airlines）、機構網路公司（Institutional Networks）、宏觀財務公司（Broadview Financial）、法國航空（Vie de France）、Ask電腦、威爾頓工業（Wilton Industries）及聯合運輸公司（United Tote）等股票。

1985年又有17億美元加入麥哲倫，加上去年和前年各有10億美元，麥哲倫資產淨值相當於哥斯大黎加的國民生產毛額。為了充分利用這筆龐大資金，我進攻再進攻，不斷評估、調整投資組合，建立新倉，加碼舊部位，忙得不亦樂乎。因此彼得定理第11條為：

最值得買的股票，或許就是已擁有的那支。

房利美就是個好例子。1985年上半年時，我持有的房利美股票並不多，再次檢視後我發現房利美已是脫胎換骨（詳見第18章），馬上加碼到2.1%。那時福特及克萊斯勒股價已漲了兩、三倍，但汽車業盈餘持續增加，且基本面相當好，所以我仍偏重汽車類股。不過房利美很快大步趕上，接替福特和克萊斯勒，成為麥哲倫的大功臣。

1986年2月麥哲倫基金終於突破50億美元，我也可以加碼更多的福特、克萊斯勒和富豪股票，以維持其部位比重。另外還有中南公用事業（Middle South Utilities）、DS便利商店（Dime Savings）、默克製藥、美國醫療公司（Hospital Corporation of America）、林氏廣播公司、麥當勞、史特林藥廠（Sterling Drug）、西格蘭（Seagram）、普強（Upjohn）、道氏化學、吾爾渥茲（Woolworth）、布朗寧—菲利斯（Browning-Ferris）、懷爾史東（Firestone）、史濟巴（Squibb）、可口可樂、優南（Unum）、戴比爾斯（DeBeers）、馬如意（Marui）和龍侯（Lonrho）等股票。

此時國外股票部位已增為20%，和最近幾年一樣，仍以富豪汽車最多。除汽車類股外，其他十大個股包括：新英格蘭銀行、坎培爾公司、史濟巴和迪吉多設備公司等。

1976年時麥哲倫全部只有2,000萬美元，如今這個數目已不算什麼。為更有效管理這幾十億美元，我決定建立些一億美元的高額部位，不然我會忙死。理智上，我知道應該這麼做，但總覺得並未真的有這麼迫切需要，直到有一週市場交投異常熱絡，而我剛好到加州優聖美地國家公園渡假時，才意會到。

我原本都把持股依字母排列，每天依序決定買賣事宜，但基金愈來愈大，持股愈來愈多，名單也愈來愈長。那一次我站在優勝美地電話亭前，心無旁鶩，無視宜人山景，打電話給交易室下單，結果搞了兩個小時才說到L。在公司拜訪上，也到了最大極限。不管是在富達、對方公司或投資會議上碰面，1980年我總共和214家業者見面，1982年增加到330家，1983年再增為489家，1984年稍減為411家，1985年463家，到1986年更增為570家。照這種速度，平均一天要和兩家業者見面，連週末和假日都賠進去了。

執行麥哲倫賣單的交易員迪魯加小姐，在連續五年的賣出、賣出、賣出之後，準備離職嫁給富達前董事長歐布萊恩（Jack O'Brien）。在她最後一天上班，我們決定讓她執行一些買單，好知道另一位交易員是怎樣過日子的。她顯然很不習慣，電話中賣方喊價，比方說每股24美元，迪魯加竟然自己加到24.50美元。

## 轉變策略

1986年麥哲倫基金上漲23.8%，到了1987年上半年再漲39%，道瓊指數也創新高上攻到2,722.42點，全美主要媒體一片看好，但我卻不敢掉以輕心，在五年來第一次反攻為守。我認為美國經濟已經復甦很久了，想買車的人也都買了。汽車股分析師對業界盈餘還是非常樂觀，但我自己研究後，認為並不可靠。於是我開始減碼汽車類股，加碼金融類股，特別是房利美和儲貸機構的股票。

1987年5月，麥哲倫基金衝破百億美元大關。這時候冷言冷語又來了，說麥哲倫實在太大了，不會成功的。我不知道這些閒話對我績效的貢獻有多大，但肯定不小。他們從10億美元就開始拉警報，結果是20、40、60、80，一路拉到100億美元，刺激我更加努力，一定要把成績做出來。別的基金到一定規模後，就不再接受申購，但麥哲倫基金一直對外開放。即使是這一點，也有人說話，批評富達利用我的名聲搜括更多手續費。

到了1987年，麥哲倫的規模已和瑞典的國民生產毛額一樣大，但操作績效還是擊敗大盤，我提刀四顧躊躇滿志。可是也累壞了，希望能有更多時間陪老婆，不用成天跟房利美耗在一起。其實我那時候就想辭職，比真正離開麥哲倫還要早三年。不過那年的10月大崩盤，硬是把我留下來了。

我根本不曉得股市快崩盤了。其實那時候股價瘋狂飆揚，正是為日後的千點回檔預做準備，現在說來都是後見之明。雖然我平時總能看到更遠的未來，洞察力確實不賴，但還是沒抓住這個關鍵。股市已一步步走向驚險的高檔，我還是把資金完全押在股票上，手頭上幾乎沒有現金。唉，當時的情況就是如此。

當年8月，有幾十支儲貸機構的股票先遭減碼，原來投資部位為5.6%。但我發現有些儲貸機構放款漸趨浮濫（富達的儲貸機構分析師艾利森〔Dave Ellison〕也有警覺），因此我趕快獲利了結。但不幸的是，我把賺來的錢又押進股市。

1987年大崩盤之前，麥哲倫共上漲39%，但S&P 500指數漲幅41%，我火大得很。那時我老婆說：「你已經為投資人賺了39%了，幹嘛落後大盤兩個百分點就唸個不停？」沒錯，沒啥好抱怨的。因為到12月時，麥哲倫反而下跌11%。因此彼得定理第12條就是：

你以為股票只會上漲嗎？狠狠跌一次夢就醒了。

我對空頭市場，一開始就有愚蠢的幻想。我剛接管麥哲倫那幾個月，大盤下跌20%，但基金反而上漲7%。這個暫時的勝利讓我昏了頭，以為我可能對一般的回檔免疫。可是再碰到股市回檔，亦即從1978年9月11日到10月31日，我的夢就醒了。

那次跌勢相當猛，主要是因為美元匯率走軟，通膨壓力太重，減稅案卡在國會，Fed又趨於緊縮。此外，債券市場上短期殖利率反高於長期，這種「殖利率曲線逆轉」很不正常。結果股價一路下殺，麥哲倫更是殺到谷底。如此即是往後我基金經理人生涯的常態趨勢：股市一旦下跌，麥哲倫肯定跌得更慘。

包括1987年的大崩盤，我任內共碰上九次大回檔，麥哲倫都是有過之而無不及。基金跌勢較慘，但反彈幅度也比大盤高。這種波動現象，總得在年報向投資人解釋才行，有個比較詩意的說法是：漲得愈高的股票，沿途也最容易讓你受點小傷。

1987年總算捱過去，太棒了。年底算總帳麥哲倫還有1%的漲幅，能連續十年上漲，多少也算是勝利。而且我的操作績效，年年高於股票基金平均表現。此外，麥哲倫的反彈幅度也再次高於大盤。大崩盤暫時解決麥哲倫的規模問題。8月崩盤前，共110億美元，到10月已縮水為72億美元，才一週就玩掉哥斯大黎加的國民生產毛額。

我在拙著《彼得林區選股戰略》中曾提到，1987年大崩盤時我正在愛爾蘭打高爾夫球。那時許多投資人嚇壞了，我得賣很多股票籌措現金以因應贖回。10月麥哲倫基金仍然吸金6.89億美元，但贖回金額高達13億美元，一反過去五年來上升趨勢。賣方以二比一領先買方，不過大多數投資人留下來了，其實崩盤不過就是如此，並非世界末日。

可是融資戶真的碰上世界末日。他們向券商借錢買股票。在股價跌到谷底時，券商只好把抵押的股票賣掉，追回墊款，融資戶只能眼睜睜看著自己的投資化為烏有。這時我才首次瞭解融資有多危險。

我底下幾個交易員，為了應付大崩盤的震盪餘波，星期天還特別來加班；公司週末也加班籌畫如何因應股市變化。去愛爾蘭前，我特別提高現金部位（為過去單日最大贖回金額的20倍）。這還是不夠，崩盤後贖回賣壓蜂擁而至。隔週的週一我被迫賣掉一些股票，週二又砍掉一大筆。我當時覺得應該逢低搶進，卻只能賣股票。

據此來看，基金的成敗，投資人的態度也很重要。如果投資人能堅定信念，在緊急情況不致驚慌過度，經理人就無須為了應付贖回賣壓而低價拋股。

股市回穩後，福特還是最大部位，接著是房利美、默克藥廠、克萊斯勒和迪吉多設備公司。反彈力道最強的是景氣循環股，例如克萊斯勒由20美元回升為29美元，福特從38美元反彈為56美元。但緊抱循環類股，卻是大錯特錯。三年後，也就是1990年時，克萊斯勒跌到10美元，福特只剩20美元，不到1987年的一半。

操作景氣循環股，能抓對時機獲利了結很重要。克萊斯勒就是豬羊變色的好例子。1988年克萊斯勒每股盈餘4.66美元，大夥以為1989年起碼還能有4美元水準，結果只剩1美元多一點；1990年又減少到0.3美元，1991年反而虧了一屁股。眼見再難好轉，只好全賣了。

克萊斯勒股價逐步下滑之際，不少華爾街專家還在叫進。我覺得自己對克萊斯勒已是無可救藥的樂觀，卻還比不上華爾街最悲觀的預期。當時我預期每股盈餘頂多三美元，有些分析師算盤卻打到六美元。一旦你發現你設定的上限，竟然比別人的下限還低時，就得當心股價已經飆上天了。

崩盤後的主流股是成長類股，而非景氣循環股。幸運的是，我已把汽車股出清，把錢轉到營運狀況佳，且財務結構穩健的公司，如菲利普摩里斯、RJR納比斯可、伊士曼柯達（Eastman Kodak）、默克藥廠和大西洋里斯菲爾等。現在菲利普摩里斯是我最大部位，另奇異的投資部位也達2%（事實上2%是不夠的。奇異股票市價總值佔整個股市的4%，麥哲倫只持有2%，等於不看好自己壓寶的股票。這是後來接管麥哲倫的史密斯替我破除迷障）。

由奇異的例子也能看出，把公司定型分類卻不知巧妙變通，是多麼愚蠢的做法。一般都以為奇異是相當乏味的績優股，有點景氣循環股的味道，但絕對不算成長類股。請看看圖6-1，你可能誤以為是某個穩定成長類股，如嬌生（Johnson & Johnson）之類的。

在挑選超跌股方面，有些不受市場青睞的金融服務類股也非常划算，包括好幾家共同基金公司。因為華爾街擔心投資熱潮可能急速消退，不少共同基金公司股價一跌再跌。

1988年麥哲倫上漲22.8%，1989年再漲34.6%。1990年我離職那年，麥哲倫漲幅還是超越大盤。總計我任期十三年，麥哲倫漲幅年年勝過所有股票基金的平均值。

我離職當天，麥哲倫總資產共計140億美元，其中現金部位高達14億美元（大崩盤讓我學乖了，手頭上可不能沒有現金）。同時也建立不少獲利穩定的大型保險股部位，如AFLAC、珍娜瑞（General Re）、普里美利加（Primerica）等。還有醫療類股和國防類股，如雷神公司，馬汀．馬利耶塔（Martin Marietta）和聯合科技（United Technologies）等。由於當時蘇聯戈巴契夫大力推動開放政策（glasnost），華爾街以為東西冷戰結束，世界和平就來了。兔死狗烹，國防類股當然慘跌。華爾街實在太樂觀了。

我還是不看好景氣循環類股，如造紙、化工和鋼鐵等，雖然有些股價非常低，但營運狀況也很差。國外股票投資部位共14%，另外我也買進醫療供應、香菸和零售類股。當然還有房利美。

如今，房利美已接替福特、克萊斯勒等，成為麥哲倫的台柱。房利美部位為5%滿檔，股價兩年漲四倍，對基金自是大有裨益。過去五年來，麥哲倫單靠房利美就賺了5億美元，富達旗下所有基金，就從房利美撈到十多億美元。單一企業從個股賺到的錢，這可能是最多的。

讓麥哲倫賺到第二多錢的股票，是福特汽車（1985年到1989年，共獲利1.99億美元），其他依序為菲利普摩里斯（1.11億美元）、MCI（9,200萬美元）、富豪汽車（7,900萬美元）、奇異（7,600萬美元）、通用公共事業（General Public Utilities，6,900萬美元）、

## 圖6-1　奇異公司

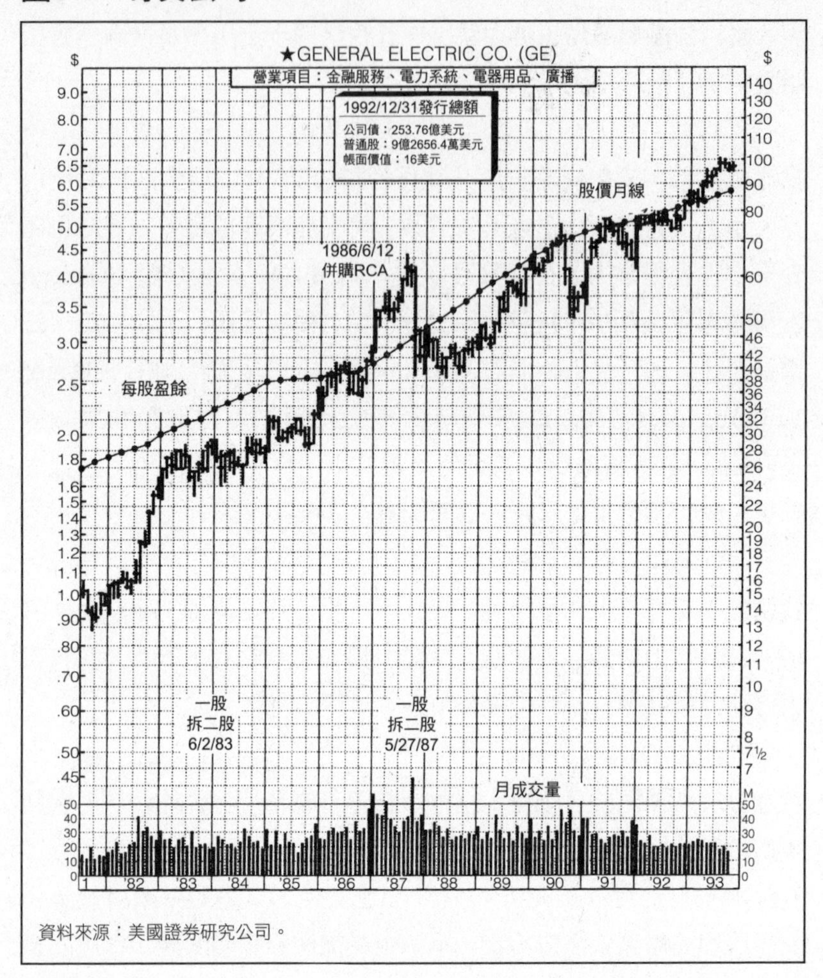


資料來源：美國證券研究公司。

學生貸款行銷公司（Student Loan Marketing，6,500萬美元）、坎培爾（6,300萬美元）及羅威（5,400萬美元）。

九支常勝軍中，有兩家汽車製造商，一家香菸兼食品業者，一家香菸兼保險集團，一家出過意外的電力公司，一家電話公司，一家多角經營的金融業者，一家娛樂業，一家專門承作學生貸款。它們並非都是成長類股、景氣循環類股，或什麼資產股，但總共為麥哲倫賺進8.08億美元。

雖然麥哲倫很大，光一支小型股影響不了大局，但若把90支或100支小型股集合起來，就很夠看了。不少小型股一漲就是5倍，有些更漲了10倍。我在麥哲倫最後五年，手中表現最好的小型股是：羅傑斯通訊（Rogers Communications Inc.），上漲16倍；電話暨資訊系統公司（Telephone and Data Systems），上漲11倍；環戴恩工業、柴拉基集團（Cherokee Group）和金恩世界製作公司（King World Productions）等，都上漲10倍。

金恩世界製作公司的成功，全美數百萬人有目共睹，因為大家都在看電視嘛！該公司擁有《財富之輪》（*Wheel of Fortune*）和《千鈞一髮》（*Jeopardy*）兩個搶手節目。先是在1987年華爾街某分析師跟我提到金恩世界公司，後來我帶家人去參觀《財富之輪》的錄影，看到很多默片時代的明星，不過我只認得范娜．懷特（Vanna White）。金恩世界公司也有個滿受歡迎的脫口秀，大概是歐普拉主持的吧？

我下了點研究工夫，知道遊戲型節目的壽命大約是七到十年，算是非常穩定（比電腦晶片穩定多了）。《千鈞一髮》已製播二十五年之久，但打進黃金時段才剛第四年。《財富之輪》才製播第五年，就成為全美收視冠軍。脫口秀的歐普拉身價一路高漲，金恩世界的股價也是一樣。

## 面對賠錢貨

麥哲倫所買的股票，當然不只上述那些賺錢的，還有幾百支賠錢的股票，我手上的賠錢貨名單一長串，有好幾頁呢！幸虧這些股票都不是最大部位。要成功的管理投資組合，能否控制損失，是很重要的。

選錯股票賠了錢，沒啥好丟臉的，誰都有看錯的時候。但若挑錯股票，還死抱著不放，或者還想加碼攤平，就很糟糕了，我一再告誡自己不要踏進這個陷阱。雖然我的股市生涯中，賠錢股票比上漲十倍的還多，但我絕不會再去加碼攤平（詳見第11章）。所以彼得定理第13條是：

股票行情結束時，就別再死纏爛打，奢望會起死回生。

讓我賠最慘的股票，是德州航空（Texas Air），賠了3,300萬美元，那時還虧我在跌勢中忍痛砍倉，不然更慘。另一個賠錢貨是新英格蘭銀行，當時我對新英格蘭地區經濟衰退狀況太過低估，因此我高估了新英格蘭銀行的前景。後來股價腰斬，從40美元跌到20美元，我才死心認賠，到15美元時全部出清。

那時候波士頓各方人士，有些還是精明老練的投資人，反而說這是買進的好時機。結果新英格蘭銀行由15美元，再跌到10美元，之後只剩下4美元，他們還在叫進。但我的想法是，不管股價多低，如果這張股票一文不值的時候，錢就全泡湯了。

新英格蘭銀行的問題，並非全無徵兆，該行發行的公司債大跌，就是重要線索，由公司債行情的變化，就知道問題非同小可。當時該行先前發行的公司債價格，由面值100美元跌到破20美元，就非常值得注意了。

如果某公司有償付債款的能力，它一美元的債務，就應該值貨真價實的一美元。如果該公司一美元的債務，在外頭只賣20美分，顯然就有問題。債券投資人通常比較保守，所以他們對企業的償債能力非常重視。況且，債券求償順序還在股票之前，如果連債券都快賣不掉，股票就更別提了。從這個經驗學到的祕訣是，某企業搖搖欲墜，股價非常低，若想知道安不安全，就先看看公司債的表現吧！

其他害我賠得慘兮兮的股票，還有第一管理公司（First Executive），賠了2,400萬美元；伊士曼柯達，1,300萬美元；IBM，1,000萬美元；Mesa石油，1,000萬美元；尼曼－馬可士集團（Neiman-Marcus Group），900萬美元。房利美在1987年也賠過錢，不過當時大盤一片漆黑。克萊斯勒在1988年到1989年間，也讓我賠過錢，不過當時投資部位已不到1%。

景氣循環類股，好比賭21點：玩太久，先前賺的可能全部吐回去。

最後，對於賠錢股票中科技股最多的情況，我一點也不意外，包括1988年迪吉多賠了2,500萬美元，以及其他賠少一點的譚盾（Tandem）、摩托羅拉、德州儀器（TI）、EMC（生產電腦周邊設備）、國民半導體（National Semiconductor）、美光科技（Micron Technology）、優利系統（Unisys），當然還有所有基金經理人的最恨——IBM。我雖認為科技股沒什麼搞頭，但有時候還是會心動。

## 表6-1　麥哲倫最佳50支股票（1977-1990年）

| | |
|---|---|
| Alza | Medco Containment |
| 美國商業銀行 | 大都會媒體 |
| 波音公司 | NBD銀行 |
| 樞機配銷公司（Cardinal Distribution） | 歐文一康寧 |
| 克萊斯勒汽車 | 派普男孩 |
| 電路城（Circuit City） | 百事可樂 |
| Circus Circus | 菲利普摩里斯 |
| 可口可樂 | 皮肯賽便利商店 |
| Comerica | 銳跑國際（Reebok International） |
| Congoleum | 羅傑斯通訊 |
| 古柏輪胎 | 荷蘭皇家石油 |
| 脆餅桶連鎖餐廳 | 史巴羅（Sbarro） |
| 唐金甜甜圈（Dunkin' Donuts） | SCI |
| 環戴恩 | 蕭氏工業（Shaw Industries） |
| 美國聯邦抵押貸款聯合公司（Federal National Mortgage Association） | 斯堪地亞 |
| 福特汽車 | 史達普便利商店 |
| 通用公用事業公司 | Stride Rite |
| 吉列 | 學生貸款行銷 |
| Golden Nugget | 塔可貝爾 |
| Great Atlantic & Pacific | 墨西哥電信（Tetefonos de Mexico） |
| 大湖化學（Great Lakes Chemical） | 電話暨資訊系統（TDS） |
| 國際租賃金融（International Lease Finance） | 德勵（Telerate） |
| 金恩世界製作 | 聯合利華 |
| La Quinta汽車旅館 | 富豪汽車 |
| MCI通訊 | Zayre |

## 表6-2　麥哲倫最佳50支銀行股（1977-1990年）

| | |
|---|---|
| 南方信託（SouthTrust） | 船夫銀行（Boatmen's Bancshares） |
| 美國商業銀行 | 中央銀行公司（Centerre Bancorporation） |
| 富國商業銀行 | 紐約銀行（Bank of New York） |
| Wilmington Trust | 第一帝國銀行（First Empire State） |
| Landmark Banking | 歐文信託銀行 |
| 佛羅里達西南銀行（Southwest Florida） | 奇鑰銀行 |
| 亞特蘭大第一銀行（First Atlanta） | 米德蘭海事銀行（Marine Midland） |
| 第一鐵路銀行（First Railroad & Banking） | NCNB銀行 |
| 太陽信託公司（SunTrust） | FT銀行 |
| 夏威夷銀行（Bancorp Hawaii ） | 杭亭頓銀行（Huntington Bank） |
| 威萬公司（West One） | 國民市銀 |
| 哈里斯銀行（Harris Bankcorp） | 色塞蒂銀行（Society Corporation） |
| 北方信託公司（Northern Trust） | 大陸銀行（Continental Bank） |
| 美國佛雷契公司（American Fletcher） | 柯斯岱金融公司（CoreStates Financial ） |
| 國民商銀（Merchants National） | 道芬存款公司（Dauphin Deposit） |
| 肯塔基第一銀行（First Kentucky） | 吉拉德信託銀行（Girard Bank & Trust） |
| 馬里蘭第一銀行（First Maryland） | 頂盛銀行 |
| 聯合信託公司（Union Trust） | PNC金融公司 |
| 州街信託銀行（State Street Bank & Trust ） | FN公司（Fleet/Norstar） |
| Comerica | 南卡羅萊納國民銀行（South Carolina National） |
| 美國第一銀行（First of America） | 第一美國銀行（First American） |
| Manufacturers National | 第三國民銀行（Third National） |
| NBD銀行 | 西奈銀行（Signet Bank） |
| 歐肯金融公司（Old Kent Financial） | 撒蘭銀行（Sovran Bank） |
| 西北公司（Norwest Corporation） | MI公司（Marshall & Ilsley） |

## 表6-3 麥哲倫最佳50支零售類股（1977-1990年）

| | |
|---|---|
| 皮肯賽—折扣商店 | 電路城—電器 |
| Dollar General—折扣商店 | 好傢伙（The Good Guys）—電器 |
| Service Merchandise—折扣商店 | Sterchi Brothers—家具 |
| 沃爾瑪百貨—折扣商店 | Helig-Myers—家具 |
| Zayre—折扣商店 | 壹號碼頭—家飾 |
| Family Dollar—折扣商店 | Edison Brothers—雜貨 |
| TJX—折扣商店 | 吾爾渥茲—雜貨 |
| 凱瑪百貨—折扣商店 | Melville—雜貨 |
| Michaels Stores—折扣加盟 | Sterling—珠寶 |
| Del Haize（Food Lion）—超級市場 | 珍貝爾行銷—珠寶 |
| 亞伯森—超級市場 | 好市多—量販店 |
| 史達普—超級市場及折扣商店 | 蓓斯—量販店 |
| Great A & P—超級市場 | House of Fabrics—家用縫紉 |
| Lucky Stores—超級市場 | Hancock Fabrics—家用縫紉 |
| American Stores—超級市場 | Transworld Music—唱片 |
| Gottshalks—百貨公司 | 玩具反斗城—玩具 |
| 迪拉德（Dillard）—百貨公司 | Office Depot—辦公用品 |
| JC潘尼（J. C. Penney）—百貨公司 | 派普男孩—汽車用品 |
| May—百貨公司 | Walgreen—藥房 |
| Mercantile Stores— 貨公司 | Home Depot—建材 |
| Merry-Go-Round—服飾 | CPI Corporation—照相 |
| Charming Shoppes—服飾 | Pearle Health—保眼用品 |
| Loehmann's—服飾 | Herman's—運動器材 |
| Children's Place—服飾 | Sherwin-Williams—油漆等 |
| Gap—服飾 | Sunshine, Jr.—便利商店 |

# 7 藝術、科學及採訪

本書以後的內容，就是1992年我在《巴隆週刊》推薦21支股票的挑選過程，打電話給上市公司，思考再思考，精密詳細的計算、規畫等等。之所以要用這麼多篇幅來說明，是因其間絕無簡單公式或按圖索驥，照辦即成的祕訣。

選股是一種藝術，同時也是科學的，若不能允執厥中，就可能有危險。精於算計的人，終日研究財務報表，還是可能失敗。若光靠資產負債表就能未卜先知，數學家和會計師早就撐爆了。

太執迷計算反受其害，這在古希臘哲學家泰利斯（Thales）身上已得到證明。這位古希臘先賢大哲晚上因太專心數星星，常被路上的坑坑洞洞絆倒。

但是把選股當成藝術，還是有所欠缺。這裡說的「藝術」，是指直覺、感性，也就是較富藝術傾向的右腦區。想找個有搞頭的投資，藝術家就是憑直覺、第六感。所以，直覺強的人是一路發，不開竅的滿臉豆花。不過如果股票只靠直覺、第六感，那就甭玩了。

太相信直覺的人常疏忽研究準備工作，抱著隨便玩玩的態度進入股市，結果虧了一屁股後，就死心地認為自己沒有賺股票錢的命。最常聽到的藉口是：「股票像女人，你永遠猜不透。」這對女性同胞不公平（誰想被比成聯合碳化公司），對股票也不公平。

我的選股方法是三合一，二十年來一以貫之，就是藝術直覺及科學研究，再加上親自調查。在操作配備方面，我有國通即時報價系統，但目前廣為基金界採用的最新式工作站我沒有。這種新式工作站不但能同時顯示所有分析師對個股的分析，還能處理精密技術分析。我想這種超級工作站，就是和五角大廈玩玩戰爭遊戲，或跟世界棋王費雪（Bobby Fischer）殺一盤，都不成問題。

許多專業投資人根本沒抓住重點，只曉得在操作系統上日新月異，爭著買Bridge、Shark、彭博（Bloomberg）、First Call、Market Watch、路透社（Reuters）等交易系統，怕疏忽其他專業投資人的一舉一動，卻不知道要多花點心思逛逛購物中心。如果不對企業下工夫去研究，空有軟體還是沒搞頭。相信我，華倫．巴菲特也沒這些玩意兒。

剛獲邀參加巴隆座談，我對股票實在太狂熱了，結果1986年我第一次就報了百來支明牌，第二年我更推薦了226支股票，主持人艾柏森只好說：「也許該問你，不喜歡的是哪些。」1988年是大家最不看好股市的一年，但我還是推薦了122支，若把分拆後的七家貝爾電話公司分開計算，該是129支股票，艾柏森諷刺說：「你這多頭可真公平，全部看好。」

1989年，我稍趨保守，只提供91支最愛，但艾柏森還是說：「或許我們要再問一次，你到底不喜歡什麼？應該比較少吧！」1990年我推薦得更少，只剩73支。

我一向以為，找好股票跟捕昆蟲一樣，翻十塊石頭，也許只找到一隻，翻20塊找到兩隻。那四年裡面，我每年翻開成千上萬塊石頭，才能為麥哲倫找到足夠的昆蟲。

從專業投資人退下來後，就無法再推薦那麼多股票了。1991年21支，1992年也是這個數。家庭及公益活動佔去我不少時間，現在我只有空翻幾塊石頭而已。

我不會因此感到不習慣或沮喪，因為業餘投資人不必辛辛苦苦地找50或100支黑馬股，十年內若有幾支大賺，就值回票價了。即使資金只有一點，也可以利用「五股原則」（Rule of Five），只買五支股票，如果其中某支上漲十倍，其他四支都沒動，整個投資組合還是漲了三倍。

## 股市超漲

1992年1月巴隆座談時，道瓊指數前一年底才漲到3,200點的高峰，市場上喜氣洋洋。在道瓊指數三週飆揚300點的瘋狂氣氛中，我是座談會中最不起勁的。跟經濟衰退時，備受打壓的股市相比，超漲的股價讓我更覺得不對勁，因為大多數股票幾乎日日創新高。

經濟衰退總會過去的，所以超跌股市裡，到處都是逢低買進的好機會。但股價高估時，很難找到什麼便宜又大碗。所以，指數跌300點時，老練的投資人比漲300點還高興。

當時不少大型股，尤其是市場上眾所皆知的成長型企業，如菲利普摩里斯、亞培實驗室、沃爾瑪百貨、布里斯托—麥爾等，股價漲勢普遍超越獲利基本面，如圖7-1、7-2、7-3、7-4所示，這都是不好的訊號。

價格一旦脫離獲利基本面，通常就是橫盤（休息一下），或者回檔整理，到比較合理價位。看看這四家公司的股價走勢圖，我認為這些普受認同的成長股，1991年雖是大贏家，但1992年即使大勢仍舊看漲，它們頂多只能橫向盤整，倘若大勢不妙，跌個三成也不為過。我在巴隆座談會上說，和年齡老邁、健康欠佳的德蕾莎修女比較起來，我認為許多股票更是岌岌可危。我對那些成長類股更擔心了。

翻開上市公司的盈餘、股價走勢圖（圖書館或券商都找得到），一眼即能分辨股價太高、太低還是合理。股價剛好在盈餘線上，或低於盈餘線，就是買進時機，如果高於盈餘線，就是進入危險區。

根據帳面價值、盈餘或其他一般的標準，1992年時道瓊30種工業股價指數或S&P 500指數也都相當高了，但許多小型股則不然。秋末之際，通常是我為隔年巴隆座談做準備的時候，投資人避稅賣壓再度出籠，小型股更是我見猶憐。

若曉得利用年底到隔年初的股市波動，每年11月和12月避稅賣壓出籠，股價低挫時買進，等隔年1月反彈再賣出，就會混得相當不錯。所謂的「元月效應」，小型股尤其來勁，六十年來小型股1月漲幅為6.86%，而股市平均漲幅才1.6%。

1992年，我原本準備在小型股中找到黑馬。不過在開始研究之前，

## 圖7-1　菲利普摩里斯（MO）

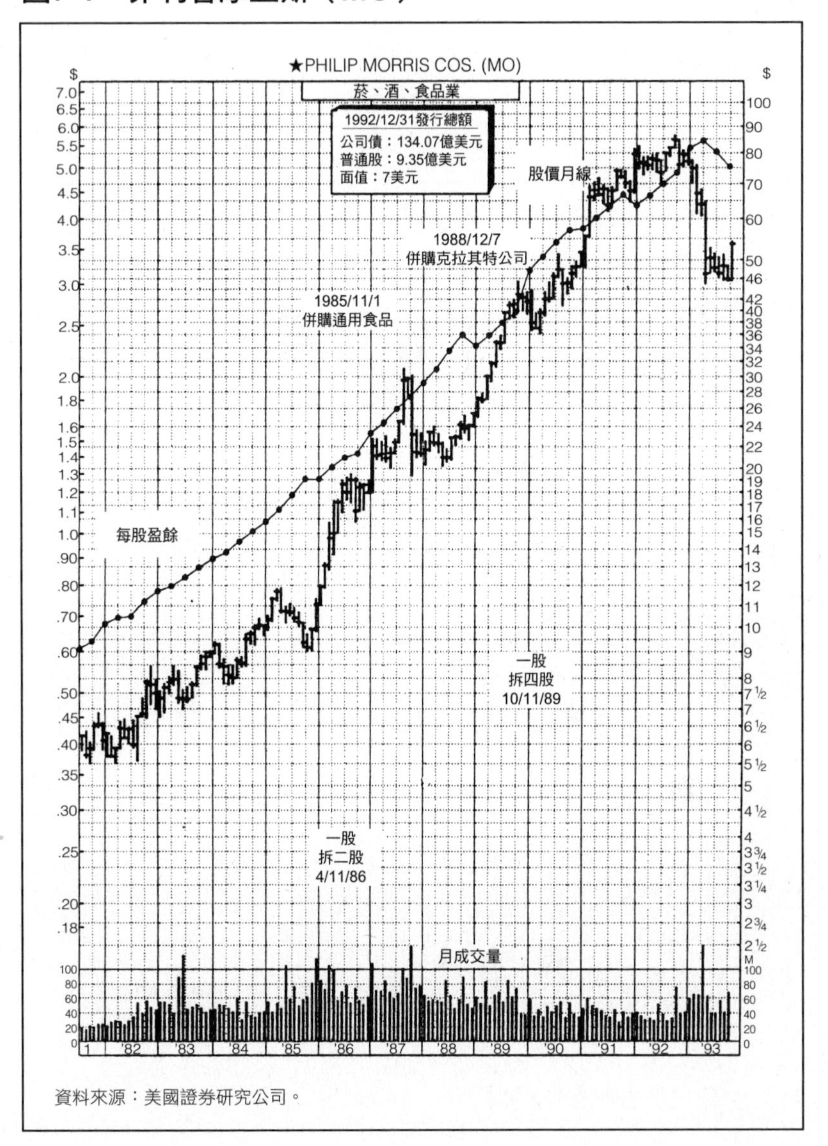


資料來源：美國證券研究公司。

## 圖7-2　亞培實驗室（ABT）

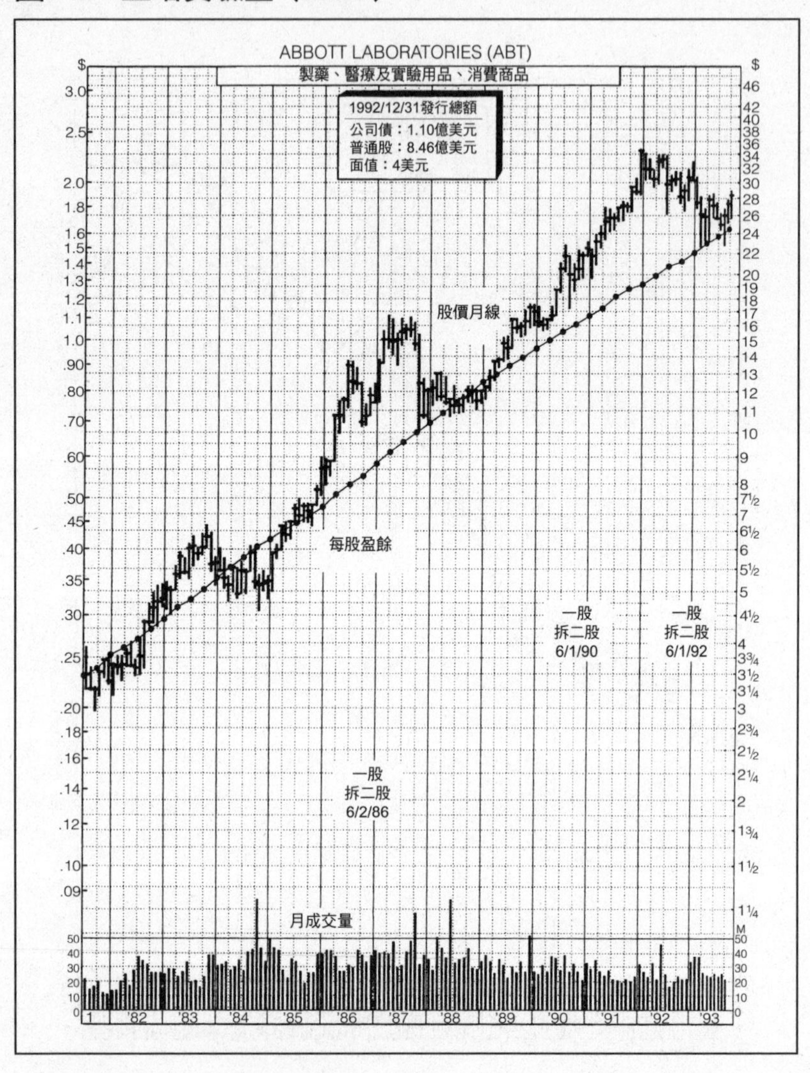


我又注意一下去年推薦的股票。

沒有真正下工夫去研究，別亂買什麼新鮮、奇怪的股票，對你而言可能只是行情表上的一個報價，久而久之手上股票愈來愈多，到最後根本記不得當時為何買進。

在自己可能應付的範圍內，以少數幾家上市公司為目標，專門操作這幾支股票，也是相當好的投資策略。閣下曾經做過的股票，應該對整個產業及該公司的情況大致瞭解，你曉得經濟衰退時它們表現如何、什麼因素會影響獲利等等。等到某個無所逃於天地之間的空頭市場開始時，原本那支股票又回到合理價位，你就能守株待兔，以逸待勞了。

成天忙著殺進殺出，連自己手頭上有什麼股票都記不清楚，這樣哪會成功呢？可是不少投資人就是如此。很多投資人曾經買過的股票，就再也不碰。老是勾起傷心回憶，誰願意再吃回頭草？不是未能及時獲利了結，反而賠錢，就是耐力不足，熬不到賺錢就認賠離場。唉，誰還想記得這些痛苦？

特別是那些賣掉後，還漲個不停的股票，你可能故意忽略它現在行情如何。這是人情之常。就像突然在超市碰到老情人，你可能默默地走開一樣。或許你在看股票版的行情表時，還遮遮掩掩的，怕萬一看到沃爾瑪百貨在你賣出後又漲了一倍。這種心情我能體會。

可是你得學會克服這種恐懼感。我開始管理麥哲倫以後，以前曾買過的股票我也得多加注意，不然遲早找不到股票好買。不要把投資當成斷斷續續的個別事件，要看成綿延不斷的歷史傳奇，必須時時提高警覺，不放過任何轉折和變化。除非這家上市公司倒了，不然故事永遠不會結束。不管是十年前，還是兩年前剛買過的股票，現在可能又有好機會。

## 圖7-3 沃爾瑪百貨（WMT）

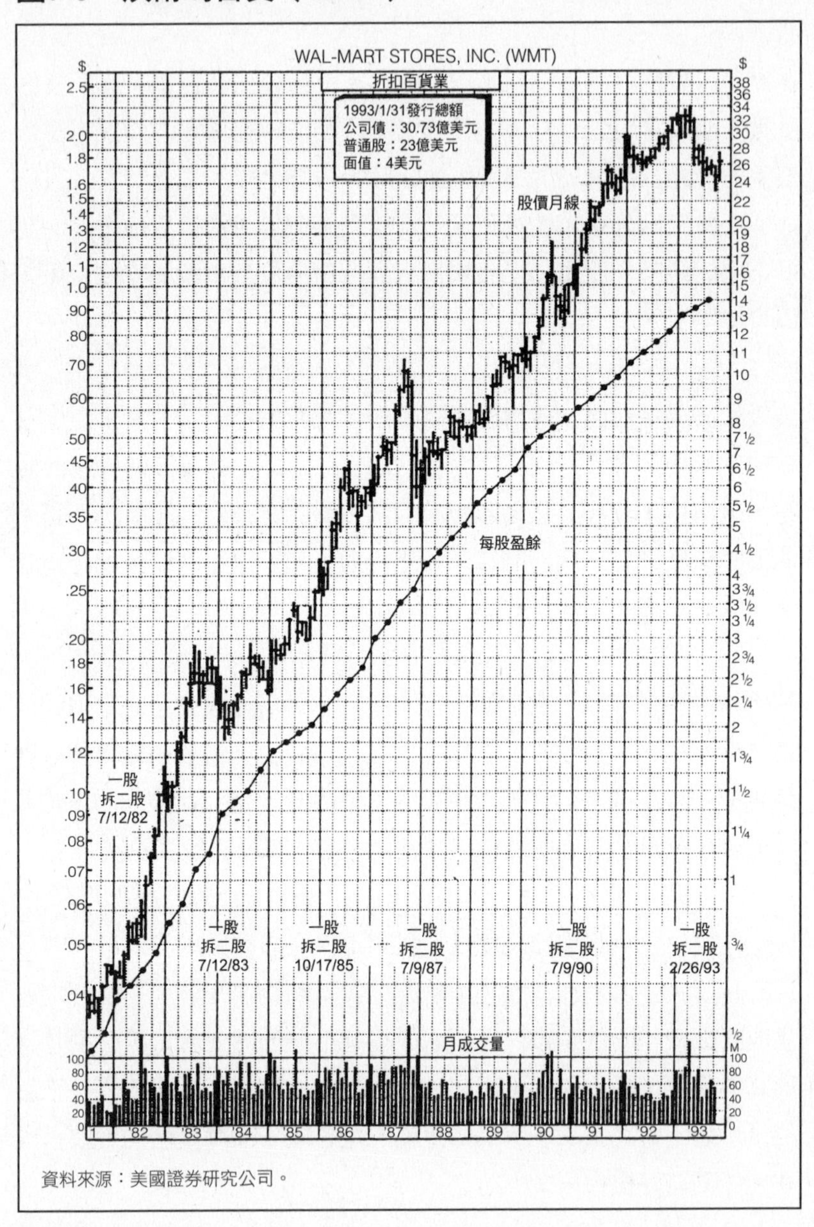


資料來源：美國證券研究公司。

## 圖7-4　布里斯托－麥爾·史濟巴（BMY）

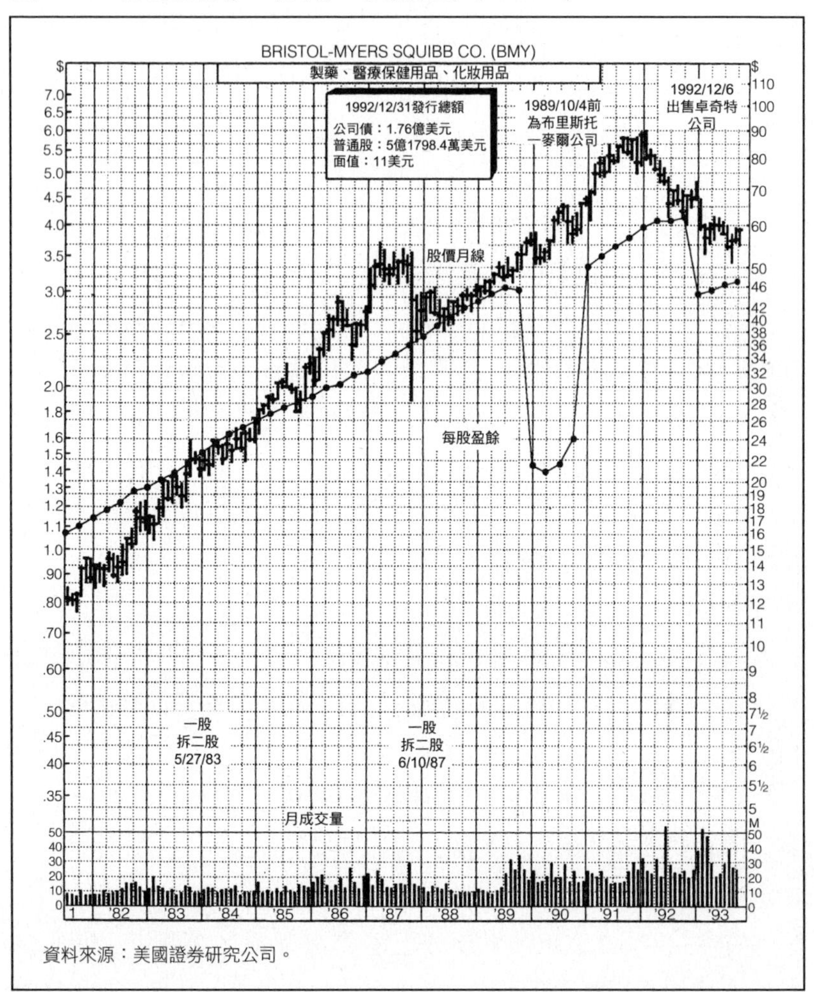


資料來源：美國證券研究公司。

為了不忘記過去的最愛，我用一本像學生在用的筆記本，把過去曾經投資過的股票詳細記錄下來，季報、年報的重要資訊，買進和賣出原因等等。在我到公司途中，或夜深人靜在家獨處時，就把筆記本拿來翻翻，好像在回味藏在閣樓的舊情書一樣。

這次我再看一遍1991年挑的21支。那一年大盤全面走高，這些股票也是可圈可點。S&P 500指數上漲30%，我的明星隊則勁揚50%或以上，包括坎培爾（保險及金融服務）、豪斯霍國際公司（Household International，金融服務）、賽達園育樂公司（Cedar Fair，遊樂場）、EQK綠畝田公司（EQK Green Acres，購物中心）、銳跑（運動鞋）、凱撒世界（Caesars World，賭場）、菲爾道奇（Phelps Dodge，煉銅）、可口可樂企業（裝瓶業）、基因科技（生物科技）、美國家庭公司（American Family），現稱AFLAC（日商，癌症保險）、凱瑪百貨（零售）、優尼瑪（Unimar，印尼商，石油）、房地美和凱士岱抵押公司（Capstead Mortgage，抵押貸款）、太陽信託（銀行）、五家儲貸機構，以及我連續叫進六年的房利美（抵押貸款）。

我再次詳讀紀綠，注意到幾個重要變化，最主要就是股價已經漲了。並不是說，股價漲了就不能再推薦，而是最佳買進時機或已不再。

賽達園育樂公司就是如此。該公司在俄亥俄州及明尼蘇達州都設有遊樂場。1991年引起我注意的，是這支股票投資報酬率高達11%。當時每股不到12美元，但現在已漲到18美元，報酬率已降低為8.5%。這種報酬率還算不差，但不會讓我想加碼。我希望挖到盈餘增加的利多，但和經營者談過之後，我研判他們並沒有新活動來刺激業績，所以轉向其他公司尋求更好的投資機會。

我又仔細研究另外20支股票。首先我刷掉在長島經營購物中心的EQK綠畝田公司，因為注意到最新一期季報上，有一則短短的說明。我發現像季報這種小冊子，常透露很多訊息。這則說明表示，過去該公司都會宣布增加一美分的配息，但現在正討論是否取消這項慣例。綠畝田公司上市六年來，每季都會宣布調高配息，雖然取消此一慣例，會讓公司省下10萬美元，但我卻覺得事有蹊蹺。提高配息已成傳統的企業，突然改變成例好省下一筆錢，閣下可別掉以輕心。1992年7月謎底揭曉，綠畝田公司配息不但沒增加，反而大減。

可口可樂企業公司股價未漲反跌，而且後市看疲，所以也刷掉了。房利美股價已經上揚，但後市還是看漲，所以我連續第七年推薦這支股票。要記得，股價比以前低，不是買進的理由；股價比以前高，也不是賣出的理由。另外，我決定再推薦菲爾道奇和兩家儲貸機構，理由請待下回分解。

# 8 逛街找股票
## 零售業

把去年明星隊篩選一番，保留五支股票後，我用平常方式找新的黑馬股。二話不說，我就去投資靈感最多的聖地：柏林頓（Burlington）購物中心。

柏林頓購物中心離我住的地方約25哩，規模很大，裡頭有各式各樣的商店，像這麼大的購物中心，全美大概只有450家左右，而且裡頭非常舒適，很適合研究股票。這個地方就是眾多上市公司拚搏廝殺的戰場，有的企業在此贏得市場，有的就此淘汰，不管是業餘，還是專業的投資人，每天都能在此看到企業勢力的消長。就投資而言，我認為與其相信證券商的建議，或自己拼湊報上的消息，不如自己到購物中心多逛逛，多看看。

許多股價漲幅極大的上市公司，就是幾百萬消費者常常光顧的地方。Home Depot、Limited、Gap服飾和沃爾瑪百貨這四支股票，若在1986年投資1萬美元，到1991年才五年就增值到50萬美元以上。

開車到柏林頓路上，經過許多商店，想起曾買過的零售股。到市郊時，經過兩家雷克電台（譚帝公司所有），若在1970年代初投資一萬美元，到1982年天價時出場，就增值為100萬美元；一家玩具反斗城，股價由25美分漲到36美元；一家安米斯百貨（Ames Department Store），股價最低可以跌到零；一家規模很大的眼鏡行LensCrafters，則是差點拖垮美國製鞋公司（U. S. Shoe）。

下高速公路後走128號公路，北上柏林頓。這條128號公路，是1960年代許多「嗄嗄叫」科技股的興盛之地，如拍立得、EG&G等，就像現在的矽谷（加州舊金山附近的高科技電子業集中區）。我經過霍華·強森（Howard Johnson's）公司，1950年代是漲勢極猛的成長類股；塔可貝爾公司，在百事可樂接管前就幹得有聲有色，後來還幫助母公司獲利大增。一家叫「奇里辣味」（Chili's）的餐廳（股票代碼很好玩，正好是EAT），雖然孩子們說很好吃，但我還是錯失這支股票，因為我自作聰明：「誰喜歡這種辣味餐廳？」

柏林頓購物中心的停車場，跟我所住城鎮的市中心一樣大，但總是停滿車子。遠處有家汽車保養廠，豎著固特異（Goodyear）輪胎的廣告。我曾在65美元買進固特異，但表現並不理想，最近雖見回升，但我還是頗為後悔。

購物中心正處四棟大樓之間，就像個大十字架，東邊是喬丹馬許大樓，南邊為菲林大樓，這兩棟過去均屬土地開發業者坎培（Robert Campeau）所有。有次坎培突然衝進我的辦公室，大談零售業，舉出許多實況和分析數字。他對數字很有一套，所以我買了坎培公司的股票，結果踩到地雷。在北邊有羅德泰勒大樓，現在屬於美伊百貨（May Department Stores），很棒的成長類股。西邊是西爾斯大樓，這支股票二十年前的天價，到現在還沒破！

中心裡面讓我想起以前的市鎮廣場，有水池、涼椅，許多大樹，年輕人悠遊其間，老者睹物思人。只是過去廣場對面的老戲院，現在卻是四棟大樓，而過去人們隨意逛逛的雜貨店、西藥房、五金行等等，現在則是集中在兩個樓層，總共有160幾家不同的商店。

不過我可不是隨意逛逛。我認為購物中心是研究基本面的好地方，把許多股票集合起來，其中有些正是潛力黑馬股，這些股票肩並肩地坐在購物中心裡面，投資人可悠哉悠哉地慢慢觀察。仔細地看，耐心地探索，在此獲得的情報，比參加投資說明會一個月還多。

唯一糟糕的是，柏林頓未附設證券公司，不然就在這兒泡上一整天，觀察各店人氣消長，再上證券公司買進人潮最多的商店。這個做法當然不是萬無一失，不過還是比亂聽親戚朋友的明牌強上百倍。因此彼得定理第14條是：

喜歡某店，可能也會看中這支股票。

食品口味和服裝的同質化，雖造成文化上單調無聊，但零售業和餐廳的老闆卻因此大賺。某物在某地賣得起來，大概就能風行全國，例如甜甜圈、飲料、漢堡、錄影帶、養老保單、襪子、褲子、洋裝、園藝工具、優酪乳，甚至葬儀社服務都是如此。投資人如果慧眼識英雄，懂得買進在亞特蘭大崛起，後來西征全美的Home Depot股票、或崛起於加州，東向席捲美國的塔可貝爾、從威斯康辛州出發，朝南發展的蘭茲園（Lands' End）、源於阿肯色州北向發展的沃爾瑪百貨、或是由中部起家，再擴及兩岸的Gap服飾或the Limited公司，就能賺到夠你環遊世界，不用再待在購物中心或連鎖商店，辛辛苦苦地找股票。

1950年代的時候，零售類股少有大賺的機會，雖然當時大量生產概念早已風靡企業界，各家庭製作餅乾的模型也都大同小異，但消費者的購物和飲食習慣仍十分多樣化。美國作家史坦貝克（John Steinbeck）在他所寫的《與柴麗共遊》（*Travels with Charley*）中說，他和柴麗可以根據不同特色，分辨出他們所到的任何地方。但現在若把他們帶到柏林頓，蒙上眼睛再轉去斯伯坎（Spokane，在華盛頓州）、奧馬哈（Omaha，內布拉斯加州）或亞特蘭大（喬治亞州）某個購物中心，他們可能會以為還在柏林頓。

我偏愛零售類股，一開始是看到李維家具（Levitz Furniture）的股票上漲100倍，令我永誌難忘。零售商不見得百戰百勝，但經營狀況是消費者有目共睹的，這就是吸引力之一。想知道某連鎖商能否擴及全國，你可以先等他們在某地區成功後，再仔細注意其他地區能否同樣順利，再決定要不要投資。

購物中心員工更具內線優勢，每天發生什麼事，都逃不過他們的眼睛，也很容易從同仁得知各店生意狀況。購物中心經理主管手中所有，更是任何人都比不上的：每月的營收和成本數字。商場經營者可能每個月都最先看到Gap服飾或the Limited公司一步步邁向成功之路，但卻不曉得去買他們的股票！這種人坐失良機，實在太可惜了。即使是作弊炒股票，被抓去關的波斯基（Ivan Boesky），也拿不到這麼棒的第一手資訊。

我沒有親戚朋友開購物中心，不然我會每週請他們吃三、四次飯。不過比上不足，比下有餘，我家有幾位盡忠職守的消費者，對「瞎拼」很有一套。我老婆卡洛琳現在較少研究購物目錄（她的幾位朋友可是黑帶高手），不過後繼有人，我們的三千金青出於藍更勝於藍，連我都得花不少時間才趕上她們。

好幾年前有次我們圍著餐桌閒聊，我女兒安妮問說：「加拿大可麗（Clearly Canadian）是上市公司嗎？」我家很鼓勵孩子提出這種問題。冰箱塞滿了加拿大可麗，我當然曉得她們喜歡這種新的碳酸飲料。可是我並未用心注意這家公司，只是翻翻S&P股票指南，沒看到這家公司，也就忘了。

後來才知道加拿大可麗是在加拿大上市，所以S&P指南上沒有記載。當時沒有追根究柢，真是大錯特錯。加拿大可麗公司1991年上市後，股價在一年內由每股3美元飆上26.75美元，之後又回檔為15美元。純就漲幅來算，不到一年就增值近九倍，十年漲九倍就夠你偷笑了，何況是不到一年？這支股票比我1991年在《巴隆週刊》上推薦的任何股票都好。

奇里辣味餐廳也是因為我的疏忽，而失之交臂。家裡三千金晚上睡覺時，常穿著餐廳送的綠色運動衫，讓我老覺得好笨，竟沒把她們的話當回事。唉，事實上有多少為人父母者，隨便相信鄰居的話，就買了金礦股或商用地產公司的股票，卻不曉得跟著孩子們上購物中心，認識Gap這家公司、這支從1986年到1991年就漲100倍的股票。即使到1991年他們才從孩子那兒知道，並且進場買了Gap的股票，當年的投資也會增值一倍，比那些在市場上臭屁的基金都來得強。

我們總認為自己的小孩最特別，其實他們就是國際消費族群的一部分，對帽子、襯衫、襪子、牛仔褲的品味也都差不多。所以當我家老大瑪麗在Gap買衣服時，我大可認為全美各地青少年也都喜歡

Gap。

1990年夏天，瑪麗在柏林頓二樓的Gap買些準備在學校穿的衣服時，跟我提到一些跟Gap服飾有關的事。在此提供一項購物中心觀察老鳥的心得：若是兩層樓的購物中心，生意較好的店反而都在樓上，如此安排是希望讓顧客多走兩步，讓其他商店有更多機會。瑪麗說以前她不喜歡Gap的牛仔褲，可是現在他們推出色彩繽紛的新商品，她很喜歡，成千上萬個年輕人想必也是如此。可惜我又忽略這個明顯的買進訊號，如同錯失奇里辣味餐廳和加拿大可麗的股票一般。1992年我痛下決心，絕對不再重蹈覆轍。

聖誕節前我帶女兒去柏林頓購物中心，表面上是要去買聖誕禮物，其實我是希望找到好股票。我讓她們帶我到最喜歡的店，根據以往經驗，這是絕對可靠的買進訊號。Gap和往常一樣生意好得很，但這不是女兒的第一選擇，她們先到美體小舖（Body Shop）。

美體小舖賣化妝品和保養品，例如香蕉、核果和莓子等製成的乳液和沐浴乳，蜂蠟睫毛膏、奇異果唇膏、紅蘿蔔保濕液、蘭花油脂清潔液、蜂蜜燕麥片清潔面膜、覆盆子防皺化妝水、海藻加樺樹的洗髮精，還有更奇怪的東西，叫雷蘇爾美髮泥。當然，我是不會去買這種東西，不過顯然生意不賴，因為店裡擠得水泄不通。

事實上，當天美體小舖是生意最好的三家店之一，另外兩家是CML集團擁有的天然公司（Nature Company）和Gap。我大略估算一下，美體小舖及天然公司賣場總共大約3,000平方呎，但營業額大概和賣場10萬平方呎的西爾斯百貨一樣好。西爾斯老是冷冷清清的。

女兒拿著香蕉沐浴乳等保養品結帳時，我想起1990年時富達分析師卡曼姍（Monica Kalmanson）就曾提過這支股票，我又想起原在富達管理圖書部的史蒂芬森（Cathy Stephenson），後來放棄優渥薪水，離開那個累死人的工作（一個人管30個人），獨資加盟美體小舖連鎖。

我找個店員問這家店的老闆是不是史蒂芬森小姐，答案是肯定的，不過今天不在。我留話說我很想跟她聊聊。

這家店看來經營得很好，十幾個年輕店員幹勁十足。那次我們共買了好幾袋洗髮精及香皂，看它們所用的成分，想必也能做出相當美味的沙拉。

回公司後，我翻翻麥哲倫的股票名單，這份名單在我離職時，大概已是敝鎮電話簿的兩倍厚。結果我發現，1989年我就曾經買過這支股票，但未繼續追蹤。當時買進這支股票，就是為了方便追蹤後續發展，可惜我又錯失大好良機。在柏林頓親眼目睹這家商店以前，如果你騙我說美體小舖是汽車保養連鎖店，我也會相信。同時要掌握1,400家上市公司，就是會出這種紕漏。

透過一些券商研究報告，我慢慢搞清楚美體小舖的來龍去脈。美體小舖原是英國公司，創辦人羅迪克（Anita Roddick）原來是平凡的家庭主婦，但非常有企圖心。她老公常出差不在家，但她既不看連續劇，也不跳什麼有氧舞蹈，只喜歡在車庫研究東研究西，胡亂調配些有的沒的。哪知道做出來的東西大受歡迎，於是試著在附近賣賣看，結果這個原來只是後院兼差的生意，很快就搞得有聲有色。1984年美體小舖正式股票上市，上市價每股才5便士（約10美分）。

美體小舖草創之後，很快轉型為國際連鎖，專門讓閣下肌膚有幸一嘗新鮮水果和沙拉。其股價雖有兩次震盪，一次是1989年大崩盤時腰斬，一次是伊拉克入侵科威特時，但六年內還是由原來的五便士漲到362便士，如果剛上市就買進緊抱不放，獲利超過70倍呢！美體小舖雖在倫敦上市，但全美各證券也承作買賣。

和至善調味公司（Celestial Seasonings）或班傑利（Ben & Jerry's）冰淇淋一樣，美體小舖也是較具社會意識的企業。其產品皆用天然成分，其中有些是南美凱雅波印第安人在雨林提煉出來的萃取液，凱雅波族如果沒有這份收入，或許只能砍樹燒林，從事游耕生活。除此之外，美體小舖從不廣告，所有員工每週自願社區服務一天，公司薪水照付。他們所提倡的是健康，而非美麗。畢竟有誰能夠永遠美麗呢？美體小舖的購物袋不但可以回收再利用，也鼓勵消費者拿舊容器去買，折價25美分。

美體小舖不是只想賺錢，但其光明「錢」途並未因此稍顯黯淡。據史蒂芬森表示，加盟連鎖店第一年即可回本開始賺錢。她在柏林頓做出心得，準備在哈佛廣場（Harvard Square）再開一家，而當時美國經濟正處衰退。

雖處在經濟衰退的大環境之下，美體小舖全球的單店營收（same-store sales）仍創佳績（單店營收是分析零售業的重要指標）。美體小舖的洗髮精和保養乳液比折扣商店貴，但比精品店和百貨公司便宜，這種價格定位最為有利。

健康取向的保養觀念，似乎是全球共同趨勢。若以人口比例來看，美體小舖最多的國家是加拿大，一共92家。如果以單位平方呎營業額來看，美體小舖則是加拿大獲利最高的零售商。

當時日本只有一家，德國也僅一家，但美國已有70家美體小舖。加拿大人口只有美國的十分之一，卻有92家，照我看美國至少能開920家。

在初期幾年飛快成長後，美體小舖仍小心謹慎地邁開擴張步伐。零售商擴張過猛會讓人害怕，尤其是高額融資的業者。但美體小舖屬加盟型態，所以資金靠加盟商提供即可。

據史蒂芬森指出，美體小舖評估行銷通路非常審慎。雖然史蒂芬森已在柏林頓證實其經營能力，但她申請在哈佛廣場開店時，美體小舖董事長仍親自出馬，從英格蘭飛來美國實地勘察，並仔細評估史蒂芬森的經營績效。如果美體小舖以自有資金擴張，如此謹慎是必然的，但哈佛加盟店可是史蒂芬森自己拿錢開的，而美體小舖總公司卻未因此就稍有馬虎。

雖然我認識美體小舖加盟店老闆，所以知道這麼多，但全球數百萬消費者到美體小舖消費時，也能親眼看到生意好得嚇人，若再進一步追蹤，從公司年報和季報也能找到營運數字。有次我跟牌友提到美體小舖，他說他老婆和女兒也都很喜歡。如果45歲中年人和13歲小孩都熱中同一家店，就該好好調查一番。

單店營收沒問題，擴張計畫很切實際，財務狀況極佳，公司每年成長20%至30%。那還有問題嗎？有。根據S&P公司預估的1992年盈餘數值，美體小舖本益比已高達42倍。

若以隔年盈餘預估值來算，任何成長類股本益比超過40倍就不安全，股價大都已屬高估。以過去經驗來看，股價本益比不應超過企業成長率，亦即每股盈餘增幅。即使飛快茁壯的企業也很少年年成長25%，成長率40%更是鳳毛麟角。如此衝刺甚難持久，企業衝得太快，無異於自我毀滅。

有兩位分析師認為美體小舖未來幾年會維持30%的成長率。成長率可能有30%，但本益比40倍。理論上來看並不吸引人，但從股市現況而言也沒那麼糟。

於是我從頭細心檢視一番，發現S&P 500指數平均本益比為23倍，可口可樂為30倍。如果要從成長率15%、本益比30倍的可口可樂，和成長率30%、本益比40倍的美體小舖二選一，我偏愛後者。成長快速但本益比較高的股票，終究會勝過成長緩慢但本益比較低者。

關鍵是美體小舖能否持續成長25%至30%，讓基本面趕上目前的高價？長期高度成長可不容易，但我對美體小舖打進新市場的能力，和它在全球受歡迎程度還是非常驚訝。美體小舖幾乎一開始就具跨國企業的架式。他們已伸向全球六大洲，而且都相當深入。若一切按部就班，不出差錯，全世界最後可能有成千上萬個加盟店，股價還會再漲個7,000%。

由於美體小舖的獨特全球潛力，我還是在《巴隆週刊》上公開推薦。但是相對盈餘預估水準，目前股價已相當高，因此若投資人只買一支股票的話，就不能選美體小舖。要是你喜歡的股票，目前價位不是那麼討人喜歡的話，最好的辦法就是先買一點，意思意思，等回檔時再大力加碼。

像美體小舖、沃爾瑪百貨及玩具反斗城這種成長快速的零售類股，最迷人的地方就是你一點也不用著急，仔細觀察，耐心研究，再真正進場也不愁趕不上特快車。你大可耐著性子慢慢等，等他們證明自己的潛力後，才買股票投資也來得及。美體小舖的老闆正在車庫做實驗時，先不必匆匆進場；美體小舖在英國開100家店，或在全世界開300家、400家店時，也還不必急著買股票。等美體小舖已公開上市八年，等我女兒終於讓我見識其魅力後，美體小舖後市還有一大段要漲呢！現在上車也還來得及。

如果有人說某股票已漲十倍，甚至50倍，以後不會再漲了，就請他看看沃爾瑪百貨的股價走勢圖。二十三年前的1970年，沃爾瑪百貨剛上市時，只有38家分店，而且大都集中在阿肯色州。上市滿五年，亦即1975年已有104家分店，此時股價漲為四倍。1980年上市滿十年，沃爾瑪百貨分店276家，股價也漲為20倍左右。

沃爾瑪百貨老闆山姆．華頓是阿肯色州班騰維（Bentonville）人，許多幸運的老鄉親一開始就搭上這班特快順風車，投資十年增值為20倍。已經增值20倍了，是否不應太貪心，趁著高價趕快賣，把錢拿去買電腦？如果想賺錢，就不該賣掉。股票是不會在乎誰是主子，至於貪心的問題，應該在教會或心理醫師那裡解決，不是為退休打拚的投資人該關心的。

真正要關心的，不是沃爾瑪百貨會不會懲罰貪得無厭的股東，而是市場是否飽和。答案非常簡單：即使整個1970年代裡，盈餘和股價都已大幅成長，但沃爾瑪百貨才進駐全美15%的地方，往後還有85%的成長空間啊！

1980年沃爾瑪百貨股價已漲為20倍，創辦人華頓已是名揚全美的億萬富翁，但還是開著一輛敞篷小貨車。這個時候買股票，還來得及。如果1980年買進，緊抱到1990年，漲幅有30倍，1991年沃爾瑪百貨股價又漲了60%。最初十年就賺20倍的股東，若再抱牢十一年就增值為50倍。如果這時覺得自己實在貪得無厭，去看心理醫師也不怕沒錢付帳。

以零售業或連鎖餐飲業而言，推動盈餘和股價的原動力，就是來自擴張。只要單店營業收入持續成長（年報及季報都會揭示），企業體不過度舉債，按照股東年報的計畫穩健擴張，那麼抱牢這支股票就有福了。

| 代碼 | 公司名稱 | 1992.1.13股價 |
| --- | --- | --- |
| BOSU* | 美體小舖 | 325便士 |

*在倫敦證交所上市交易。

# 9 從利空挖寶

## 美國房地產市場崩盤，助我發掘壹號碼頭、陽光帶園藝和General Host等潛力股的始末。

想知道哪兒環境清幽，居住宜人，就得到處走走，親自去看、去找。優秀的偵探光賴在沙發上，是成不了事的。想在股市裡成功，就得有膽子為人所不能為、不敢為。你要敢碰其他投資人，特別是基金經理人不敢碰的產業，而且看準了就把錢砸進去。1991年底，投資人最怕的就是房地產及其他相關產業。

過去兩年多以來，房地產一直是美國人的噩夢。由於商業用房地產的崩盤，民間盛傳住宅房地產也禍在不遠。據說成屋價格直線滑落，已讓許多賣家倒盡胃口，紛紛取消委賣。

我住的馬柏赫，就能嗅到房地產的絕望氣氛。到處都豎起「吉屋出售」的牌子，你若初次來到敝鎮，搞不好還以為「吉屋出售」牌子，是新訂的麻州之花呢！但如前所言，買氣委靡，在等不到好價格的情況下，賣方垂頭喪氣，也只好繼續抱著跌價的房子。四處都聽到賣家抱怨，說對方出價竟比兩、三年前低了三、四成，特別是有錢有勢者住的高級住宅區尤其明顯。房地產大多頭行情，已經結束囉！

住在這些高級住宅區的，都是一些報社總編輯、電視新聞主播、評論員和華爾街的基金經理人，所以報紙、電視新聞老注意房地產崩盤的消息，也就不足為奇了。事實上這些新聞很多只是報導商用房地產的慘況，但標題上反而漏掉「商用」兩個字，結果視聽大眾誤以為房地產行情全部走疲。

我所以會注意到房地產行情，一開始是看到一則美國房地產業者協會（NAR）的消息。據NAR公布的資料表示，美國中古屋價格還在漲。1989年漲，1990年漲，1991年還是漲，而且NAR從1968年開始發布中古屋行情以來，價格還沒跌過。

美國房地產市場其實沒那麼糟，中古屋優異表現只是眾多徵兆之一，足以鼓舞勇於深入房地產業的大膽投資人。其他還有美國住屋建商協會彙編的購屋能力指數（affordability index），以及房地產抵押貸款呆帳等數值，在在都有利勇敢投資人大探虎穴。

根據我過去的經驗，常常在報紙、媒體大肆吹擂某事多差勁、多糟之際，就會發現和報導完全相反的事實。如果懂得利用這種情況，你就能佔到便宜。若媒體和投資大眾都以為某產業其差無比，就大膽搶進該產業競爭力最強的企業股票（必須在此聲明，這個方法可不是萬無一失。1984年投資界都以為石油和天然氣業已經跌無可跌，可是後來仍一路滑落。所以除非情勢確有改觀之兆，否則故意去跳火坑就太笨了）。

中古屋價格在1990年和1991年持續上漲的消息，很多人都不知道，我在巴隆座談會上提出這個證據，根本沒人信。而且，當時美國利率已經降低，購屋的財務負擔比十多年前還輕。因此我認為，除非經濟永遠衰退，否則美國房地產市場就快復甦了。

然而，即使許多數值都屬正面，不少有力人還在負嵎頑抗，成天嚷說房市崩盤，和房市有關的任何股票當然也跟著一敗塗地。1991年10月，我開始注意托爾兄弟公司（Toll Brothers）。托爾是美國知名住宅建商，我在麥哲倫基金時就常買這支股票，也很注意托爾公司的情況。不過現在托爾股價從原來的12.625美元，跌到只剩2.375美元，夠慘的了。那些一路殺股票的人，想必在高級住宅區都有房子。

印象中，托爾公司是家財力雄厚、足以渡過任何難關的殷實企業，何以股價如此之慘？所以我把資料調出來，又詳細研究一番。我想起一年前，有位夠水準的基金經理人希伯納（Ken Heebner）就跟我報過這支明牌；富達的同事雷佛（Alan Leifer）也在電梯裡跟我提過托爾公司。

托爾公司只興建住宅，並非土地開發業者，所以不會把錢拿去投機房地產。而且房市長期低迷，許多競爭者慘遭淘汰，只要托爾能挺下去，捱到景氣復甦，一定能搶到更多市場。長期來看，這次房價大跌反具清洗效果，對托爾公司正屬利多。

那麼托爾股價只剩五分之一，又何以至此，裡頭還有啥不對勁嗎？我翻了翻資料，發現托爾公司負債減少2,800萬美元，現金資產增加2,200萬美元，所以經過這段景氣低迷期，財務狀況反而變得更好。訂單方面也是如此，檔期已排到兩年後。由此來看，若有什麼不對勁，就是托爾生意做不完！

托爾公司在市況低迷之際，也悄悄地把觸角伸向幾個新市場，如今萬事俱備，就欠景氣吹東風，即能穩當賺錢了。到時房市一回升，也不必衝多高，托爾就能輕而易舉地刷新獲利紀錄。

此時你可以想像我有多興奮，挖到一家負債很輕，訂單夠吃兩年的公司，而且競爭者全倒在一旁氣若遊絲，而股價竟然只有1991年最高價的五分之一！

那年10月我在擬給《巴隆週刊》的推薦單上，托爾公司當然是在下的上上之選。但股價很快就漲了快四倍，每股為8美元（等到座談會開始的時候，已經漲到12美元了）。敝人長期注意股市在年底的表現，在此提供一個心得：趕快買進！股市中偏愛超跌股的投資人，最近眼睛愈來愈亮，不用多久就會看出哪支股票跌過頭。一旦這些人上完車，股價也反彈得差不多了。

又來了！托爾是因為秋季報稅賣壓才大跌的，結果我只能眼睜睜地看它飆上去，等巴隆座談紀錄兩個月後刊出，股價不知跑到哪兒了。1991年也有同樣情況，當時我準備推薦電器連鎖店好傢伙的股票，結果股價從座談開始當天（1月14日）一路飆到雜誌上市那天（1月21日）。為此，我和巴隆編輯在1月19日討論後，只得把這個「好傢伙」槓掉。

顯然地，1991年秋挖到托爾這個寶的，不是只有我。我還來不及公諸於世，許多人就捷足先登，搶搭特快車。無妨，房市危機根本就是誇大其辭，一定還有業者能趁景氣回升大撈一筆。我第一個想到的，就是壹號碼頭公司。

## 壹號碼頭公司

買了房子，不管是新屋還是中古屋，總得要裝潢、布置一番，買燈飾、隔間板、踏墊、碗盤架、地毯、窗簾和其他小擺飾，或許還有藤椅、沙發等等。這些東西壹號碼頭公司都有賣，而且價格不貴，手頭不很寬裕的消費者也負擔得起。

當然，以前在麥哲倫時我就買過壹號碼頭的股票。這家公司是1966年從譚帝公司獨立出來，成為公開上市公司，其家飾品零售分店頗具遠東風味。我老婆很喜歡到北岸購物中心逛壹號碼頭的店。壹號碼頭在1970年代是衝力十足的成長類股，休息一陣子後，1980年代再接再厲，又跑了一段。投資人如果趕上最近這一段大多頭行情，在1987年大崩盤以前，一定能賺不少錢。大崩盤後壹號碼頭股價由原來的14美元，慘跌為4美元，後來又回升到12美元附近，不過伊拉克入侵科威特後，股價又破底為3美元。

我第三次注意到壹號碼頭時，股價已反彈到10美元，之後又滑落為7美元。我認為7美元還是太低，特別是房屋市場可能已在復甦，未來家飾品需求必然走強。我翻翻檔案溫習溫習，想起在這次經濟衰退之前，壹號碼頭盈餘連續成長十二年。以前有個叫英特馬（Intermark）的財團曾持有壹號碼頭58%的股權，英特馬對壹號碼頭相當看重，據說當時有人想以每股16美元收購壹號碼頭，但英特馬出價每股20美元。後來英特馬週轉失靈，被迫以7美元賤售壹號碼頭股票，但仍難挽回毀滅厄運。

甩掉英特馬高額股權的威脅，對壹號碼頭反而有好處。1991年

9月和1992年1月8日，我兩次拜訪壹號碼頭執行長強森（Clark Johnson），他提出幾項利多：①1991年外在環境非常糟糕，但他們並未虧損；②新店開設每年以25到40家的速度持續推展；③目前全美只有500家分店，市場空間還大得很。況且1991年雖增設25家分店，卻還能縮減整體支出，提升獲利率。

至於零售業一貫可信的指標，單店銷售額方面，強森指出在經濟衰退最嚴重的地區，單店銷售額減少9%，但全美其他分店都見成長。經濟衰退時期，某些地區的單店銷售額降低並非罪不可赦，所以這種情況不足為慮。如果是在零售業大好之際，單店銷售額反而降低，恐怕就很不妙了。幸好壹號碼頭不是這樣。

評估零售業者，除了上述各點以外，還得注意存貨水準。如果存貨水準高於平常，管理階層有可能提列高額存貨，以掩飾銷售不佳的窘況。萬一實情正是如此，公司最後得降價求售，承認銷售不力的事實。壹號碼頭存貨雖高，卻是因為新設25家分店的關係，所以其存貨水準仍可接受。

現在我們可以說，壹號碼頭是成長快速的零售業者，成長空間很大，努力緊縮支出，以提高獲利率，景氣不佳仍見盈餘，而且連續五年提高配息。在家飾零售市場上，壹號碼頭早已就位，就等景氣鳴槍起跑。此外，我老婆的閨中密友，也都很喜歡壹號碼頭的東西。而研究壹號碼頭的附獎，是陽光帶園藝公司（Sunbelt Nursery）。

壹號碼頭在1990年全額收購陽光帶園藝公司，1991年公開上市時，壹號碼頭釋出50.5%股權，共賣得3,100萬美元。其中2,100萬美元償債，另1,000萬美元還是花在陽光帶，幫助更新設備和擴展地盤。就壹號碼頭而言，1991年負債額共減少8,000萬美元，只剩約1億美元。在財務狀況大有改善的情況下，壹號碼頭短期內不會有啥危機。財務能力在經濟衰退時特別要緊，很多負債太重的零售業者都撐不過去。

陽光帶上市時，壹號碼頭才釋出一半股權，取得3,100萬美元，就比前一年全額收購的成本多600萬美元，那麼剩下近半股權大約也值3,100萬美元，完全是投資利得，這可是壹號碼頭極大的隱藏資產。

在我研究壹號碼頭基本面時，股價為7美元，預估1992年每股盈餘為70美分，因此本益比為10倍。在公司每年平均成長15%的情況下，本益比10倍相當理想。到我飛往紐約參加座談時，股價稍漲為7.75美元，不過我認為還是非常划算，不僅壹號碼頭營運相當有看頭，還有陽光帶這個附獎。

在壹號碼頭專注的家飾產品市場，每個月都有一些業者——大都是各地的小型家飾店——捱不過景氣低迷，被三振出局。而在家飾品市場萎縮的情況下，百貨公司的家飾部門也紛紛縮減，把主力轉向服裝、飾品等。因此一旦景氣觸底回升，壹號碼頭已是無可匹敵，屆時臥榻之側再無他人鼾睡。

也許我當媒人很少成功，因為每當我看中某公司，就會開始想有哪些企業或許有興趣併購它。對於壹號碼頭，我認為凱瑪百貨應該滿適合的。過去凱瑪百貨就接連收購了藥房、書店和辦公設備等連鎖店，而且一直在找機會擴張地盤。

## 陽光帶園藝公司

一放下壹號碼頭檔案，我就把陽光帶調出來。我研究股票常常就這樣，從某股票又挖出另一支。專業選股人又要大顯身手了，就像機警的獵犬對新發現的氣味緊追不捨。

陽光帶主要經營園藝用品（包括草皮養護）的零售。我認為，如果景氣復甦，大夥搬了新房子後，總免不了整理花圃、草皮，窗外掛個花架賞心悅目一番。

再考慮得深入點，園藝用品的販售仍是小店林立的戰國型態，以加盟或連鎖的集團型態經營者還是相當少。理論上來說，如果經營得法，區域或全國性的連鎖形式就很容易竄起，正如當年唐金甜甜圈連鎖店（Dunkin's Dounts）風靡全美一般。

陽光帶能否擴展到全美各地呢？目前在全美11個最大的園藝市場中，陽光帶已在其中六個建立根據地，經營型態和德州及奧克拉荷馬州的渥芙園藝公司（Wolfe Nursery）、加州的NGC園藝中心和亞利桑那州的TT園藝公司差不多。美邦證券的研究報告指出，陽光帶公司主打的消費群，「是比較注重品質的消費者，提供更多種類的優良植物，和高檔次的服務，以便和廉價導向的園藝品零售業者有所區隔。」

最初陽光帶是跟著壹號碼頭從譚帝公司獨立出來的。1991年8月，陽光帶準備公開上市，壹號碼頭釋出320萬股，陽光帶派人到波士頓推銷自家股票，我才第一次對該公司稍有瞭解。當時我翻了翻上市計畫報告，裡面就和其他公司的上市計畫報告一樣，處處可見附加紅線，讓人害怕的警示語句。看這玩意兒，跟看機票後頭那些甲骨文差不多，大部分都無聊透頂，如果有啥用處的話，就是會讓你再也不想搭飛機，或買任何股票。

不過上市公司既然都能順利上市，可見投資人對那些嚇人又無聊的警示說明，一定是視而不見、聽而不聞。不過我可要提醒你，這裡頭有些訊息其實很有用，可別輕易忽略了。

陽光帶首次公開上市，每股定價8.5美元。拜上市之助籌得鉅資，陽光帶的財務狀況其佳無比，全無負債且每股平均有兩美元現金。這筆現金準備用來整理旗下98所園藝中心，部分不堪用者將予關閉，以提升整體獲利能力。

陽光帶各分店自越戰以來，就未曾整理過，因此有很多地方需要改進更新，最重要的是增設嚴冬防護設備，並用稻草把植物根部包起來，以防凍死。

此時壹號碼頭還是陽光帶的最大股東，握有49%股權。對此我視為利多，因為壹號碼頭知道如何經營零售業，這可不像保險業者經營造紙業那樣，外行領導內行。而且壹號碼頭最近才完成分店整修，其經驗對陽光帶的整修作業極有助益。同時，雙方管理階層都持有相當多的陽光帶股票，豈有不為自己打拚之理。

在我認為陽光帶值得推薦給《巴隆週刊》之際，股市年底報稅賣壓正傾巢而出，陽光帶股價跌到5美元。由於天候不佳（亞利桑那州出現早霜，德州降雨高達14吋），美國各地花圃園藝市場都受影響，陽光帶當季獲利不佳，導致股價下跌，股票市場總值縮減近半。

此時敢加碼的投資人，必然大有斬獲。兩個月前陽光帶上市時，每股為8.5美元，而且每股2美元現金一毛不少，分店整修還是會照常施行。該公司帳面價值每股5.7美元，竟高於股票市價，預估1992年每股盈餘為50到60美分，所以目前本益比還不到10倍，每年平均成長率也達15%。反觀其他園藝零售業者，股價已是帳面價值的兩倍，本益比為20倍。

估算上市公司價值，可以類似房屋估價技巧，用鄰近房屋最近成交價格來估算。以陽光帶發行額620萬股，乘以現價5美元，其市價總值為3,100萬美元（通常要再扣除負債額，不過陽光帶沒有負債）。

而其他園藝公司呢？例如東南部的柯樂威（Calloway's），只擁有13家和陽光帶差不多的分店，發行額共400萬股，每股現價10美元，市價總值共4,000萬美元。

如果柯樂威公司只有13家分店，就價值4,000萬美元，那麼控有98家分店的陽光帶，怎麼可能只有3,100萬美元？即使柯樂威經營得比較好，單店獲利能力較高（確實如此），陽光帶的分店數還是柯樂威的七倍之多，而且營收總額也是柯樂威的五倍！如此來看，可知陽光帶實在太委屈，其市價總值應該要有2億美元，每股超過30美元才對。即使不該如此等量齊觀——也許柯樂威股價超漲，而陽光帶經營只具二流水準——其股價也未免太低了。

從我在座談會中提出陽光帶，到週刊開始印刷時，陽光帶股價已上漲為6.50美元。

## General Host（GH公司）

雖然不是刻意的，但從壹號碼頭到陽光帶，又從陽光帶挖到GH公司，1992年真是我的園藝年。

你絕對猜不到GH公司會和園藝事業有關，過去GH算是相當怪異的財團，旗下五花八門，什麼生意都搞，包括賣鹹餅及胡桃的零售店和小攤子、製鹽、電視晚餐、冷凍生鮮，還有這次的主角法蘭克園藝店等等。前面提到的柯樂威公司，也是從GH公司獨立出來，成為公開上市公司的。

最近GH公司重新整備，把鹹餅、製鹽、電視晚餐、農產品及冷凍生鮮等雜七雜八的生意，全部處理掉，決心搞好橫跨全美17州，共280家的法蘭克園藝店。一開始引起我注意的，是GH的長期股票回購計畫。最近GH以每股10美元買回自家股票，表示以該公司的專業眼光，GH的股價不只10美元，否則他們幹嘛浪費這些子彈？

如果企業一貫發放股息，而決定融資買回自家股票，可是有雙重好處的。第一是融資利息可以抵稅，再者股息發放金額也得以降低。幾年前埃克森石油的股價大幅下跌，但配息還是高達8%到9%。後來埃克森以8%到9%的利率融資買回自家股票，因為利息可抵稅，所以實際利率只有5%左右，而買回的股票還能配到8%到9%的股息。就這樣簡單轉一手，連一滴油都不必提煉，就提高了盈餘。

而最近GH公司股價又跌破10美元，更是吸引我的注意。若與企業股票回購價格相比，還能以更低價買到，這個買賣就值得考慮了！企業的管理階層，如經理、主管等，如果願意以更高價格買回自家股票，也是個好兆頭。不是說企業內部的人就不會看走眼（像新英格蘭銀行和德州銀行的人，不就加碼攤平自家股票，結果愈攤愈平），但企業裡的確有些高手，知道自己在幹什麼，像那種吃力不討好，浪費子彈又白費工夫的買賣，他們是絕對不幹的。而且，他們也會格外努力，讓自己的投資有所回報。因此，彼得定理第15條是：

> 當企業內部人士開始買進自家股票，就是個好訊號（只要他們不是新英格蘭銀行就行）。

而根據GH公司最近發布的委託聲明，我發現該公司執行長亞胥頓（Harris J . Ashton）個人就持有100萬股，而且在最近的空頭行情中一股也沒賣。這可是個好訊號。更吸引人的是，GH公司帳面價值為每股9美元，而現在股價只有7美元！換句話說，你可以用7美元買到9美元的資產，錢能這麼花不是太棒了嗎？

每次看到企業帳面價值增加，我就會問一個看電影、小說都會有的問題：這是真的，還是假的？上市公司的帳面價值，可不能全當真，所以得仔細查閱資產負債表。

讓我們詳細看看GH公司的資產負債表，順便介紹敝人的三分鐘檢視妙招。一般來說，資產負債表分為左右兩邊，右邊為公司的負債（表9-2），左邊是資產（表9-1），而資產減去負債，就是股東權益，表上指股東權益共1.48億美元，可信嗎？

## 表9-1 GH公司聯合資產負債表

| 1991/1/27及1990/1/28<br>（單位：千美元） | 1990 | 1989 |
|---|---|---|
| 資產 | | |
| 流動資產 | | |
| 現金及準現金 | $65,471 | $110,321 |
| 其他有價證券 | 119 | 117 |
| 應收票據及帳款 | 4,447 | 2,588 |
| 應退所得稅 | 4,265 | 13,504 |
| 商品存貨 | 77,816 | 83,813 |
| 預付費用 | 7,517 | 7,107 |
| 流動資產總額 | 159,635 | 217,450 |
| 土地、廠房及設備，扣除累計折舊77,819美元及61,366美元 | 245,212 | 246,316 |
| 無形資產，扣除累計攤還5,209美元及4,207美元 | 22,987 | 23,989 |
| 其他資產及遞延支出 | 17,901 | 18,138 |
| | $445,735 | $505,893 |

在股東權益方面，現金部分6,500萬美元，這沒啥好懷疑的，至於其他8,300萬美元是否可信，得視資產性質而定。

資產負債表左欄的資產部分，可是處處玄機，馬虎不得。資產包括房地產、機器、設備和存貨等等，這些東西不見得就像公司所說的那麼值錢。一座鋼鐵廠帳上可能值4,000萬美元，但若設備老舊過時，也許拍賣時一毛不值。房地產價格可能以買進成本提列，但現在或已跌價（不過比較可能增值）。

在零售業方面，商品存貨也是資產要項，不過這要看賣的是什麼。也許是退流行的迷你裙，能賣給誰？或許是永遠有客戶的白襪子？

GH公司的存貨是樹木、花卉和灌木等等，我認為這些東西都賣得掉。

企業收購其他公司時，會牽涉到「商譽」（亦即無形資產）的認定，GH公司商譽項下有2,290萬美元。商譽是企業收購時，超出實際資產帳面價值所支付的金額。比方說，如果有人想收購可口可樂

## 表9-2 GH公司聯合資產負債表

| | | |
|---|---|---|
| 負債及股東權益 | | |
| 流動負債 | | |
| 應付帳款 | $47,944 | $63,405 |
| 應計費用 | 41,631 | 38,625 |
| 長期負債當期應付帳款 | 9,820 | 24,939 |
| 流動負債總額 | 99,395 | 126,969 |
| 長期負債 | | |
| 優先債務 | 119,504 | 146,369 |
| 附屬債務，扣除原始發行折扣 | 48,419 | 50,067 |
| 長期負債總額 | 167,923 | 196,436 |
| 遞延所得稅 | 20,153 | 16,473 |
| 其他負債及遞延貸款 | 9,632 | 12,337 |
| 承諾及或有事項 | | |
| 股東權益 | | |
| 普通股1億股核准，共發行3,175萬2,450股，面額1美元 | 31,752 | 31,752 |
| 資本溢價 | 89,819 | 89,855 |
| 保留盈餘 | 158,913 | 160,985 |
| | 280,484 | 282,592 |
| 非流動有價證券未實現淨損 | | (2,491) |
| 庫藏13,866,517股及12,754,767股收購成本 | (131,738) | (125,545) |
| 執行股票選擇之應收票據 | (114) | (878) |
| 股東權益總額 | 148,632 | 153,678 |
| | $445,735 | $505,893 |

公司，除了裝瓶廠、貨車和原料等有形資產以外，可能還要支付幾十億美元買可口可樂的品牌、商標及其他無形資產，這些統稱為商譽。

GH公司資產項目中有商譽一項，顯示該公司曾收購其他企業。GH公司能否把當初支付商譽的成本賺回來，誰也不曉得，不過在會計處理上他們必須利用盈餘逐漸把商譽沖銷掉。

我不知道GH公司2,290萬美元的商譽是否太過膨脹。如果GH公司的資產有一半是商譽，那麼這筆帳就太扯了，我就不會相信他們算的股東權益。不過總資產1.48億美元，商譽只佔2,290萬美元，比例上還可以。

因此我們可以相信GH公司所宣稱的，帳面價值每股約9美元。

再來看看負債部分，就不是很妙了。股東權益只有1.48億美元，但負債總額卻高達1.67億美元，糟透了！我們希望看到的資產負債表，最好是股東權益為負債額的兩倍，權益愈高愈好，負債愈低愈妙。

一般而言，負債比率這麼高，就足以讓我退避三舍。不過GH公司情況有點不同。第一，這些債務都要好幾年後才到期；第二，都不是跟銀行借的。對於比較仰賴融資的企業，跟銀行借款非常危險，一旦公司經營有點問題，銀行馬上落井下石抽資金，小問題可能變成致命傷。

再回來看左邊的資產欄。零售業要特別注意商品存貨數額，存貨額太高就不妙了。如果存貨額太高，表示公司正隱瞞銷售不佳情況，如此銷貨損失必然押後，盈餘數字即有誇大之嫌。不過如表9-1所示，GH公司本年度商品存貨額比前期減少。

應付帳款不少，不過這不是問題。應付帳款額高，表示GH公司支付費用速度比較慢，好處是公司方面有更充分時間調度資金。

GH公司在年報也表示，正努力縮減支出，以提升競爭力和獲利能力。這種裁減支出，提升獲利的做法，已是美國企業的普遍趨勢。然而儘管大家都這麼嚷嚷，是否真的這麼做，還得看損益表上的銷貨費用、一般費用和管理費用三大要項才知道。如表9-3所示，GH公司的銷貨、一般和管理費用，到1991年為止確屬下降趨勢。

GH公司為加強管理，甚至採用電子掃描結帳，掃描資訊馬上經由衛星傳送中央管理電腦。有這套衛星系統，總公司更能掌握各分店、各類貨品的情況，例如哪些分店聖誕紅急待補貨，或者某地扶桑花存量太多，可轉移他店銷量較大者。

另外，各店信用卡簽帳處理速度，也由原來的每件25秒，提高至三秒，加強結帳效率，以免客戶苦候抱怨。

GH公司也和陽光帶一樣，準備在各個法蘭克園藝店增設防寒設施，以增長銷售期，並且準備在聖誕節前後，進入大型購物中心設攤，以強化節慶銷售狀況。想在購物商場設攤，我想GH公司不是鬧著玩的，當年他們做胡桃園農產品生意時，就曾在全美經營過1,000多個攤子。

對零售業者來說，擺攤子成本低廉，卻增加不少銷售空間。1991年GH公司已在購物中心設置百來個法蘭克園藝攤，賣聖誕樹、節慶花環和其他植物，也有禮品包裝服務。GH公司預定在1992年，把園藝攤增加到150個，並準備把臨時攤改成小店面樣式。

## 表9-3　損益表

會計年度截止日期：1991/1/27；1990/1/28；1989/1/29

| | 1990 | 1989 | 1988 |
|---|---|---|---|
| （除了每股平均數值外，餘以千美元為單位） | | | |
| 收益： | | | |
| 銷貨收入 | $515,470 | $495,767 | $466,809 |
| 其他收入 | 4,103 | 13,179 | 11,661 |
| | 519,573 | 508,946 | 478,470 |
| 成本與費用 | | | |
| 銷貨成本 | 355,391 | 333,216 | 317,860 |
| 銷售、一般及管理費用 | 145,194 | 156,804 | 147,321 |
| 利息及債務費用 | 21,752 | 26,813 | 21,013 |
| | 522,337 | 516,833 | 486,194 |
| 稅前永續經營損失 | (2,764) | (7,887) | (7,724) |
| 所得稅利益 | (6,609) | (8,768) | (3,140) |
| 永續經營收益（損失） | 3,845 | 881 | (4,584) |
| 中斷經營損失 | | (3,424) | (12,200) |
| 非常損失前之收益（損失） | 3,845 | (2,543) | (16,784) |
| 非常損失 | | | (4,500) |
| 淨利（損） | $3,845 | $(2,543) | $(21,284) |
| 每股盈餘 | | | |
| 永續經營收益（損失） | $0.21 | $0.05 | $(0.23) |
| 中斷經營損失 | | (0.18) | (0.61) |
| 非常損失前之收益（損失） | 0.21 | (0.13) | (0.84) |
| 非常損失 | | | (0.23) |
| 淨利（損） | $0.21 | $(0.13) | $(1.07) |
| 在外流通股數（千股） | 18,478 | 19,362 | 19,921 |

同時，GH公司也和以往一樣，穩定而審慎地擴展法蘭克園藝店的地盤，預定目標是到1995年再增150家分店，屆時法蘭克園藝店共有430家。另外，法蘭克園藝店也推出自有品牌的肥料和種籽。

企業都希望生意更好，讓股東滿意。不過GH公司帶給股東信心，是因為他們有一整套的經營計畫。GH公司並非傻等生意變好，而是採取實際行動來刺激銷售，例如擺攤子、整修園藝店、利用衛星科技系統等，來提升獲利。像法蘭克園藝這種老店，如果懂得追求現代化，同時審慎而穩定地擴張地盤，是很容易增加獲利的。

最後要確認的，是關於柯樂威的股票交易。1991年GH公司出清德州園藝連鎖店柯樂威的股票，得款用以償債，其財務結構也進一步強化。

如今GH公司只專注在園藝業，和柯樂威公司一樣，現在我們再來比較一下這兩家公司。

柯樂威只有13家店，股票市價總值4,000萬美元，平均每家店約300萬美元。GH公司控有280家法蘭克園藝店，為柯樂威的21倍。法蘭克的店比較老舊，規模較小，獲利能力也較差，我們假設法蘭克每家店的價值只有柯樂威的一半（即150萬美元），那麼280家總共值4.2億美元。

GH公司資產4.2億美元減掉1.67億美元負債，還剩下2.53億美元。當時在外流通股數為1,790萬股，則合理股價應是每股14美元，比市價高出約一倍。非常明顯，GH公司的股價太低！

| 代碼 | 公司名稱 | 1992.1.13股價 |
| --- | --- | --- |
| GH | GH公司 | 7.75美元 |
| PIR | 壹號碼頭進口公司 | 8.00美元 |
| SBN | 陽光帶園藝公司 | 6.25美元 |

# 10 超級剪理髮記

1991年12月，我特別到超級剪（Supercuts）理髮院實際調查，親身體會一番。當時超級剪的股票才剛上市，交易代碼是CUTS。若非我碰巧看到超級剪的上市說明書，我不會發現這支股票，也犯不著故意不找我固定的理髮師——韋尼．迪汶切諾（Vinnie DiVincenzo）先生。韋尼就在我住的小鎮開店，理髮10美元，每次去都和他聊得很愉快。

我們會談談孩子的事情，爭論我那輛1977年出廠的AMC Concord，到底算是老爺車還是古董車。可惜韋尼的店還沒上市，所以這次沒找他理髮，可要請他體諒。我可是幹正務，調查上市公司啊！

我去的那家超級剪，位於波士頓波伊斯頓街829號，一棟褐色建築的二樓。樓下立個牌子標示價格，剪髮8.95美元，洗、剪12美元，光洗髮4美元。

價位和韋尼那兒差不多，不過比我老婆和女兒去的美容院，或男女皆可的理容院比起來，算是便宜不少。我家女士去的那些店要價可不低，若是染髮或燙髮，那可貴得要向銀行貸款才行。

我走進店裡，馬上有人過來招呼，當時正有三位客人在理髮，四位在接待室等候，全部是男的。後來又有幾個女士出來招呼客人。其後我拜訪超級剪總公司才知道，八成的顧客是男性，95%的髮型設計師為女性（他們似乎不再用「理髮師」這個名稱）。我在等候簿上登記，一邊想一定有不少人認為「超級剪」值得排隊等候。

我坐下邊等理髮，邊翻開從公司帶來的超級剪股票上市說明書和宣傳小冊子。要打發整個下午，還有比到上市公司實地研究其經營狀況更好的嗎？

超級剪是在1991年10月以11美元上市。超級剪採加盟方式，當時已成立650多家店。後來經營權易手，新老闆更是積極，任命電腦園（Computerland）前總經理法伯（Ed Faber）主持擴張計畫。

法伯出身海軍，電腦園業績最好的時候，就是法伯主其事。後來他離開，電腦園馬上一敗塗地。很奇怪，海軍退役的法伯懂什麼理髮業？不過也不打緊，法伯最擅長的是為地區型加盟店打通全國市場，至於哪一行就不重要了。

超級剪公司認為，當時全美每年150億到400億美元的理髮、護髮市場，普遍都是像韋尼那樣的自營業者佔有。美國的理髮從業人數日漸減少（例如紐約有執照的理髮師過去十年減少一半），但頭髮每月還是長半吋。理髮師愈來愈少，但頭髮還是要剪，所以如果經營得法，以全美為目標的連鎖業者很快就能佔據市場。

數年前SCI也是因此崛起。SCI的做法是，收購全美各地的小型葬儀社，成為一個全國性的連鎖事業。人總會死，要有人專門料理後事，但葬儀業長久以來一直都由各地經營鬆散的小型葬儀社所把持，而且許多都有後繼無人的苦惱，那些業者的小孩才不想成天和死人為伍。

超級剪的宣傳小冊說，該公司目標是讓設計師快速又有效率地服務客戶，不浪費時間，不打屁閒扯。看起來頗有90年代一切效率至上的風格。每位設計師配有一把小剪刀，和一種特別設計的梳子，平均每小時服務2.8人。由於全國所有設計師都經過相同訓練，因此各店剪出來的樣子應該是大同小異。

多涉獵總有好處，比方說你曉得理髮師還要考執照嗎？我以前從不知道，比當基金經理人還嚴格。要管理幾10億美元可沒什麼限制，但要剪你的鬢角，得先考試才行。看看過去十年來基金的平均操作績效，也許我們得反省反省。

超級剪的設計師每小時拿5美元到7美元，工資不高，不過另有醫療補貼，而且每小時平均服務2.8人，小費大概也和工資差不多。

各店設計師每人每小時平均營業收入30美元，所以開設超級剪相當好賺。加盟店除房租外，最主要的設備支出就是剪子和梳子，不像製鋁業所賺的錢大半都被廠房和設備更新吃掉。

上市說明書同時指出，加盟超級剪一開始要投資10萬美元，主要用以支付權利金，裝設洗髮檯、理容椅，裝潢和購買洗髮精等等。只要經營兩年，稅前投資報酬率預料就有50%，比其他行業好很多，難怪加盟業務推展順利。

對店主有利，當然也對股東有利（這是我最重視的）。超級剪公司可從各店的毛利抽5%，各店販售的保養品再抽4%。整體而言，行政費用很少，最大支出是訓練設計師。每開設十家店要增聘一位訓練師（年薪4萬美元），但每年營收增加30萬美元。

如前所言，零售業最重要的就是財務上有能力持續擴張。就資產負債表來看，負債佔總資本額31%，這可要好好調查才行，我特別做個記號。

正在思考時，輪到我了（看我東張西望，又記小抄，員工八成以為我是理髮師工會派來的）。進入洗髮間，年輕貌美的設計師先幫我洗頭，然後帶我回剪髮區，套上圍巾就大剪特剪。一切是那麼迅速，我幾乎還反應不過來，我的鬢角就不見了。這時候我覺得自己好像電影《愛德華剪刀手》中的籬笆樹。

通常我對自己外表沒什麼概念，即使當時從超級剪的鏡子裡，已看到剪成這模樣，我也沒說話。我要回去讓家人看看，聽聽她們的意見才算數。總之，鬢角是沒了。

回家後，老婆和女兒劈頭就問：「你怎麼啦？」我就知道剪得不好，起碼不適合48歲滿頭白髮的中年人。幾個朋友說我看起來「年輕」，我可以感覺到他們的好意，只是他們也不願吹得太過分，那麼「年輕」是最好的字眼了。而且別人說我年輕時，我就會想，是不是以前看起來有點老？

一般來說，你得喜歡某家上市公司，才會去買它的股票。不過超級剪對我是個例外，親自光顧後，我覺得比較喜歡那支股票（起碼就其後市潛力來看）。我發誓不再背著韋尼去找別人。

後來我特別打電話到加州，向超級剪的資深副總裁兼財務長湯普森（Steven J. Thompson）請教一些問題。對於我的鬢角不小心被剪掉他深表同情，不過他安慰我說頭髮每個月長半吋。這我從他們的宣傳小冊上就看到了，所以也期待趕快恢復舊觀。

據湯普森表示，超級剪的設計師均領有執照，不過每七個月還要再受訓一次。我擔心店內員工的流動率高，或者素質參差，工作易受情緒影響等問題；湯普森回答說到目前為止，流動率很低，而且公司提供醫療補貼，客人小費也不少，所以能吸引許多好人才。

探聽結果多屬正面，先前提到的負債問題，也不是那麼嚴重。湯普森表示，超級剪每年現金流量為5,400萬美元，大半用來還債，預料到1993年全部清償完畢，屆時像1991年的210萬美元利息負擔，也就不存在了。

因為超級剪採加盟型態，設立新店的資金全由加盟者負擔，對超級剪的最大好處，即資金方面沒有太大壓力，能迅速擴張。

超級剪最大的優勢是，全美2.5億人每個月都要理髮，而在家庭理髮院式微的同時，卻沒有大型連鎖業者來填補空隙。超級剪的最大競爭者，包括雷吉斯公司（Regis Corporation）開設在購物中心的麥斯特剪髮（Mastercut），麥斯特各店房租比超級剪高很多，且客戶以女性為主；棒透山姆（Fantastic Sam）理容院，同樣屬加盟型態，分店數為超級剪的兩倍，但各店收入大都只有超級剪的一半不到；還有JC潘尼百貨附設的美髮沙龍，但只限於自家百貨內。

此外，超級剪週日及晚上照常營業，公司方面正在打廣告，希望建立同業所沒有的品牌認同。超級剪創業初期每年成長20%，我推薦時股價本益比16倍。

最後，優異經營狀況戰勝慘遭犧牲的鬢角，我還是在巴隆座談中推薦超級剪。我對座談人士說：「我在那裡剪過頭髮，親自去試過了。」加百列問：「就是這髮型嗎？」我說沒錯，主持人馬上接著說：「我們可不會（為這髮型）打廣告！」

| 代碼 | 公司名稱 | 1992.1.13股價 |
|---|---|---|
| CUTS | 超級剪 | 11.33美元 |

# 11 沙漠之花
## 差勁產業中的好股票

### 太陽電視及電器公司

我總想在差勁產業中，找出經營得很棒的上市公司。像電腦或醫療科技等成長迅速的產業，通常最引人注目，同業競爭也最激烈。就像有個朋友談到邁阿密一家餐廳時說：「因為太受歡迎了，反而沒人要去。」如果整個產業太吸引人，大家拚命擠，結果誰也賺不到什麼錢。

談到投資，我認為差勁的產業任何時候都比正熱門的好。低迷產業成長緩慢，經營不善者一一淘汰出局，倖存者的市場也隨之擴大。能在市場停滯時，爭取更多地盤，總比在熱門市場中，竭力保衛，以防佔有率萎縮來得好。因此彼得定理第16條是：

商場上，與人競爭絕對比不上完全掌握市場。

低迷產業的佼佼者都有幾個共同點：經營成本相當低，老闆一定是錙銖必較型的，盡量保持低負債，不搞階級意識，希望公司上下打成一片。妥善照顧員工，讓他們和公司一起成長。不放過大公司忽略的市場，所以這些企業雖在低迷大環境中，仍可快速成長，比許多從事熱門產業的公司還快。

董事會議廳裝潢華麗，高層主管坐擁高薪，內部層級森然，影響員工士氣，而且負債嚴重，這種企業必然表現平平。反之，若是董事會樸實無華，高層主管薪資合理，內部層級合情合理，能激勵員工奮發向上，且企業負債輕，大都也是表現較佳者。

我打電話向魏斯（John Weiss）求教，他是加州蒙哥馬利證券公司的分析師，研究過好幾家折扣家電連鎖商。我問他對好傢伙公司的看法，這支股票我從1991年就開始注意。魏斯表示，在電路城的強勢競爭下，好傢伙的獲利已受影響。後來我問，在低迷的家電零售業中，他還中意哪家，他說太陽電視及電器公司（Sun Television & Appliances）。

魏斯說了些太陽家電的事，因為實在太精采了，所以和他談完，我馬上打電話到俄亥俄州太陽家電總公司，探聽一下。

雖沒見過面，還是很快就和執行長搭上線，表示該公司作風平實，一點也不虛張聲勢。電話那頭是親切的歐依斯特（Bob Oyster）先生，我們先扯一扯俄亥俄州的高爾夫球場，才談到正事。

太陽家電是俄亥俄州中部唯一的大型折扣家電零售商，光是哥倫布市就有七家分店，而最賺錢的在俄亥俄州的奇麗戈地（Chillicothe），另外該公司在匹茲堡地區也居主導地位。

事實上，美國半數人口，就集中在哥倫布市方圓500里以內，我想太陽家電眾股東和有興趣的投資人，聽到這個一定很高興。哥倫布市也是密密西比河以東，梅森—迪克森沿線以北唯一大城，從1950年到1990年間，人口不斷增加。

俄亥俄州中部人口持續增加的消息，還沒傳到東岸，所以對太陽家電後市相當有利。該公司正積極擴張（1991年增設七家店，1992年五家），總共要開22家店。公司每年成長25%到30%，負債不到1,000萬美元，股價18美元，本益比為15倍。反觀許多同業正撐得苦哈哈的！

在1990到1991年，美國經濟正處衰退，房屋市場低迷，家電需求萎縮之際，太陽家電照常賺錢。那麼1992年太陽家電必能更上層樓。

太陽家電能否成為低迷產業中的佼佼者，還有待觀察。我選出七家差勁產業中的明星公司，詳見表11-1。這幾家公司最近股價大都漲了，所以1992年我未推薦，不過很值得追蹤注意。

**表11-1　低迷產業中的佼佼者**

| 公司名稱 | 1990-1991年投資報酬（%） |
|---|---|
| 西南航空 | 115 |
| 班迪格（Bandag） | 46 |
| 古柏輪胎 | 222 |
| 綠樹財務公司（Green Tree Financial） | 188 |
| 迪拉德 | 75 |
| CCS（Crown Cork & Seal） | 69 |
| 紐可鋼鐵公司（Nucor） | 50 |
| 蕭氏工業 | 17 |
| 平均報酬率 | 87 |
| S&P 500指數漲幅 | 26 |

# 西南航空公司

1980年代裡，還有比航空業更慘的嗎？東方、泛美（Pan Am）、布蘭尼芙（Braniff）、大陸（Continental）和密德威（Midway）等航空公司相繼倒閉，倖存者也盡在破產邊緣掙扎求生。但在這慘澹十年中，西南航空（Southwest Airlines）股價反而由2.40美元，漲到24美元，又是怎麼回事？不是西南航空做了什麼，反要歸功於他們沒做的！

他們不飛巴黎，不以精緻餐點為訴求，不借太多錢買太多飛機，高層主管薪資不致太離譜，在員工福利方面也不落人口實，讓員工沒得抱怨。

西南航空（股票代碼LUV）在整個航空業中，營運成本最低。怎麼知道呢？看「每哩平均座位成本」就曉得，業界平均值為7到9美分，而西南航空只有5到7美分。

要判斷企業懂不懂省錢，親自看看總公司就行。投資顧問唐納休（William Donoghue）說：「總公司大樓氣派華麗，不代表裡面的人比較能幹，而是閣下的投資也負擔了建築費用。」據敝人所知，實情確是如此。加州的金西金融（Golden West Financial）是儲貸業中營運成本最低，最懂得省錢，但獲利率最高的公司，該公司總部連接待小妹都省了，門口只放著老式的黑色電話機，上頭寫「請用」兩字。西南航空在達拉斯的總管理部，十八年來都是在一間像軍營的老舊辦公室。1990年他們總算想「奢侈」一下，蓋了間三層高的大樓，還聘請一位設計師負責裝潢。不過這位老兄犯了個錯，他把公司原來掛在牆上的優秀員工獎牌和公司旅遊照片拿下來，準備換上昂貴的藝術品。執行長柯勒荷（Herb Kelleher）發現後，勃然大怒，馬上叫他捲鋪蓋，還花了整個週末把獎牌和照片擺回去。

柯勒荷以身作則，讓西南航空在成功經營中，散發出一種古怪的氣質。執行長辦公室用火雞毛裝潢，員工年度聚會是露天辣味餐，高層主管調薪幅度和一般員工相同，而且柯勒荷以下所有主管人員，每個月都要在機場擔任一天的票務員或行李搬運工。

空服員制服是藍色牛仔褲、T恤運動衫和運動鞋，機上餐飲只供應花生和雞尾酒，乘客中誰的襪子破洞最大就有獎品，起飛前的安全須知，則編成饒舌歌唱出來。

在其他航空公司為洛杉磯、紐約或歐洲等長途航線爭破頭時，西南航空卻緊盯短程服務，自稱是「唯一多班次的短程廉價航空公司」。因此在其他航空公司打得血肉模糊之際，西南航空反由1978年只有四架飛機的龍套角色，一躍成為美國第八大航空公司，也是唯一從1973年到現在，年年賺錢的航空業者。至今也仍努力不懈，要把投資的錢全賺回來。

趁對手朝不保夕之際，西南航空已準備好好利用其優勢，這就是低迷產業中的佼佼者。最近他們已經接收美國航空（USAir）和美西航空（America West）放棄的市場。由於財務問題，美國和美西兩家航空公司不得不緊縮戰圈。

西南航空的股東，在1980年到1985年享受了十倍的漲幅。不過1985年到1990年股價牛皮五年之久，投資信心備受考驗。可是股價橫盤已是不幸中的大幸，如果當初投資泛美或東方航空，就只能當壁紙了。1990年以後，耐心的人有福了，西南航空股價又漲了一倍。

## 班迪格公司

班迪格公司專做再生輪胎生意，把堪用舊胎重新刻上花紋，以低於新胎的價格賣給駕駛人。沒有比這更無聊的吧？班迪格在愛荷華州的馬斯康汀（Muscatine），我從沒去過那裡。查查地圖，馬斯康汀緊臨密西西比河，在達分波特（Davenport）的西南方。

在這種窮鄉僻壤資訊流通相當緩慢，即使一州之隔的堪薩斯市流行的東西，可能還傳不到馬斯康汀。所以華爾街的股票分析師也還沒注意到這支股票，這是班迪格妙處所在。過去十五年來，只有三位分析師追蹤過班迪格，股價卻從原來的2美元一路攀升到60美元。

班迪格公司執行長卡佛（Martin Carver）很少到紐約來，他是全世界柴油卡車駕駛最快紀錄保持人。儘管他有能力好好的奢侈一番，但你不會在川普大飯店那種高級場所，看到他在那兒喝香檳。

班迪格可說是再生胎業中的西南航空，管理風格平實（1988年年報中，卡佛還在裡邊寫說要感謝家人），對於成本、支出錙銖必較，在其他人認為無利可圖的行業中，打出自家天地。美國目前再生輪胎需求每年約1,200萬個，其中班迪格獨佔500萬個。

班迪格公司自1975年以來，配息持續增加，從1977年到現在盈餘每年成長17%。因為目前正從事海外擴張（已佔有10%的海外再生輪胎市場），所以資產負債表看似不太理想。在股票回購方面，現在已買回自家股票250萬股。

儘管盈餘一路發，股價在1987年大崩盤和伊拉克入侵科威特時，曾兩次大跌。華爾街這種過度反應，正是各位加碼的好機會，因為重跌後的反彈，不但回升，而且股價都比原來還高。

## 古柏輪胎

古柏輪胎可視為班迪格的另一種版本。當其他輪胎公司為新車的輪胎市場爭得你死我活時，古柏把重心放在一般的輪胎更換市場。古柏輪胎生產成本很低，所以許多小型輪胎交易商都喜歡和他做生意。

1980年代末，輪胎業三大巨頭（米其林、固特異和普利司通）打得頭破血流之際，古柏輪胎仍有盈餘。1985年以來盈餘持續成長，到1991年更刷新最高紀錄。股價則由1987年谷底起漲，到波灣戰爭前翻三倍到10美元，後來受局勢影響回跌到6美元。當時投資人根本無視於基本面，一心以為輪胎業完蛋了，全世界都完蛋了！結果一切照常，古柏股價馬上翻五倍，一股達30美元。

## 綠樹財務公司

我把綠樹財務歸類在「魔幻森林」投資組合，與賽達園育樂、橡木工業（Oak Industries）、EQK綠畝田、楓葉食品（Maple leaf Foods）和松園（Pinelands）等同類。綠樹財務負債不少，執行長薪水也不低（有些球隊二壘手可能還沒他高），所以並不符合低迷產業明星企業的條件。不過我特別提到綠樹財務，是要告訴各位，在低迷產業中即使只是一家還可以的公司，也能幹得有聲有色。

綠樹財務從事的低迷產業，是拖車房屋的抵押貸款，這個市場正逐漸萎縮。1985年以來，拖車房屋銷售一年不如一年，到1990年全美只賣出20萬輛。

更糟的是，拖車房屋抵押貸款的呆帳數目，也持續創新高。屋主還不起貸款，有些只寫張字條：「我的拖車現在是你的」，就棄車逃逸，一走了之。而一輛十年的拖車房屋，是賣不到多少錢的。

然而產業情況愈慘，主要對手一一出局，對綠樹財務愈有利。加州一家叫山谷聯邦（Valley Federal）的儲貸業者，承作10億美元的拖車房屋抵押貸款，結果虧了一屁股，落荒而逃；密西根州某保險業者所有的財務服務公司（FSC），也是在帳款難以回收的情況下，黯然離場。連過去是拖車貸款業龍頭的花旗銀行，同樣鎩羽而歸。但綠樹財務撐下來了，一旦市況回升，就等著接收別人的市場。

當時很多人都懷疑拖車房屋貸款業有復甦之日，因此綠樹財務股價在1990年底跌到8美元的低價。那一年5月，《富比世》雜誌還落井下石刊了一篇報導，標題是：「樹根萎縮了嗎？」光看標題就會讓人想賣股票。撰文者徹底清算綠樹財務，說拖車房屋銷售持續低迷，放款業者呆帳累累，綠樹財務某資產涉及棘手的官司等等，最後結論是：「即使（股價）只有盈餘的七倍（指本益比七倍），綠樹財務也不值得投資。」

不過投資人不理會這個負面報導，股價在九個月內回升為36美元。何以如此？因為根本沒有競爭者，綠樹財務一家獨大，放款額暴增，並整理部分債權先轉售給次級市場，以求避險，和房利美應付房屋抵押貸款呆帳的做法一樣。另外，也開始承作獲利性頗高的房屋整建貸款、二手拖車房屋貸款，以及機車融資貸款等。

如果當時看到《富比世》報導，就買進綠樹財務股票，不到九個月，就漲為三倍了。這不是蓄意貶損一家好刊物，我自己也看走眼了。值得注意的是，低迷產業的倖存者，一旦沒有對手來競爭搶食，很快就能時來運轉（綠樹財務最近改名為綠樹承兌〔Green Tree Acceptance〕）。

## 迪拉德公司

迪拉德也有幾位很會省錢的高級主管。該公司由迪拉德家族（主要是77歲的老威廉，和他兒子威廉二世）主控，雖只握有8%股權，但幾乎控制所有具投票權的股份。迪拉德公司是由阿肯色州小岩城發跡的。

稟持守財奴的天性，迪拉德父子翻遍群書，希望可以找到既不犧牲員工福利，還能撙節支出的妙方。員工薪資不差，公司負債減少，在資產負債表上所剩不多。

迪拉德經營很早就電腦化，不但利於財務規畫，而且也能有效管理商品流程。如果某家迪拉德分店襯衫賣得好，店裡的電腦會自動對庫房電腦下訂單，庫房再轉給供應商。行政管理人員從電腦就能知道各地銷售狀況，不必再花錢請專家來分析。

美國的高級消費市場，早有幾家大型連鎖業者殺得血流成河，因此迪拉德公司根本不來蹚這渾水。迪拉德只是在小鄉鎮、小城市默默耕耘，當那些大恐龍（如梅西〔Macy〕、聯邦〔Federated〕和聯盟百貨〔Allied〕等）忙著重整、破產之際，迪拉德悄悄地收購它們放棄的分店，例如聯盟百貨的約斯克（Joske's）分店和BAT工業公司（B.A.T. Industries）的JB艾維（J.B. Ivey）分店，再接上自己的電腦系統。

如果在1980年投資迪拉德股票1萬美元，現在已增值為60萬美元了，嚇人吧！

## CCS公司

CCS讓我聯想到丹尼．迪維多（Danny DeVito）在電影《非分之財》（*Other People's Money*）中一心想併購的新英格蘭電線電纜公司。新英格蘭的總經理室就在工廠樓上，裡頭一團亂，牆上只掛著廠商送的日曆，別無其他裝飾。CCS的主管辦公室也在裝配線的樓上，一個沒有門的閣樓；新英格蘭公司生產電線電纜，CCS生產汽水罐、啤酒罐、油漆桶、裝寵物食品的罐頭、抗凍劑罐子、瓶蓋、洗瓶器和瓶罐專用的加熱器。

這兩家公司的總經理都是有傳統觀念的生意人，不過電影中新英格蘭公司瀕臨破產，但現實中的CCS卻是全球最成功的製罐業者。

製罐業利潤微薄，不用多說也知道是個低迷產業，但CCS卻有本事壓低生產成本，來擴大利潤。CCS公司費用只佔銷貨額的2.5%，比同業平均的15%低好幾倍！

支出費用壓得這麼低，幾乎是一種禁欲式的管理，這就是不久前去世的CCS執行長康納利（John Connelly）的一貫作風。康納利仇視奢靡浪費，讓我想到彼得定理第17條：

如果其他條件都一樣，就買年報中彩色照片最少的那家。

康納利的公司年報根本不用照片，但捨得花錢開發新技術，讓CCS能把生產成本壓到業界最低。

公司盈餘不是用來改良生產技術，卻用來進行股票回購。公司買回自家股票，不但得以提升盈餘，而且也支撐股價。你幾乎可以確定康納利的確是在為股東拚命，這在其他公司可不常見！

康納利先生去世後，CCS經營策略也稍有改變。現在剩餘資金用來收購競爭對手，再轉而壯大自己。資本支出增加了，負債也比以前多，不過新做法到目前為止還是很賺錢，1991年CCS股價也由54美元漲到92美元。

## 紐可鋼鐵公司

最近誰也不想投資鋼鐵業，不但要面對日本業者的激烈競爭，而且幾十億美元的設備投資，很可能一下子就報廢過時。過去美國鋼鐵公司（US Steel；即USX）和伯利恆鋼鐵公司（Bethlehem Steel），都是美國的光榮象徵，但過去十二年來只會一而再、再而三地試探投資人的耐心底線何在。伯利恆鋼鐵股價在1986年跌到每股5美元，好久才爬回來，現在每股13美元，但離1981年最高的32美元還遠得很。USX股價也一樣還不曾回探過1981年的最高價。

然而如果你在1981年投資紐可鋼鐵公司，當時一股6美元的股票，現在已經漲到75美元，或許你會以為鋼鐵業畢竟是相當不錯的產業。倘若你早在1971年，就以每股1美元投資紐可鋼鐵，也許更認為鋼鐵業是最棒的。不過1971年你買的若不是紐可1美元的股票，而是24美元的伯利恆，對現在13美元的股價，只有無語問蒼天了。就是這種情況讓大家誤以為投資國庫券安全又可靠吧？

在紐可鋼鐵，我們還是會碰上一位有眼光的小氣經營者，依凡森（F. Kenneth Iverson），他可不會帶公司客戶去豪華俱樂部用餐。紐可鋼鐵總公司在北卡羅萊納州的夏洛特市，裡頭沒有主管餐廳，停車場沒有豪華禮車，機場也沒有紐可公司的專用客機。西裝筆挺的高級主管不享有特權，萬一盈餘縮水，大家一起減薪，如果盈餘增加（通常會增加），大家一起拿紅利領獎金。

紐可鋼鐵的5,500位員工，並不屬於某個工會，但福利比其他同業好。若公司獲利，所有員工一起分享，而且絕不會被遣散，孩子念大學還有獎學金。萬一經濟不景氣，公司決定降低生產，所有員工均減少每週工時，共渡難關，讓公司不用遣散任何人。

紐可鋼鐵有兩項很成功的技術，1970年代紐可專門把廢鐵再生產為建材級鋼鐵，靠這個賺了不少錢。最近其他同業也趕上來了，但紐可又搶先一步，開發出高級平捲鋼的技術。高級平捲鋼可用來製造汽車車體和電器用品，擁有這項技術，紐可鋼鐵就能直接與伯利恆、USX競爭。

## 蕭氏工業公司

我在研究蕭氏工業時發現相關報導很少，例如《紡織世界》（*Textile World*）某篇報導中，只提到一段；另一本不太有名的《自動化資料處理》（*Datamation*）雜誌，跟蕭氏工業有關的只有一句話。此外，《華爾街日報》和「PR新聞線」各有一篇報導，如此而已。當時資本額已逾10億美元的蕭氏工業正持續成長，繼續邁向20億美元，而且掌控全美兩成的地毯市場。

蕭氏工業也是低迷產業中的優等生，公司總部設於喬治亞州，藍脊山南峰附近的達爾頓，距離主要機場至少兩小時車程。過去達爾頓以私酒和木屐舞聞名全美。1895年當地一名少女發明了製造羽毛床罩的方法，間接鼓動地毯工業蓬勃發展，不過那時候蕭氏工業還沒開始。

蕭氏工業要到1961年才登上舞台，創辦人羅伯．蕭（Robert Shaw）現年58歲，現在仍是蕭氏工業的總裁兼執行長，哥哥J.C.蕭則擔任董事長。從僅有的幾篇報導來看，羅伯．蕭話不多，但言必有物。總裁辦公室牆上則掛著一幅座右銘：「維持足夠市場佔有，充分利用生產設備。」

他曾宣布蕭氏工業會成為10億美元的大企業，大家笑稱癡人說夢，也許連西點—潘伯瑞爾公司（West Point-Pepperell）也傳來訕笑聲。當年該公司為地毯業要角，銷售額是蕭氏工業的兩倍。但有一天蕭氏工業真的吞下西點—潘伯瑞爾公司的地毯廠，大夥就曉得這不是笑話。

1960年代蕭氏工業成立時，美國沒有比地毯業更糟的產業。只要投資1萬美元就能開工廠做地毯，達爾頓附近小廠林立，三百五十多家新設的地毯工廠全力趕工，供應全美家庭。需求量是很大，可惜供應量更大，只好降價求售，搞得大夥無利可圖。

到1982年，地毯不流行了，大家都認為原木地板比較好。撐到1980年代中期，原先25家最大的地毯公司，已經有一半淘汰出局，地毯市場從那時起也呈停滯。但蕭氏工業拚命壓低成本，苦心經營，一旦有人出局，蕭氏工業就能多些買賣。

蕭氏工業一有閒錢，馬上投入改善生產流程，讓成本壓得更低。棉紗太貴？買機器自己做，省得讓人賺一手。蕭氏工業自設經銷網，用自己的卡車送貨。在低成本的無止境追求中，蕭氏不願花錢在亞特蘭大設置展示場，竟安排專車把客人載來達爾頓。

即使在地毯市場最黯淡之際，蕭氏工業每年還是維持20%成長，股價也節節攀升，從1980年以來已漲為50倍，1990到1991年稍見停滯，但1992年又漲一倍。誰會相信做地毯的，股價能漲50倍呢？

1992年5月，蕭氏工業再度出擊，買下賽倫地毯廠（Salem Carpet Mills），在地毯業更是舉足輕重。蕭氏工業認為，到二十世紀末，全球地毯市場將由三或四家大公司寡佔。不過競爭對手都擔心，到時可能全球市場只由一家公司獨佔，現在大夥都曉得明日域中，竟是誰家天下！

| 股票代碼 | 上市公司 | 1992.1.13股價 |
| --- | --- | --- |
| SNTV | 太陽電器 | 18.50美元 |

# 12 初探儲貸類股

近年最碰不得的股票，就是儲貸機構。一聽到這個字眼，大家無不掐緊荷包，想到的是全民一同負擔的5,000億美元儲貸機構紓困法案；1989年以來破產倒閉的675家儲貸機構；各機構高層主管當年的奢靡浮華、不可一世；美國聯邦調查局正在處理的一萬多件金融詐欺案。過去儲貸機構讓人想到電影《美好人生》（*It's a Wonderful Life*）的吉米．史都華（Jimmy Stewart），如今卻是身陷囹圄的查爾斯．基亭（Charles Keating）。

自1988年以來，跟儲貸機構有關的消息俯拾皆是，儲貸機構破產、被告、遭起訴，或者國會正努力審理紓困法案等等。關於這些壞消息，現在至少有五本專書討論，但教人操作儲貸機構股票的書，卻一本也找不到。

儘管許多儲貸機構問題重重，仍有許多正派經營的殷實業者，值得注意和投資。就以最基本的財務能力指標，股東權益佔資產的比率來看，銀行業中最高的，不過是JP摩根銀行的5.17%，而超過這個水準的儲貸機構，全美就有百來家，例如康乃狄克州新不列顛的國民儲蓄金融公司（People's Savings Financial），股東權益佔資產比率就高達12.5%。

當然，JP摩根銀行能有今日地位，有許多因素，拿它來跟國民儲蓄金融公司做比較，是有點異想天開。不過問題是，一般人都以為儲貸機構經營得很糟，實則不然。

的確有不少儲貸機構財務結構不良，所以分辨其優劣非常重要。我將之分為大老千、貪心鬼和乖乖牌三種，分別介紹如下。

## 大老千

用小錢滾大錢的老千的確有一套，所以後來許多涉及詐欺的儲貸機構，都是用這方法詐騙投資人及存款戶。做法是這樣的，比方說有一票人，簡單起見就算十個好了，每人出10萬美元收購神信儲貸公司。他們準備用100萬美元的資本，吸收1,900萬美元的存款，再據以承作2,000萬美元的放款。

為了吸收1,900萬美元的存款，他們以高利誘之，並利用知名證券商幫忙吸金。或許就在報上登個廣告：「神信儲貸公司超級定期存單，利率高達13%，由聯邦儲貸保險公司（FSLIC）擔保。」有政府當靠山，神信的定存單迅速售罄，證券商也賺到豐厚佣金，真是皆大歡喜。

存款額1,900萬美元，資本額100萬美元，於是神信的老闆、董事們開始大肆放款給朋友、親戚和一些莫名其妙的建商，這些建商專門在沒人住的地方蓋房子。因為放款前先扣佣金，所以帳面上來看，神信儲貸公司獲利驚人。

這些佣金收入再滾進股東權益裡面，股東權益每增加1美元，公司就可以再承作20美元的貸款。如此循環不斷，周而復始，這就是為什麼一些鳥不生蛋的地方，像德州維農鎮的儲貸公司可以滾到幾十億美元。就這樣，放款愈多，股東權益也愈多，整家公司愈滾愈大，大到有能力賄賂會計師、查帳員，收買銀行委員會中有權有勢的參、眾議員，贈送昂貴禮物、請客招待兼拉皮條，無所不用其極來搞錢！

除少數幾個例外，如查爾斯·基亭等，大多數詐欺型的儲貸機構都不是股票公開發行的企業，股票公開發行企業有一定的監察制度，那些老千伎倆是無所遁形的。

## 貪心鬼

不是只有騙子會害人，貪心鬼也會讓人受累。說個故事好了，某個窮鄉僻壤的FB存款公司，看神信和其他儲貸機構搞得有聲有色，實在歆羨不已。其他同業大膽對親友進行商業放款，就能吃香喝辣，而FB公司還是苦哈哈地守著傳統的房屋抵押貸款，老闆和眾董事怎麼甘心？

於是FB公司也聘請一位華爾街專家吊帶褲先生，來教他們如何撈錢。吊帶褲先生只有這一套：叫FB公司直接向聯邦購屋貸款銀行（Federal Home Loan Bank）借錢，能借多少借多少，然後師法其他同業，進行商業放款。

FB公司遵照所囑，向聯邦購屋貸款銀行借錢，同時也賣定存單吸收存款，也就和神信公司一樣在報上登廣告。現金一到手，FB 公司就把錢借給辦公大樓、住宅公寓和購物中心的建商。為了賺更多錢，FB公司也投資這些土地開發案。非常不幸，在經濟不景氣的打擊下，那些辦公大樓、公寓或購物中心的承購人逃得一乾二淨，開發建商也還不出錢來。結果創設五十年，一向殷實的FB公司好像憑空蒸發一樣，資產淨值連5塊錢都不到！

其實這根本是神信公司的翻版，只不過FB公司董事沒有向親友放款，也沒有暗中拿回扣。

## 乖乖牌

我個人當然最喜歡默默努力，不裝腔作勢，小心控制經營成本的乖乖牌儲貸機構。這些樸實業者向鄰近地區吸收存款，對於經營老式的購屋抵押貸款心滿意足。全美各地許多小鎮和某些大城郊區，都可以找到這類乖乖牌的儲貸機構，有些還由商業銀行負責監督其放款。有些區域的儲貸機構分行規模很大，存款額很高，這種集中經營方式，比分散為許多小分行更具成本效益。

樸實的儲貸機構只須維持簡單營運方式，不用花大錢聘請專家來分析放款市場，總裁辦公室不必像希臘神殿，大廳不必用古董家具來虛張聲勢，牆上不必掛高價名畫，也不用找名人影星來搖旗吶喊。有訊息要告知客戶，用海報、宣傳單就綽綽有餘了。

大型金融機構，如花旗銀行之流，其經常性支出及其他相關費用，大約是總放款的2.5%到3%。因此為確保營運經費無短缺之虞，存、放款利率差距也要拉大到2.5個百分點才行。

但乖乖牌的儲貸機構經營成本低，存放利差就可以縮小到1.5個百分點左右。理論上，即使完全未承作放款，光利用存款來運作，照樣有利可圖。例如存款利率為4%，則將之投資6%的債券，就有兩個百分點的利差，如果拿去做8%或9%的抵押放貸，股東就能賺更多。

多年來，加州奧克蘭的金西公司一直是乖乖牌儲貸機構的表率。金西擁有三家儲貸機構，全部由金西老闆山德勒夫婦（Herb and Marion Sandler）負責經營。山德勒夫婦生性冷靜沉著，商業頭腦跟巴菲特一樣靈光，正是經營成功事業的完美組合。對於不必要的投資，山德勒夫婦根本不碰，例如高風險垃圾債券，或房地產商業投機，都不在其考慮之內，因此沒有經營不善、受累倒閉，或被收購、接管的厄運。

山德勒夫婦不喜無謂浪費，對新科技常抱懷疑，因此到現在也沒裝設自動櫃員機。他們孜孜矻矻，嚴守本分，不會用烤箱、冰桶等獎品來引誘客戶。在虛浮不實的建商貸款熱潮中，他們不為所動，只緊盯著購屋抵押貸款，這項傳統業務佔其總放款的96%。

如果談到公司怎麼省錢，山德勒夫婦更是個中翹楚。那些希望自己看來氣派豪華的儲貸機構，都在舊金山高級地段開業，但金西偏偏中意奧克蘭的低廉租金。別家公司可能以接待櫃台來宣揚門面，但金西的門口只放黑色電話，來賓請自行通報！

不過各分行該花的，還是不能省，山德勒夫婦希望盡可能讓客戶感到愉快、方便，而且他們也常祕密派人喬裝客戶，刺探各分行的服務狀況。

1980年代中期，山德勒太太受邀在西維吉尼亞州的儲貸機構會議發表演說，講題是她個人最喜歡的「生產力與支出管理」。演說十分精采，但與會的儲貸業主管卻有三分之一中途離席。他們想聽的是先進的電腦系統或計算機，而不是如何壓低成本。如果當時那些人肯用心聽講兼做筆記，或許有些現在還能留在這一行。

在1980年代之前，金西公司是少數幾家股票上市的儲貸機構之一。1980年代中期股票大熱，因此有幾百家儲貸機構轉型為「共同儲蓄銀行」，申請股票公開上市。當時在麥哲倫任內，我買過不少這種股票，幾乎名稱中有「第一」或「信託」者，都在收購之列。有一次我在巴隆座談中說曾收到145家儲貸機構的上市說明書，結果買了其中135支股票。座談主持人以其慣有反應說：「喔，那其他怎麼啦？」

為何我如此熱中儲貸機構股票，在此要稍加解釋。第一，麥哲倫規模龐大，但儲貸機構股本甚小，因此必須進相當多的股票，投資部位才夠分量，這跟以浮游生物維生的鯨魚一樣。第二，儲貸機構股票上市方式特殊，因此股價偏低（參見第13章詳論）。

維吉尼亞州夏洛茲維爾的SNL證券公司一直很注意儲貸機構股票上市後的發展，最近在其研究報告中指出，自1982年以來陸續上市的464家儲貸機構，其中有99家被大型銀行或其他儲貸同業收購，通常股東都因此獲得極大利益（最明顯的例子是紐澤西州摩利斯郡儲蓄銀行〔Morris County Savings Bank〕，1983年以10.75美元上市，三年後以每股65美元被收購）。有65家股票上市的儲貸機構破產倒閉，股東當然是血本無歸（這絕非捕風捉影，因為這種地雷股我也買過）。而目前還有300家儲貸機構為股票上市公司。

## 如何評估儲貸機構

每當我想投資儲貸機構時，就會想到金西公司，不過1991年金西股價翻倍後，我只好另尋目標。我在擬定1992年巴隆座談推薦名單時，找到幾支合適的儲貸機構股票。當時美國的經濟、金融情況，很容易就能找到超跌股票。

剛剛提過儲貸機構如何耍老千，現在來講房地產市場崩盤。當時大概有兩年時間，整個美國都籠罩在房地產崩盤的陰影下，對銀行體系也是憂心忡忡。1980年代早期，德州房市崩盤，幾家銀行和儲貸機構也跟著陪葬，狀況之慘令投資人心有餘悸。於是東北部及加州高級住宅區價格下跌，很快就讓人聯想到儲貸機構是否也要跟著遭殃？

當時美國住屋建商協會才公布中古屋價格，在1990及1991年連續上漲的消息，於是我認為對美房屋市場的恐懼，其實只是高級住宅下跌引發的假象。一些乖乖牌儲貸機構都嚴守本分，對高價建物、商業不動產或建商放款的涉入很有限。其放款大都只是為數十萬美元的住宅抵押貸款，公司盈餘持續成長，擁有相當數目的忠實存款戶，而且股東權益也高於JP摩根銀行。

但是在恐慌之中，乖乖牌的優點誰也不注意。華爾街的專家不敢碰，一般投資人也逃之夭夭。富達公司的儲貸精選基金，總資產額從1987年2月的6,600萬美元，到1990年10月竟只剩300萬。證券商在儲貸業股票方面，紛紛緊縮戰線，有些根本完全退出這個戰場。

當時富達公司聘有兩位分析師，艾利森和穆瑞（Alec Murray）分別負責研究大、小型儲貸機構。後來穆瑞到達特茅斯念研究所，就沒有人接他的工作。艾利森後來追蹤一些大企業，如房利美、奇異、西屋電器等，儲貸機構反成次要。

全美國只研究沃爾瑪百貨一家公司的分析師大概有50位，追蹤菲利普摩里斯的分析師有46位，但整個儲貸業股票，把所有研究這方面的分析師加起來，也不到幾個，所以彼得定理第18條是：

如果分析師都覺得厭煩，就可以開始敲進。

因為許多儲貸類股股價甚低，我開始埋首研讀《儲貸業投資指南》（*The Thrift Digest*），竊以為此乃最佳床頭書也。該書由SNL證券公司出版，內容扎實。厚度嘛，跟大波士頓地區電話簿差不多，而且每年要繳700美元，才能按月收到新資料。這個價格可以買兩張夏威夷來回機票。

如果準備在超跌儲貸類股中挖寶，我建議你到圖書館，或向證券商借閱最新一期的《儲貸業投資指南》。我這一本是跟富達公司借的。

因為我一直盯著這本書，我老婆笑稱它為舊約聖經。有舊約在手，再用自創的儲貸業計分卡，馬上整理出145家實力最強的儲貸機構。概略來說，必須搞清楚的是：

1. **股價市價：**這是當然的！
2. **上市價格：**如果股價已跌破上市價，可能就是超跌。當然，其他因素也要考慮在內。

3. **股東權益對資產比值（E/A Ratio）**：這是最重要的數字，代表其財務能力和生存能力。E/A值愈高愈好。各家股票的E/A值可能相差很大，低者只有1、2（這股票跟廢紙差不多了），高者可能有20（JP摩根銀行的四倍）。一般平均在5.5至6之間，低於5者表示有問題。

   不過我自己訂的標準是至少7.5，如此倒閉風險低，且E/A值高，較可能成為其他金融機構的收購對象。因為股東權益高，放款空間也大，這是大型銀行或其他儲貸同業最喜歡的。

4. **股息**：很多儲貸類股配息高於平均水準。如果這支股票符合所有標準，而且配息很高，就太美了！

5. **帳面價值**：銀行或儲貸機構的資產，大部分就是放款額，所以如果儲貸機構沒有高風險放款（稍後詳論），則財務報表之帳面價值，即可確實反映該行價值。目前許多最賺錢的乖乖牌儲貸機構股價均低於帳面價值。

6. **本益比**：不管什麼股票，本益比愈低愈好。目前有些儲貸機構每年成長15%，但根據過去一年盈餘計算，本益比只有七或八倍，這種股票當然很具潛力。而當時我正研究儲貸機構時，S&P 500指數平均本益比高達23倍，兩相比較下，就知道這些儲貸類股有多棒了。

7. **高風險不動產**：這是儲貸業常見的問題，尤其是商業放款和營建放款，更拖垮許多儲貸機構。如果儲貸機構中，高風險資產佔總放款的5%到10%，我就會緊張。如果其他條件都一樣，我會選高風險資產比率較低的儲貸機構。而儲貸機構的商業放款風險到底有多高，一般投資人不太容易分析，所以最安全的方法就是不要投資有商業放款和營建放款的儲貸機構。

即使沒有《儲貸業投資指南》在手，也可以自己算出高風險資產比率。先在年報的「資產」項下找出營建及商業不動產放款額，除以總放款額，所得數值即是高風險資產比率。

8. **逾期90天之呆帳：**就是被倒帳啦！這數字當然愈低愈好，最好不要超過總資產額的2%，而且最好是持續下降。有時呆帳率即使只是增加幾個百分點，就可能拖垮整個儲貸機構。

9. **抵押處分：**這是債務人因無法履行債務，遭儲貸機構處分之抵押品。既已處分完畢，表示該筆放款已由資產項下，轉列呆帳損失。

   因為已列為損失，所以抵押處分額即使很高，也不會像高風險資產比率那麼恐怖。不過處分額持續升高時，就要小心了。儲貸機構不是房地產業者，如果從債務人那裡收到一堆公寓住宅或辦公大樓，光是維修費用就是一大筆龐大支出，況且也不容易脫手。所以儲貸機構若要處分許多不動產抵押品，即可預期到脫手會有困難。

最後我在《巴隆週刊》推薦七家儲貸機構，從這個你就知道我有多喜歡儲貸類股。其中五家屬乖乖牌業者，另外兩家則要細火慢燉，我稱之為浴火鳳凰型，因為都在鬼門關繞一圈，差點破產。那五家乖乖牌裡面，德鎮儲蓄公司（Germantown Savings）和冰河銀行（Glacier Bancorp）我在前一年就曾推薦。

從各方面來看，這五家都是十足潛力股：其中四家股價低於帳面價值；股東權益佔資產比值都在6.0以上；高風險放款比率不超過10%；逾90天期呆帳率均在2%以下；抵押處分率不到1%；本益比

11倍以下。其中兩家最近回購自家股票，更屬利多。冰河銀行和德鎮公司商業放款比率略高，不過經對方解釋後，問題不大。

至於那兩家浴火鳳凰，財務狀況甚糟，稍微保守一點的投資人，恐怕是避之唯恐不及。不過我認為即使這兩家各有些問題，其股東權益佔資產比值仍相當高。有此防護罩，對解決目前問題極有幫助。這兩家儲貸機構的營業地點，都在麻州與新罕布夏州交界附近，該地金融情況漸趨穩定。

他們能不能撐下去，我可不敢打包票，不過其股價實在很低（如勞倫斯儲蓄公司〔*Lawrence Savings*〕由13美元，跌到只剩75美分），如果有人敢接，想必能暴削一筆。

和我推薦那五家乖乖牌一樣好，甚至更好的儲貸機構，全美各地還有幾十家，也許你家附近就有。懂得在此挖金礦的投資人必有後福，這些穩健經營的儲貸業者未來必能持續壯大，或者被大型金融機構看上，不管怎麼樣，其投資潛力大得很。

儲貸機構若股東權益高，放款力強，且存款客源穩定，保證讓商業銀行垂涎三尺。商業銀行按規定只能在所屬州內吸收存款（該規定目前稍有修正），但放款則不在此限，因此商業銀行業者對收購儲貸機構極有興趣。

比方說，如果我是波士頓銀行（Bank of Boston），我一定對麻省那塔吉特的洪波特銀行（Home Port Bancorp of Nantucket）頻送秋波。洪波特銀行股東權益佔資產比值高達20%，大概是當今金融界的狀元，而且新英格蘭地區存款戶都很死忠，很少會把錢轉到那些嘴上無毛的貨幣基金帳戶。

或許波士頓銀行對那塔吉特的放款市場不感興趣，但若把洪波特銀行納入，那麼就能利用洪波特的高額股東權益和放款能力，擴大波士頓或其他放款市場。

從1987到1990年，儲貸機構走過一段艱苦歲月，在那期間約有百來家儲貸機構被大型金融機構收購，原因就和波士頓銀行早該向洪波特銀行下手一樣。而且我們有很好的理由認為，銀行和儲貸機構合併的速度會愈來愈快。目前全美國的銀行、儲貸機構及其他各種存款機構，總共超過7,000家，依我看有6,500家是多餘的。

光是我住的小鎮，就有六家不同形式的存款機構，而全英國平均不過三家而已。

**表12-1**

| 公司名稱 | 上市價 | 市值 | E/A值 | 股息 | 帳面價值 | 逾90天之呆帳 | 抵押處分 | 商業放款 |
|---|---|---|---|---|---|---|---|---|
| | | | | 穩健型 | | | | |
| 德鎮儲蓄 | $14+ | $ 9+ | 7.5 | 40¢ | $26 1/8 | 0.5% | 0.0% | 7.0% |
| 冰河銀行 | $12 | $ 8+ | 11.0 | 40¢ | $11 1/2 | 0.9% | 0.2% | 9.2% |
| 人民儲蓄 | $11 | $10+ | 13.0 | 68¢ | $18 5/8 | 2.0% | 0.9% | 2.7% |
| 鷹徽金融 | $12 | $11+ | 9.7 | 60¢ | $19 1/8 | 1.8% | 0.7% | 2.9% |
| 至尊銀行 | $ 9+ | $ 4+ | 6.0 | 16¢ | $10 1/4 | 0.9% | 0.4% | 3.9% |
| | | | | 浴火鳳凰型 | | | | |
| 艾塞克第一銀行 | $ 2 | $ 8 | 9.0 | — | $7 7/8 | 10.0% | 3.5% | 13.0% |
| 勞倫斯儲蓄 | 75¢ | $13+ | 7.8 | — | $6 1/2 | 9.6% | 7.5% | 21.0% |

資料來源：《SNL儲貸季刊》。

# 13 再論儲貸類股

選定五家體質穩健的儲貸機構，分別投資相同金額，然後坐等豐收，一般投資人的研究工作大概就到此為止。在選中的五支股票中有一支會特別好，三支表現普通，另一支很差，但總結算後，投資報酬還是比股價偏高的可口可樂或默克藥廠好。

不過我喜歡打破沙鍋問到底，光是那些二手資訊，我是不滿意的。為了提高勝算，通常在真正投資前，我要先打電話到公司打探一番。雖然電話費不少，長期而言一定能把本錢撈回來。

通常我會和公司的總裁、執行長或其他高層主管接觸，希望透過他們瞭解某些特定訊息，或打聽一些華爾街分析師忽略的消息。以冰河銀行為例，該行商業放款額高，顯非穩健經營之常態，因此若未親自向公司查問清楚，我不會貿然介入，也不敢向人推薦。

不是專家也盡可放心地和儲貸機構接觸，不過對其業務範圍要有基本瞭解。儲貸機構必須要有忠實的儲蓄及支票存戶，其盈餘全靠放款，不過可不能貸給會倒帳的人，同時還須盡量壓低經營成本，以擴大獲利。銀行業的最高指導原則，就是「三六原則」：存款給3%利息，放款收6%利息，就能高枕無憂。

後來我分別打電話給六家儲貸機構蒐集情報（四家乖乖牌和那兩家浴火鳳凰）。鷹徽金融公司（Eagle Financial）我就沒打了，因為該公司會計年度在9月底結束，因此最近一期的會計年報已寄來，我仔細看過以後，認為鷹徽的經營狀況其佳無比，簡直是銀行稽核員的夢想！以下分述敝007打探結果。

## 冰河銀行公司

我是在聖誕節隔天打電話給冰河銀行公司，那天我穿著休閒的花格子長褲及運動衫到波士頓的辦公室。整個大樓似乎除了我和安全人員外，別無他人。

假日最適合加這種班。如果發現上市公司主管連12月26日也來上班，能不感動嗎？

在堆積如山的辦公桌翻尋一陣後，我找出冰河銀行的檔案。當時冰河銀行股價12美元，比一年前上漲60%。盈餘每年成長12%到15%，股價本益比十倍，不特別吸引人，但風險也不大。

冰河銀行公司以前叫凱利斯裴第一聯邦儲貸公司（First Federal Savings and Loan of Kalispell），其實舊稱比較好。舊稱聽來質樸而正派，讓人有信賴感。純樸的舊名絕對比時髦、故弄玄虛好。名字太過新潮，會讓人覺得公司很需要改善形象的樣子。

我認為公司只要正派穩健地經營，自然會有好形象。最近金融界有個怪現象，就是一窩蜂把原來的「銀行」，疊床架屋成「銀行公司」（bancorp）。我知道「銀行」是什麼，但「銀行公司」就讓人有點嘀咕了。

總之，我打電話到冰河銀行時，對方說正舉行退休員工歡送會，不過他們會通知董事長馬可德（Charles Mercord）說我打過電話。我猜馬可德是被他們架出場外的，因為才幾分鐘他就回電了。

要向總裁或執行長套出公司盈餘狀況，可不容易。開門見山的問：「明年要賺多少？」恐怕什麼也得不到。首先要製造和諧氣氛。我們從登山聊起，我說我家人已經跑遍西部各州的國家公園，他們都很喜歡蒙大拿州。後來又談到林木業、斑點貓頭鷹、大山滑雪場和阿納康達（Anaconda）公司的大煉銅廠，我還在富達當分析師時，常拜訪這家公司。

接著我順勢帶進嚴肅的投資話題，例如：「那裡人口多少？」「該城海拔多高？」然後提出更實際的問題：「貴行會增設分行，還是維持現狀？」我旁敲側擊，希望多打聽些情報。

我繼續問：「第三季有什麼不一樣嗎？我知道你們（每股）賺38美分。」發問時最好加點數字資料，讓對方曉得你是有備而來。

打聽結果，冰河銀行後市樂觀。該行幾乎沒有呆帳，1991年呆帳損失只有1.6萬美元。配息連續增加十五年，最近又買下兩家儲貸機構，名字極好：懷費希第一國民銀行（First National Banks of Whitefish）和優利卡（Eureka，意即我找到了）。

這就是許多穩健的儲貸機構，確保未來幾年加速成長的方法。收購週轉失靈或倒閉的同業，把寶貴的存款資金納於己下。冰河銀行可以把懷費希第一國民銀行納入體系之中，利用新資金放更多款。而且，兩家儲貸機構聯合起來，其經營成本會比各自為政低。

提到懷費希分行時，我說：「你們買到好東西了，從會計觀點而言，這步棋下得好。」不過我擔心冰河付的價碼太高，所以故意迂迴地說：「我想你們付的價錢，一定比帳面價值高。」我以為對方會坦承不諱，但實情並非如此，冰河銀行沒當冤大頭。

還有一個我從《儲貸業投資指南》看到的刺眼數字，就是高達9.2%的商業放款。如果他們是在新英格蘭地區，這麼高的商業放款鐵定把我嚇跑，但蒙大拿畢竟不是麻州。而且冰河銀行總裁也一再保證，他們絕不會放款給乏人承租的辦公大樓，或無人問津的度假別墅的建商。冰河銀行的商業放款，大都是給多戶式住宅公寓的建商，當時這方面需求極大。蒙大拿州人口正逐漸增加，每年都有幾千、幾萬人，因為嚴重的煙塵污染及高額稅負，逃離加州遷居蒙大拿。

和上市公司訪談，最後我一定問：你最佩服、欣賞哪家公司？如果伯利恆鋼鐵執行長說他最佩服微軟公司，可能沒有多大意義，可是某儲貸業者說欣賞另一同業時，表示那家公司確有過人之處。靠這方法，我挖到許多黑馬股。所以馬可德說是聯合儲蓄公司（United Savings）和聯邦擔保公司（Security Federal）時，我趕快用肩膀夾著電話，翻開《史坦普股票手冊》，迅速找出代碼：UBMT和SFBM。在他描述這兩家公司時，我已經迫不及待地用即時報價系統搜尋目標了。這兩家儲貸機構都在蒙大拿，股東權益佔資產比值都很高（聯邦擔保公司高達20%），所以我把他們列入觀察名單。

## 德鎮儲蓄公司

給德鎮的電話，我一直到1月準備飛往紐約參加座談會的前一天才打。德鎮儲蓄公司的股票，我去年就推薦過，當時是10美元，現在則漲到14美元。德鎮每股盈餘2美元，因此本益比只有七倍不到。此外，德鎮每股淨值高達26美元，股東權益佔資產比值為7.5%，而且呆帳比率不到1%。

德鎮公司在費城郊外，資產額共14億美元，財務報表紀錄輝煌，但竟然沒有一家證券商發現這支黑馬股。打電話前，我先詳細看過最新一期的年報，發現該公司存款額增加，表示存戶資金仍源源湧入。不過放款額降低，因此資產負債表上資產項下數額減少，表示行方漸趨保守，開始在緊縮放款。

在「證券投資」項下，我找到更多放款趨於保守的跡象。該年德鎮公司的證券投資額，比前一年增加5,000萬美元。儲貸機構的「證券投資」項下，主要有國庫券、公債、股票和現金部位。如果儲貸機構對經濟後市或債務人的信用狀況有所疑慮，就會提高債券資產部位。這種做法，其實跟一般投資人差不多。一旦景氣好轉，放款比較安全的情況下，德鎮自然會降低證券投資額，以承作更多放款，擴張盈餘。

我再次仔細檢視年報，特別當心其中是否有足以誤導投資人之異常點。比方說，某企業盈餘大增，閣下才買進該股，哪曉得這是處理證券投資的業外收入，這就很糟糕了。我查了德鎮公司的情況，結果發現正好相反，他們處理部分證券投資反而賠了點錢，不過對盈餘影響不大。

我打電話到德鎮公司，執行長克列普（Martin Kleppe）說：「我們公司沒什麼狀況，沒啥好說的。」沒狀況是再好也沒有的了。後來他又說：「我們的資產負債表固若金湯，如果我們還有麻煩，其他同業早就全跳海了！」

德鎮公司的呆帳額一向不高，且逐月減少，不過他們還是提高備抵呆帳，以防萬一。備抵呆帳增加，對盈餘稍有影響，但若備而不用，年底回沖，盈餘反而會增加。

德鎮公司的地盤，景氣狀況並非多好，但居民普遍節儉，而且都是德鎮的忠實客戶，德鎮公司不會白白浪費這些存款。我認為以德鎮的謹慎作為，必然活得比嗜冒風險的競爭對手久，而且只要穩健而按部就班的經營，必能擴大利潤。

## 至尊銀行公司

我是在1991年11月25日那一期的《巴隆週刊》上，注意到至尊公司（Sovereign Bancorp）。那篇報導的標題是：「家鄉放款成鉅富」，描述至尊公司如何從家鄉黎汀發跡，一步步打下賓夕法尼亞州東南部的天下。文中有段我很喜歡，說至尊公司任何分行只要核准一宗房貸，就會敲鐘誌喜。

這已經不是第一次在週刊上挖到寶。我仔細檢查至尊的年報和季報，發現重要項目的表現都相當好，呆帳只佔總資產1%，商業及營建放款比率4%，且備抵呆帳充裕，足額沖銷一定沒問題。

至尊公司還從某信託公司手中，收購兩家紐澤西州的儲貸機構，在存款額提升的情況下，盈餘也大為增加。為查明相關細節，我打電話給至尊公司的印度裔總裁西胡（Jay Sidhu），我們談到孟買及馬德拉斯，前年我參加公益活 去過那裡。

接著我們言歸正傳，西胡表示公司方面已決定每年業務至少成長12%。如果根據分析師最近對該公司1992年的盈餘預估，目前股價本益比為八倍。

唯一讓人犯嘀咕的，是至尊公司1991年又出脫250萬股自家股票。前面已說過，只要公司行有餘力，回購自家股票是最好的。如果反而出脫自家股票，增加在外流通股數，就好像政府在印鈔票一樣，會貶低幣值的。

不過至尊也沒浪費這筆利得，他們準備用來收 更多經營不善的儲貸機構。

後來我高興地發現，西胡正是以金西公司為典範，準備學習小氣又吝嗇的山德勒夫婦，提高貸款手續費，並壓低支出，以擴大利潤。因為至尊公司最近才收購兩家同業，因此員工薪資比例上升為2.25%，比金西公司的1%高很多，不過西胡正努力改善。以其擁有該公司4%股權來看，精簡人事應無太大阻力。

一般儲貸機構放款後，通常自己握有債權，但至尊公司放款之後，馬上把債權轉賣給房利美等債權收購業者。此一經營方式讓至尊能很快收回資金，再放貸出去。一方面放款風險已經轉給別人，一方面多做放款不但可以賺到利率差額，而且承辦手續費收入也不少。

至尊公司主要仍承作住宅抵押貸款，雖然不承擔債權風險，但核定貸款時仍相當謹慎，而且從1989年到現在從沒做過商業放款。抵押貸款額平均也從不超過抵押品價值的69%。即使該公司呆帳很少，一旦發生，立即徹查，找出失誤原因，以免再犯。

跟平常一樣，我從西胡那裡學到不少。他說有些金融業者以卑劣手法來掩飾問題放款。例如某建商要求100萬美元的商業貸款，放款機構反而提高估價，核貸120萬美元，但多出來的20萬美元預先扣在放款機構手中，一旦這筆放款出問題，放款機構自行挪用預扣款項，當作是建商仍按期償還。這麼一來，原該列入呆帳的款項，還是一樣載入正常放款，短期內外人難以察覺。

我不曉得這種情況多不多，不過西胡若沒說錯，有高額商業不動產放款的銀行和儲貸機構，就更不能碰了。

## 人民儲蓄金融公司

我打電話到人民儲蓄公司（Peoples's Savings Financial）在康乃狄克州新不列顛市（靠近哈特福市）的總部，找執行長米維克（John G. Medvec）。米維克表示，當地有不少家銀行業者陸續倒閉，襯托出人民儲蓄金融公司的安全 ，該公司並把握局勢，大做廣告。主要訴求就是，對股東權益佔資產比值高達13%的人民儲蓄，當前金融界的震盪並不具威脅。廣告做得好，所以人民儲蓄的存款額由1990年的2.2億美元，激增為1991年的2.42億美元。

人民儲蓄若非進行股票回購，其股東權益佔資產比值還會更多。該公司至今兩次回購股票，共以440萬美元收回16%的股票。往後若仍積極回購，人民儲蓄的股票自然以稀為貴。一旦在外流通股數減少，即使營運平平，每股盈餘也會跟著增加。要是生意大好，股價就飆上天囉！

許多公司派只會耍嘴皮敷衍股東，卻把錢浪費在不必要的併購上，不知道最簡單，也最直接討好股東的方法，就是回購自家股票。有些公司所處產業不過平平，如國際乳品皇后公司（International Dairy Queen）和CCS公司（Crown Cork & Seal），都是因為公司決定回購股票，股價馬上讓人刮目相看。而泰利戴恩公司（Teledyne）股價之所以上漲100倍，也是拜股票回購所賜。

人民儲蓄金融公司於1986年公開上市，上市價每股10.25美元。如今已過五年，公司規模更大，更賺錢，在外流通股數也更少，但每股不過是11美元。我猜人民儲蓄股價表現不佳，是因為該公司必須在艱困環境下孤軍奮戰的關係。我說的艱困環境，不是指人民儲蓄經營上有什麼問題，而是指康乃狄克州整體景氣低迷。

在所有條件相同的情況下，我選能在不景氣中撐下去的儲貸機構，而不是那些搭景氣順風車，未經橫逆試驗的溫室花朵。

《儲貸業投資指南》顯示，人民儲蓄呆帳率為2%，雖不特別高，我還是特別問了一下。米維克回答說，該2%的呆帳率，主要是一宗營建放款出問題，現在人民儲蓄已不再承作該類放款。

如今人民儲蓄已把這些呆帳提列為損失，下一步就是要處分抵押品。米維克說處分抵押品很麻煩，這我老早就知道了。這個善後工作耗時費錢，要把倒帳人趕出抵押的房產，可能要花兩年。而人民儲蓄處分的抵押品，都是些商業建物或高級住宅，原主人或承租戶可能在裡頭賴幾個月，你連半毛租金也收不到。

完成處分手續後，這些抵押品即列入「房地產處分」帳下，放款機構可自行販售求償，稍慰倒帳之苦。不過有時候，處分抵押品竟能賣到高價，因此其中也具有增值潛力。

米維克也跟我談到康乃狄克州的景氣問題，當時那兒真是慘兮兮。米維克指出，電腦硬體製造商一直是新不列顛市最大雇主，但當時只剩史坦利製造公司（Stanley Works）孤木獨撐。雖然州立大學和市立綜合醫院增加聘雇人員來解決問題，但失業仍然嚴重。

掛電話前，我照例問他印象最深的競爭對手。米維克指新不列顛美國儲蓄銀行（American Savings Bank of New Britain），股東權益佔資產比值12%，可是還沒公開上市。我聽得口水直流，幾乎想馬上殺到新不列顛，趕快到美國儲蓄銀行開個戶，以免上市時我不曉得。若想知道在下為何如此激動，請待稍後分解。

## 艾塞克第一公司

艾塞克第一公司（First Essex），就是「浴火鳳凰」型，準備起死回生的儲蓄機構。這種公司就是把自家股票全部買回來，投資人也不會哼一聲。艾塞克第一公司於1987年，以每股8美元上市，共發行800萬股。兩年後股價幾乎沒動，該公司又以同樣每股8美元回購200萬股。嘿，要是他們等到1991年，就能打25折了，因為股價只剩2美元。

翻翻艾塞克第一的資料，情況有點不妙：呆帳率達10%，抵押品處分3.5%，總放款中13%為商業及營建類。這家位於麻省勞倫斯的小型儲貸業者，1989年虧損1,100萬美元，1990年再虧2,800萬美元，最主要是放款給一些公寓大樓建商和不動產大亨，在景氣低迷期受到拖累。勞倫斯市就在麻州靠近新罕布夏州界附近，這兒是新英格蘭地區經濟衰退最嚴重的地方。

艾塞克第一公司的情況確實相當困難，執行長威爾遜（Leonard Wilson）在電話中說：「簡直像是用600呎長的釣魚線來釣水底的魚那麼困難。」經過艱苦的三年，艾塞克第一公司光是處分那些呆帳抵押品，就快忙死了，而且每一件都嚴重影響整體獲利。結果艾塞克第一現在是最窮的房地產大亨，手頭上現金快耗光了，空有一堆賣不掉的房地產。現在他們是當地最可憐的房東，出租狀況門可羅雀。

雖然如此，艾塞克第一公司帳面價值每股還有7.875美元，股東權益佔資產比值尚達9%，但股價只有2美元。

像艾塞克第一公司這種受景氣拖累的股票，就得碰碰運氣了。如果商業不動產市場回穩，放款者不再因呆帳被迫接收抵押品，那麼艾塞克第一公司就能撐下去，捱到掙回過去的虧損。如果情況是這樣，股價很快就會回升為每股10美元。但問題是，誰曉得商業不動產市場何時才會回穩，或者這波經濟衰退到底有多深。

據艾塞克第一公司年報，商業放款至1991年底共4,600萬美元，而股東權益剛好也是4,600萬美元。這樣就讓人安心點了，即使一半的商業放款成為呆帳，至少還有一半資產額可以撐下去。

## 勞倫斯儲蓄公司

勞倫斯公司（Lawrence Savings）和艾塞克第一公司同樣位於美里默克山谷區域，而且面對同樣困境，就是當地的低迷景氣。勞倫斯的問題也跟艾塞克大同小異：原先都是賺錢的儲貸機構，卻被商業放款困得動彈不得，已經損失幾百萬美元，且股價大跌。

根據1990年度年報，勞倫斯公司股東權益佔資產比值尚有7.8%，不過我認為勞倫斯比艾塞克更危險。勞倫斯公司商業放款額佔21%，而艾塞克只有13%。勞倫斯在商業放款額更多（5,500萬美元），而股本更少（僅2,700萬美元）的情況下，能夠承受的犯錯空間已是微乎其微。只要有一半的商業放款成為呆帳，就把資本額吃光了。

要判斷儲貸類股值不值得熬，就是用這種方法：把股東權益總值和商業放款現額相互比較，假設最壞的情況下，推測其何去何從。

| 代碼 | 公司名稱 | 1992.1.13股價 |
|---|---|---|
| EAG | 鷹徽金融公司 | 12.06美元 |
| FESX | 艾塞克第一銀行公司 | 2.13美元 |
| GSBK | 德鎮儲蓄金融公司 | 14.50美元 |
| GBCI | 冰河銀行公司 | 11.14美元 |
| LSBX | 勞倫斯儲蓄銀行 | 1.00美元 |
| PBNB | 人民儲蓄金融公司 | 11.00美元 |
| SVRN | 至尊銀行公司 | 6.95美元 |

## 絕對不要錯過儲貸業新股上市

碰過這種好事嗎？你買了一棟房子，賣主把你的頭期款支票兌現後，又把錢悄悄地放在廚房櫃子裡，附上紙條說：「把錢留著，這本來就是你的！」你不用花半毛錢，就賺到這棟房子。

沒這種好運？沒關係，只要懂得投資儲貸業新股上市，就能碰上財神爺。雖然美國到現在已有1,178家儲貸公司上市，未來還有很多讓投資人意外驚喜的機會。

我接管麥哲倫沒多久，就發現這種好事，所以當時只要出現在即時報價系統上的儲貸類股（別名又稱「共同儲蓄銀行」），我幾乎是一網打盡！

地區性儲貸機構或共同儲蓄銀行，傳統上並無股東可言，整個機構其實是類似合作社型態，為所有存款戶共有，與某些鄉間電力公司一樣，由消費合作社主辦，為所有客戶共有。某些創設可能超過百年以上的共同儲蓄銀行，其淨值就是屬於所有各分行裡，擁有儲蓄或支票帳戶的人。

如果這種共同型態一直維持下去，雖說儲貸機構是由幾千、幾萬名存款戶共有，其實「股東」根本什麼都撈不到。其股權如果再加付1.5美元，或許可以換一瓶礦泉水吧！

然而一旦這些共同儲蓄銀行準備在公開市場出售股票，好事就來了。首先推動上市的董事，和準備買股票的人，立場是一致的，董事本身也會大量買進。

既然董事本身也會買，那上市價格會怎麼定呢？當然是低一點。

存款戶當然和董事一樣，可以用上市價格買進股票。但有趣的就在這裡，在股票釋出籌得資金後，扣掉承銷費，幾乎都會回流儲貸機構的金庫。

別種行業公司新股上市，情況可不是這樣。大部分新上市公司，可能就是創辦人或原始股東暴賺一筆，個個翻身成為億萬富翁，然後把錢匯到義大利或西班牙買華廈巨宅。但儲貸機構上市就不是這樣，上市利得不會分配給幾千、幾萬個可能同時扮演買賣雙方的存款戶，所以這一大筆錢會直接轉為儲貸機構的資本。

比方說，貴寶地的儲貸機構面值1,000萬美元，因此上市時就釋出總額1,000萬美元的股票，如果每股10美元，就是100萬股。而股票釋出所得的1,000萬美元，又回到儲貸機構的金庫，帳面價值馬上暴增一倍成2,000萬美元。因此上市價為10美元的儲貸機構，每股淨值其實是20美元！

不過也不能保證一定撿到便宜貨，你可能碰上乖乖牌儲貸機構的財神爺，也可能遇上大老千，讓你血本無歸，比方說經營得一塌糊塗，結果把資本額全虧光了。因此即使儲貸業新股上市通常萬無一失，還是要事先研究、研究，瞭解其經營狀況。

所以啦，下次經過還是共有型態的儲貸機構時，可以考慮進去開個戶，這樣保證可以用上市價買到股票。當然，你也可以等掛牌交易後從公開市場買，還是能撿到便宜貨。

不過別等太久，誤了好時機。現在華爾街已漸嗅出儲貸業新股上市有機可趁，而且1991年以來上市的儲貸類股漲勢再明顯不過了，不管到哪兒都會聽到儲貸業新股上市的消息。

1991年共有16家儲貸機構股票上市。其中兩家以上市價的四倍價格，被其他金融機構併購。另14家裡，表現最差的也上漲87%，其他至少都翻了一倍，有四家漲為三倍，一家漲為七倍，還有一家竟漲為十倍！冠軍就是密西西比州海地茲堡的梅納銀行公司（Magna Bancorp），只花32個月，就讓閣下投資翻為十倍。

1992年又有42家儲貸機構上市，其中只有聖貝拿迪諾的FS&LA第一公司股價下跌7.5%，其他均上揚，其中漲幅50%以上共38家，超過一倍者23家。想想看，這不過是短短的20個月而已。

當中有兩家漲為四倍：密西根州港市的共同儲蓄銀行（Mutual Savings Bank）和聖路易的聯合郵政銀行公司（United Postal Bancorp）。平均投資漲勢最強的五家，報酬率一共285%。即使很倒楣選到最爛的五家，到1993年9月也能賺31%，不但超過S&P 500指數的漲幅，和大多數股票共同基金相比也毫不遜色。

到1993年9月底止，又有34家儲貸機構上市，到敝人正埋頭筆耕之際的這麼短時間內，最差勁的也漲了5%，漲幅三成以上的有26家，四成者20家，五成以上的有9家（以上數據均由SNL證券公司提供）。

在美國東岸，從北卡羅萊納州的亞希波羅，到麻州的易普威治；在太平洋沿岸，從加州的帕沙蒂納，到華盛頓州的艾威雷特；中部地區，從奧克拉荷馬州的靜水市，到伊利諾州的坎喀基，再回到德州的羅森堡，各地有多少儲貸機構，都是投資大眾這輩子最好的賺錢機會。這是散戶在股市成功的絕佳良機，你不必管那些早被法人機構把持的大企業股票，只要耐心地研究住家附近的儲貸機構就行。你開立儲蓄或支票帳戶的當地儲貸機構，有哪家上市公司還會比這更靠近貴府呢？

如果你設有戶頭的儲貸機構要上市，你當然就能以上市價買到股票。不過也不是只有這個笨方法，閣下可以參加上市說明會，注意內線人士是否也忙著登記買股票，再從上市說明書檢視帳面價值、上市價本益比、盈餘水準、呆帳比率和放款品質等等，就能得到必要資訊以供判斷。這是檢視區域性企業的好機會，而且你一毛錢都不用花。要是研究之後，你不喜歡這支股票，不喜歡這家公司或它的經營方式，不要投資就好，你也沒損失什麼。

目前全美尚有1,372家儲貸機構還沒上市。注意一下，財神爺是否就在你身邊。找一家還沒上市的儲貸機構開戶，一旦上市就可以用上市價買到股票，然後坐著等它上漲就行了！

表13-1　1991年上市的儲貸公司

| 代碼 | 名稱 | 所在地 | 州 | 上市日期 | 上市價* | 1993/9/30 市價 | 漲跌幅 |
|---|---|---|---|---|---|---|---|
| MGNL | Magna Bancorp,Inc. | Hattiesburg | MS | 3/8/91 | 3.542 | 37.750 | 965.78 |
| CRGN | Cragin Financial Corp. | Chicago | IL | 6/6/91 | 6.667 | 36.375 | 445.60 |
| FFSB | FF Bancorp,Inc. | New Smyrna Beach | FL | 7/2/91 | 3.333 | 13.625 | 308.79 |
| COOP | Cooperative Bank for Savings | Wilmington | NC | 8/16/91 | 5.333 | 20.00 | 275.02 |
| KOKO | Central Indiana Bancorp | Kokomo | IN | 7/1/91 | 7.500 | 27.000 | 260.00 |
| AMBS | Amity Bancshares | Tinley Park | IL | 12/16/91 | 10.000 | 34.000 | 240.00 |
| AFFC | AmeriFed Financial Corp. | Joliet | IL | 10/10/91 | 10.000 | 33.750 | 237.50 |
| FCVG | FirstFed Northern Kentucky Bancorp,Inc. | Covington | KY | 12/3/91 | 10.000 | 30.000 | 200.00 |
| UFBI | UF Bancorp,Inc. | Evansville | IN | 10/18/91 | 10.000 | 27.750 | 177.50 |
| LBCI | Liberty Bancorp | Chicago | IL | 12/24/91 | 10.000 | 26.250 | 162.50 |
| CRCL | Circle Financial Corp. | Sharonville | OH | 8/6/91 | 11.000 | 27.250 | 147.73 |
| CENF | CENFED Financial Corp. | Pasadena | CA | 10/25/91 | 6.667 | 16.250 | 143.74 |
| KFSB | Kirksville Bancshares | Kirksville | MO | 10/1/91 | 10.000 | 21.000 | 110.00 |
| BELL | Bell Bancorp | Chicago | IL | 12/23/91 | 25.000 | 46.750 | 87.00 |
| FFBS | FedFirst Bancshares | Lumberton | NC | 3/27/91 | 10.000 | ** | |
| DKBC | Dakota Bancorp,Inc. | Watertown | SD | 4/16/91 | 8.000 | *** | |

1. 16家儲貸機構於1991年上市，其中兩家被併購，其餘14家都上漲，其中13家漲幅超過100%。
2. *上市價經分割調整。
3. 上表中有兩家已被併購：**聯邦第一儲貸（FedFirst Bancshares）於1993年1月29日以每股48美元被南方公司（Southern National）收購。
   ***達柯達銀行公司（Dokota Bancorp. Inc）於1993年6月30日以36美元被南方達柯達金融公司收購。
4. SNL證券公司表示，因Kirksville Bancshares,Inc.交易非常清淡，因此不再蒐集其資訊。

資料來源：SNL證券公司。

### 表13-2　1992年上市的儲貨機構中最好和最差的10家

| 代碼 | 名稱 | 所在地 | 州 | 上市日期 | 上市價* | 1993/9/30 市價 | 漲跌幅 |
|---|---|---|---|---|---|---|---|
| UPBI | United Postal Bancorp | St. Louis | MO | 3/11/92 | 5.000 | 28.750 | 475.00 |
| MSBK | Mutual Savings Bank | Bay City | MI | 7/17/92 | 4.375 | 23.750 | 442.86 |
| LGFB | LGF Bancorp, Inc. | La Grange | IL | 6/18/92 | 10.000 | 27.250 | 172.50 |
| RESB | Reliable Financial Corp. | Bridgeville | PA | 3/30/92 | 10.000 | 27.000 | 170.00 |
| CTZN | CitFed Bancorp, Inc. | Dayton | OH | 1/10/92 | 9.000 | 24.000 | 166.67 |
| HFBS | Heritage Federal Bancshares** | Kingsport | TN | 4/8/92 | 7.667 | 20.000 | 160.86 |
| HFFC | HF Financial Corp. | Sioux Falls | SD | 4/8/92 | 10.000 | 24.750 | 147.50 |
| ABCW | Anchor Bancorp Wisconsin | Madison | WI | 7/16/92 | 10.000 | 24.750 | 147.50 |
| AADV | Advantage Bancorp, Inc. | Kenosha | WI | 3/23/92 | 11.500 | 28.000 | 143.48 |
| AMFF | AMFED Financial, Inc. | Reno | NV | 11/20/92 | 10.455 | 25.125 | 140.32 |
| CNIT | CENIT Bancorp, Inc. | Norfolk | VA | 8/5/92 | 11.500 | 20.500 | 78.26 |
| ABCI | Allied Bank Capital, Inc. | Sanford | NC | 7/9/92 | 11.500 | 19.500 | 69.57 |
| PVSB | Park View Federal SB | Bedford Heights | OH | 12/30/92 | 10.000 | 16.750 | 67.50 |
| KNKB | Kankakee Bancorp, Inc. | Kankakee | IL | 12/30/92 | 9.875 | 16.500 | 67.09 |
| BASF | Brentwood Financial Corp. | Cincinnati | OH | 12/29/92 | 10.000 | 16.250 | 62.50 |
| MIFC | Mid-Iowa Financial Corp. | Newton | IA | 10/13/92 | 10.000 | 16.000 | 60.00 |
| FDNSC | Financial Security Corp. | Chicago | IL | 12/29/92 | 10.000 | 14.750 | 47.50 |
| COLB | Columbia Banking System** | Bellevue | WA | 6/23/92 | 8.875 | 12.000 | 35.21 |
| FFML | First Family Federal S&LA | Eustis | FL | 10/9/92 | 6.500 | 7.500 | 15.38 |
| FSSB | First FS&LA of San Bernardino | San Bernardino | CA | 12/30/92 | 10.000 | 9.250 | -7.50 |

*上市價經分割調整。**屬於新列入公司。

資料來源：SNL證券公司。

表13-3　1993年上市的儲貸機構中最好和最差的10家

| 代碼 | 名稱 | 所在地 | 州 | 上市日期 | 上市價* | 1993/9/30 市價 | 漲跌幅 |
|---|---|---|---|---|---|---|---|
| WAYN | Wayne Savings & Loan Co. MHC | Wooster | OH | 6/23/93 | 10.000 | 19.875 | 98.75 |
| FSOU | First Southern Bancorp | Asheboro | NC | 2/24/93 | 10.000 | 18.500 | 85.00 |
| JSBA | Jefferson Savings Bancorp | Baldwin | MD | 4/8/93 | 10.000 | 17.000 | 70.00 |
| MARN | Marion Capital Holdings | Marion | IN | 3/18/93 | 10.000 | 17.000 | 70.00 |
| CGFC | Coral Gables Fedcorp, Inc. | Coral Gables | FL | 3/31/93 | 10.000 | 16.750 | 67.50 |
| HFSB | Hamilton Bancorp. Inc | Brooklyn | NY | 4/1/93 | 10.800 | 17.500 | 62.04 |
| CASH | First Midwest Financial | Storm Lake | IA | 9/10/93 | 10.000 | 15.750 | 57.50 |
| FDEF | First Federal Savings & Loan of Definance | Defiance | OH | 7/21/93 | 10.000 | 15.250 | 52.50 |
| MORG | Morgan Financial Corp. | Fort Morgan | CO | 1/8/93 | 10.000 | 15.000 | 50.00 |
| LFCT | Leader Financial Gorp. | Memphis | TN | 9/30/93 | 10.000 | 14.875 | 48.75 |
| FFWD | Wood Bancorp, Inc. | Bowling Green | OH | 8/31/93 | 10.000 | 13.250 | 32.50 |
| FFEF | FFE Financial Corp. | Englewood | FL | 8/26/93 | 10.000 | 13.250 | 32.50 |
| ROSE | TR Financial Corp. | Garden City | NY | 6/29/93 | 9.000 | 11.500 | 27.78 |
| KSBK | KSB Bancorp, Inc. | Kingfield | ME | 6/23/93 | 10.000 | 12.750 | 27.50 |
| FBHC | Fort Bend Holding Corp. | Rosenberg | TX | 6/30/93 | 10.000 | 12.500 | 25.00 |
| SCBN | Suburban Bancorporation | Cincinnati | OH | 9/30/93 | 10.000 | 12.500 | 25.00 |
| TRIC | Tri-County Bancorp | Torrington | WY | 9/28/93 | 10.000 | 12.250 | 22.50 |
| COSB | CSB Financial Corp. | Lynchburg | VA | 9/24/93 | 10.000 | 13.125 | 21.25 |
| ALBC | Albion Banc Corp. | Albion | NY | 7/23/93 | 10.000 | 11.250 | 12.50 |
| HAVN | Haven Bancorp | Woodhaven | NY | 9/23/93 | 10.000 | 10.500 | 5.00 |

*上市價經分割調整。

資料來源：SNL證券公司。

# 14 兩合公司的責任有限股權

## 有利可圖的好買賣

兩合公司的責任有限股權，也是華爾街忽略的賺錢玩意兒。聽到「有限股權」（limited partnership），不少人會想起慘痛教訓。過去美國有太多的有限股權陷阱，讓成千上萬名投資人受騙上當。這些兩合公司以避稅優惠為餌，吸引許多人投資石油和天然氣、房地產、電影、農場、墳場開發等等，結果當然是血本無歸，或許一開始就老實繳稅比較划算。

因為長期以來一直有這些地雷，連帶使得公開掛牌交易的合夥股權（master limited partnership, MLP）受到誤解。其實股票上市的兩合企業，兢兢業業，將本求利，不是光想和國稅局鬥智，讓自己賠掉老本。目前美國各證券交易所中，共有100多支MLP股票，每年我都能找到一、兩支黑馬股。

買MLP股票，手續上比較麻煩，多一些單據作業，報稅表格也和一般不同。不過跟以前相比，現在可省事多了，因為公司方面會派人代為處理部分瑣事。每年公司會寄函確認股東持有股份及異動狀況。

不過光是這樣也夠麻煩了，讓不少投資人敬而遠之，尤其是基金管理人更不願投資有限股權。嘿！如果能讓這些MLP股票更沒人買，就算買賣時要填寫梵文表格，我也願意。如果沒人感興趣，MLP股價自然漲不起來，這樣一來，可就處處有獎！

兩合公司分散各個行業，有打籃球的（波士頓Celtics隊就是MLP），也有正經八百挖石油的。例如，「服務大亨」（Service Master）經營大樓管理及清潔服務工作，太陽經銷公司（Sun Distributors）賣汽車零件，賽達園育樂公司開遊樂場，而EQK綠畝田公司則在長島經營購物中心。

儘管這些MLP公司名字聽來平平無奇，從事產業和現在的高科技文明相比，似乎也不夠高檔。然而「賽達園」（Cedar Fair）聽來就像英國文豪薩克雷（W.M. Thackeray）的小說，*而綠畝田也頗具珍．奧斯汀（Jane Austen）的味道。縱使哈代（Thomas Hardy）描寫達特莫（Dartmoor）地區的小說中有人名為坦尼拉（Tenera），我也不意外。

這些公司的名字怪異而浪漫，經營事業則是一步一腳印，一點也不好高鶩遠，企業組織也相當扎實，所以要多些單據作業，也挺合理的。要投資MLP股票，必須具備相當的想像力，可是有想像力的投資人，往往難以忍受拉拉雜雜的單據作業。但是少部分有耐心的投資人，會緊盯目標不放，最後必然大有收穫。

MLP公司和一般企業最大的不同，在於MLP公司所有盈餘，都會以

---

*譯註：指薩克雷的小說《名利場》（*Vanity Fair*）。

股息發放或股本攤還的方式，全部分給股東。一般而言，MLP公司的股息特別高，若以股本攤還名義發放，部分金額免課聯邦稅。

MLP股票公開上市，早在1981年即有數家，不過大部分要到1986年稅法修正後。然而根據稅務規定，到1997至1998年附近，MLP公司將喪失免稅優惠，到時只有房地產和天然資源開發的MLP公司還能吸引投資人，其他怕是乏人問津了。相同狀況下，每股盈餘1.8美元的MLP股票，到1998年適用新稅法，每股盈餘會縮水為1.2美元。不過現在還沒關係。

我最喜歡的MLP股票，大都在紐約證券交易所上市。1991年我向《巴隆週刊》推薦EQK綠畝田和賽達園育樂公司，隔年我又推薦太陽經銷公司。以下分別說明緣由。

## EQK綠畝田公司

EQK綠畝田公司，是伊拉克入侵科威特，美國股市大跌後，才引起我的注意（EQ代表示合夥人公正壽險，K則是克拉夫可公司）。當時綠畝田上市四年，上市價為10美元，最高曾漲到13.75美元。不過1990年夏天，中東局勢吃緊，綠畝田也跌到9.75美元，那時大夥都以為購物中心，甚至是整個零售業都完了。股價為9.75美元時，綠畝田殖利率高達13.5%，與某些垃圾債券不相上下。不過跟垃圾債券比起來，綠畝田可安全多了，最大資產就是長島的大型室內購物中心。

綠畝田不但股價有上漲的機會，而且經營者也握有許多股票。同時獲利能力極佳，上市以來每季都有股息配發。

這些點點滴滴我都記得，當然是因為以前操作麥哲倫時，我就曾經買過綠畝田的股票。最初是富達公司的基金經理人威廉斯（Stuart Williams）跟我報的明牌。不過綠畝田絕非鮮為人知，長島那個地方人口眾多，綠畝田那家購物中心方圓五哩，起碼有75萬人住在那兒，誰都知道綠畝田大有可為。

我最喜歡逛購物中心研究股票。我親自到綠畝田的購物中心，還買了一雙鞋，這裡生意真的不錯。全美目前大概只有450家像這樣的室內購物中心，而且大家都以為購物中心愈來愈多，其實並未增加多少。若要設立與此相同規模的購物中心，首先市場地盤就很難找，況且要有92英畝的大片空地做停車場，可不容易！

設備簡陋的購物場到處都有，但正規的室內購物中心自有其吸引力。如果你認為室內型購物中心還是會賺錢，而且也想投資購物中心，那麼唯一上市的就是綠畝田，而且該公司心無旁騖，全力經營長島的購物中心。

購物中心老闆最傷腦筋的，就是店面租不出去。所以我看年報時，最先留心的就是店面閒置率。當時美國購物中心業者的店面閒置率平均為4%，但綠畝田更低。若是內線人士（我是說當地居民），每週都能親自去調查一番。對綠畝田這麼低的閒置率，我已經很滿意了。

此外，華德本超市（Waldbaum's）和皮嘉盟家用品（Pergament Home Center），都準備到那裡開店，對綠畝田的租金收入必有助益。而1992至1993年間，中心內有三分之一的店面都提高了租金，表示未來盈餘一定會增加。

至於會讓人困擾的，是負債比率相當大（所有負債都要在1997年償還完畢），股價本益比高，以及購物中心最怕的經濟衰退等。不過這些問題都不大，至少短期內不用擔心，綠畝田股息很高，股價也已回跌，而本益比高是MLP股票的特性。

我正在挑選1992年推薦股時，綠畝田股價又回升為11美元，若把殖利率和資本利得合併計算，1991年綠畝田投資總報酬率超過20%。這樣還有啥問題？可是我又檢查一次，覺得情況似不太妙。由於年底銷售旺季表現不佳，店面租金稍有回軟（租金是由銷售額抽取一定比率）。如果各店銷售不佳，購物中心的租金收入必受影響。

也許這不是綠畝田個別的問題，而是所有購物中心，所有零售業者都面臨相同困境。如果同業都陷於不景氣，則景氣總有回升之日，但若是大夥幹得有聲有色，只有某家公司苦苦掙扎，就得留神了。可是非常不幸的，綠畝田第三季季報中有段聲明，讓我十分介意，該公司表示可能廢止每年提高股息的慣例。

雖然只是小小動作，可千萬別忽視，我在第2章就提過了。像綠畝田這種連續13季提高股利的公司，當初如此堅持，必有其理由。但現在不管是為了省一毛錢，或省10萬美元而打破慣例，可能後頭還有更糟的消息！

還有一個讓我有所保留的，卻是聽到一個「好」消息。綠畝田自稱正與西爾斯百貨和JC潘尼百貨接觸，準備擴大二樓營業面積，租給這家公司。但是，接觸、談判或交涉，並不等於簽約敲定。如果綠畝田的聲明是說已和這兩家百貨公司簽訂合約，那我絕對大力敲進股票，能買多少就買多少。但一切都在未定之數，就靠不住了。

想利用利空消息做股票，非常不簡單。俗話說：「砲聲一響就敲進（即股價下跌時買進），勝利號角一吹就賣出（股價上漲時出脫）。」可是這話也會害死人，因為情勢可能更趨惡化。就拿當年新英格蘭銀行為例，有多少人沿路套牢呢？股價從40美元跌到20美元時，匆忙搶進。後來跌到10美元，再進。再跌為5美元，再進。但又跌到1美元，最後全成廢紙，投資人眼睜睜看著血汗錢化為烏有！

反觀有利多才買進股票，長期則屬穩健做法。當利多逐漸實現時，閣下股票也逐步上翻。以綠畝田和西爾斯、JC潘尼為例，若在傳聞階段不進場，等宣布簽約才買進，或許每股要多花1美元。但該消息若真是利多，長期必能帶動股價上揚；反之若情況有變，觀望反具保護作用。最後我決定暫緩推薦綠畝田，靜待後續發展。

## 賽達園育樂公司

賽達園是我在1991年推薦的第二支MLP股票，該公司擁有兩家遊樂場，一家是俄亥俄州伊利湖畔的賽達點（Cedar Point），另一為明尼蘇達州的山谷園（Valley Fair）。開放時間從5月到9月的勞動節，秋季則只有週末營業。

賽達點遊樂場有十種雲霄飛車，其中之一叫「大酒瓶」，讓你經驗全世界最高的自由落體刺激，還有一個全世界最大的木結構雲霄飛車。我書房牆上就掛了一幅雲霄「木」車的海報。這張海報及房利美華盛頓總公司的照片，是唯一可和小女的美勞作品以及家庭照一起掛在牆上的東西。

賽達點已成立一百二十年，一百年前即設置雲霄飛車。曾有7位美國總統蒞臨，美式橄欖球大宗師洛克李（Knute Rockne）曾在此暑期打工，據說他就是在此訂下限制向前傳球（forward pass）的規定。賽達點特別設個牌子，說明確有其事。

經營遊樂場，一般而言相當穩定。如果是製造抗愛滋藥劑的企業，可能因為別人推出新藥，市場總值就暴跌一半。可是，有人會偷偷摸摸，花5億美元在伊利湖畔蓋雲霄飛車，和賽達點競爭嗎？

持有遊樂場股票，還有一個附帶好處，就是每年來「調查」幾次也不厭倦，起碼比石油公司有趣多了。你大可心安理得地試試摩天輪，為雲霄飛車做做「基本分析」，這都是「研究」股票啊！找不到藉口來遊樂場的大人，還有什麼比這更棒的理由？

而且我還想到，距離賽達點三小時車程的居民，約達600萬之數。如果經濟不景氣，這600萬人可能決定不去法國度假，改到賽達點住幾天，玩玩世界之最的雲霄飛車。那麼即使經濟不景氣，賽達園還是可以賺錢。

1991年賽達園股價由11.50美元漲到18美元，若再加上配股，投資報酬率超過60%。1992年初，我正考慮賽達園股票是否還值得買？殖利率8.5%還算不錯，但不管目前股利有多高，除非公司能持續提高盈餘，否則並無未來可言。

投資人在年底要對手中股票重新思考一番，對已持有的股票再次檢視，看看這家公司明年表現是否會比今年好。要是一點利多都找不到，你幹嘛抱著這支股票呢？

正因有疑慮，所以直接去電和總裁金澤（Dick Kinzel）確定。散戶要和總裁搭上話可能不容易，不過還是能從股東公關部要到資料。其實能直接跟經營者接觸，並不代表自己多有能耐。在賽馬場上，認識馬主或許讓你覺得高人一等，不過還是一樣賭輸。那些心存偏見的馬主，總相信他的馬最好，但失誤率有九成哪！

以我一貫迂迴作風，我不會開門見山地問：「準備怎麼提升盈餘？」我問他關於俄亥俄州的天氣、當地高爾夫球場狀況、克利夫蘭和底特律景氣如何，以及夏天打工的人好不好找等等。等暖夠了身，我才會轉入重要問題。

過去幾年每次我打電話到賽達園，總會聽到些新鮮事，對提升盈餘大有幫助。1991年世界最高的雲霄「木」車開張，當然對盈餘極具助益。但是1992年除了旅館區擴大外，並無其他新的遊樂設施。據過去經驗研判，1991年新設雲霄飛車，提高當年度盈餘，但往往隔年遊園人數反而會降低。

結果在和金澤的對話中，我找不到賽達園在1992年更上一層樓的潛力，兩相比較之下，我認為太陽經銷公司更有搞頭。

## 太陽經銷公司

太陽經銷公司是在1986年，從太陽石油公司（Sun Oil）獨立出來的。不過太陽經銷跟太陽能無關，主要賣汽車玻璃、玻璃板、隔熱玻璃、電纜、鏡子、擋風玻璃、夾扣（fastener）、球承軸，以及營建商和汽車修理廠使用的油壓設備等。這些玩意挺無聊的，也許連商學院畢業生也會睡著。金融分析師寧可數屋頂有幾片瓦，也比追蹤汽車零件股有趣多了。

據我所知，多年來持續追蹤太陽經銷的，只有惠特證券公司（Wheat First Securities）一位名為派恩（Karen Payne）的女分析師，不過不曉得怎麼回事，其分析報告到1990年4月突然中斷。1991年12月23日我打電話給太陽經銷總裁馬歇爾（Don Marshall）時，他也說不知道派恩為何不見了。

諸位看倌，這也是太陽經銷的利多——現在華爾街沒人注意這家公司。

執掌麥哲倫兵符時，我當然買過太陽經銷的股票，1991年底太陽經銷股價再次回落，所以我又盯上它。太陽經銷的股票分為A、B股，A股可領高額股利，B股則沒有，兩種都在紐約證券交易所掛牌交易。比起一般MLP股票，太陽經銷顯然更麻煩，股票分兩種，還有一堆文件作業。不過派恩小姐在最後報告中鼓勵我們：「太陽經銷財務結構雖顯複雜，其實只是一家單純而經營良好之企業。」

而A股除了可以領到高額股息外，股價幾乎不會上漲。現在A股每股10美元，等MLP協定到期，太陽經銷回購所有A股，還是以10美元買回。因此股價波動，就全看B股表演了。而1991年B股表現其差無比，股價跌了一半，由原來的4美元跌到2美元。

根據派恩小姐的最後研究，席爾森雷曼證券公司（Shearson Lehman）持有52%的B股，而太陽經銷和席爾森之間訂有協定，未來某日太陽經銷有權以特定價格，向席爾森買回一半股權（即26%）。這個協定必然足以刺激公司派再接再厲，努力把公司搞好，把股價哄上去。12月23日我打電話到太陽經銷，再兩天就聖誕節，總裁馬歇爾照樣坐鎮公司裡面，我認為這家公司有搞頭了，他們玩真的！

馬歇爾不是奢靡浮華、虛張聲勢之輩，其生平事蹟當然不會讓《浮華世界》（*Vanity Fair*）之類的媒體注意到，倒是有本書《服務優勢》（*The Service Edge*）曾提過他。馬歇爾在經營上非常重視支出，因此除非在特別困難的一年，公司表現還是很好，否則主管是沒啥紅利可分的。總之幹得好才有獎，身分地位不算數。

對於太陽經銷的調查重點，跟所有股價大跌的公司一樣：太陽經銷能不能撐下去？股價大跌真的有其因，或者是受投資人故意製造虧損賣出以節稅所累？

太陽經銷仍具獲利能力，因為還有盈餘。從1986年脫離母公司自立門戶之後，每年都見盈餘，即使是1991年玻璃業普遍低迷，太陽經銷還是賺了錢，同年電子零件業不景氣，其液壓系統部門生意如常，該公司也沒有大肆宣揚。不過我知道，這是因為太陽經銷把成本壓得很低，才能撐過艱困期，等競爭對手紛紛不支倒地，他就等著坐享市場復甦了。

怎麼知道太陽經銷經營成本很低？損益表就寫得一清二楚的（參見表14-1）。以銷貨成本除以銷貨淨額求出銷貨毛利（即銷貨營

## 表14-1　太陽經銷損益表

（單位：千美元，股利部分除外）

| | 1990 | 1989 | 1988 |
|---|---|---|---|
| 銷貨淨額 | $594,649 | $561,948 | $484,376 |
| 銷貨成本 | 357,561 | 340,785 | 294,640 |
| 毛利 | 237,088 | 221,163 | 189,736 |
| 營業費用： | | | |
| 銷貨、一般及行政費用 | 187,762 | 175,989 | 151,784 |
| 一般股東管理費 | 3,300 | 3,300 | 3,300 |
| 固定資產折舊 | 5,899 | 6,410 | 7,024 |
| 分期攤銷 | 4,022 | 3,920 | 3,282 |
| 總營業費用 | 201,013 | 189,649 | 165,420 |
| 營業收入 | 36,075 | 31,514 | 24,316 |
| 利息收入 | 352 | 283 | 66 |
| 利息費用 | (12,430) | (12,878) | (11,647) |
| 其他收入 | 173 | 678 | (384) |
| 稅前盈利 | 24,170 | 19,597 | 12,951 |
| 稅金 | 1,024 | 840 | 637 |
| 淨利 | $ 23,146 | 18,757 | $ 12,314 |
| 股東淨利分配 | | | |
| 一般股 | $231 | $188 | $123 |
| A股 | $ 13,820 | $ 18,569 | $ 12,191 |
| B股 | $ 9,095 | — | — |
| 股利 | | | |
| A股 | 11,099,573股 | 11,099,573 | 11,099,573 |
| B股 | 22,127,615股 | 22,199,146 | 22,199,146 |
| 每股收益 | | | |
| A股 | $1.25 | $1.67 | $1.10 |
| B股 | $0.41 | — | — |
| 股利 | | | |
| A股 | $1.10 | $1.10 | $1.10 |
| B股 | $0.48 | $0.29 | — |

利），兩年都是約60%，而且銷貨淨額持續成長，整體利潤也隨之提升。銷貨毛利60%表示100美元營收，可獲利40美元，這在所有玻璃、夾扣等經銷商中，算是頂尖的了。

太陽經銷資本支出也相當少，優點項再加一分！對大型製造業而言，資本支出可不容小覷，例如鋼鐵廠一年營收或有10億美元，但資本支出就花了9.5億美元。不過地方上賣擋風玻璃及備用零件的經銷商，就沒有這種問題。太陽經銷每年資本支出大約300萬到400萬美元，相較其營收只是小意思！

在停滯性產業中，能努力壓低成本，等其他奢靡成性的對手倒下，再順利佔領其市場，太陽經銷幾乎可算是「沙漠之花」型的企業。若非其本質上為MLP股票，我真想在「沙漠之花」那章專題討論。

而更重要的，甚至比盈餘更須注意的，是現金流量。任何併購活動頻繁的企業，我一定特別注意其現金流量。從1986年以來，太陽經銷已併購36家相關企業，並接掌實際經營，以壓低成本擴大利潤。這就是太陽經銷不斷壯大自己的策略。馬歇爾表示，他們的目標是成為販售金屬線、夾扣、玻璃及其他相關產品的超級雜貨店！

當一家公司出售時，成本價通常比帳面價值高，其溢價部分即稱為「商譽」，資產負債表就有這個科目。

根據1970年以前的會計法規，收購主支付的商譽金額，不必逐年由盈餘扣抵攤提。依舊法規，某X公司收購Y企業，X公司能把Y企業總價直接列為資產，大大方方載明於資產負債表上。然而這種做法不夠透明，如X公司出價太高，股東完全蒙在鼓裡，永遠不曉得買下Y企業，到底能否撈回本。

為了解決這個問題，執掌會計法規的大人先生決定修改舊章，要求收購主在列明有形資產後，其溢價部分須單獨列入「商譽」科目，為盈餘減項，分數年攤提。

這個盈餘減項，其實只是紙上作業，使財務報表上的盈餘數字，比實際金額小。因此進行併購的企業，通常會影響帳面上的獲利能力，連帶使投資人低估其股價。

以太陽經銷公司而言，等著沖銷的商譽共5,700萬美元，因此讓盈餘大為縮水，A、B股每股盈餘只剩1.25美元，但實際上卻是這個數字的兩倍！那麼不能列為盈餘的那些錢到哪去了？就稱為自由現金流量。

自由現金流量高，讓公司在營運上更具彈性。太陽經銷公司負債比率相當高，約總資本的60%，因此現金流量對之特別重要。不過總算讓我鬆口氣，因為其現金流量高達應付利息的四倍。

在經濟正趨成長之際，太陽經銷可以利用現金流量那些錢去擴張，夠它買下4,100萬美元的企業。不過馬歇爾表示，1991年經濟不景氣，他們緊縮併購活動，準備把現金流量用以償債，減輕利息負擔。如果把現金流量全部用來還債，太陽經銷目前1.1億美元，利率9.5%的負債，就能在兩年內清償完畢。而他們顯然是準備這麼做！

萬一情勢更糟，太陽經銷也可以賣掉部分併購企業，如汽車零件廠等，以進一步減輕債務壓力。

併購活動暫時停止，可能影響其盈餘不再像以前一樣快速成長，但對其財務結構卻大有好處，資產負債表變得更漂亮。公司方面決定減輕債務壓力，即代表經營者勇於面對現實，我相信太陽經銷能夠活下去，以後還會進行更多併購活動。

太陽經銷在不景氣時撐得下去，一旦景氣好轉，其前途就不可限量了。最後MLP協定到期，整個企業清算，1,100萬股的A股就依協定，以每股10美元取回原投資金額。而回購A股之後所剩的任何資產，就由2,200萬股的B股均分，到時每股可能分到5美元或8美元。如果有8美元，就是原始投資金額的兩倍。

## 坦尼拉公司

坦尼拉公司（Tenera Limited Partners）狀況不少。特別是1991年夏天最慘，股價從9美元暴跌為1.25美元。坦尼拉經營電腦軟體和相關顧問服務，就是那種我既不瞭解，也不太信任的高科技產業，而所謂的「顧問服務」到底是啥，也讓人難以安心。坦尼拉的大客戶，都是核能發電業者，以及一些聯邦政府的建設包商。

打了幾通電話後，股價為何慘跌就搞清楚了。原來坦尼拉跟它的衣食父母，即聯邦政府有點小口角。聯邦政府指坦尼拉某些服務索價太高，因此取消部分合約。更慘的是，坦尼拉耗資數百萬美元開發一套電廠專用軟體，原來希望能賣到全世界，但銷售情況遠不如預期。

在一連串打擊下，坦尼拉被迫大量裁員，部分重要幹部，包括總裁戴維斯（Don Davis）都辭職不幹了。至於堅守崗位留下去的人，情況也是一團糟，顧問業界的競爭同業則對坦尼拉的客戶施以統戰陰謀，大肆宣揚坦尼拉的醜事。

1991年6月，坦尼拉宣布不配發股息，表示要「花很長時間」，才能回復過去每季20美分的股息。

我不是故意要把坦尼拉捧得多高，但它竟沒有半毛負債，的確讓我刮目相看。坦尼拉不但沒有負債，而且也沒有高額費用要支付。既然如此，就不可能馬上倒閉。坦尼拉的優勢是，零負債，也沒有資本支出（當顧問要啥資本支出？不就一張桌子，一台算顧問費的計算機和一支電話），此外還有普受業界稱揚的核能服務部門，萬一清算當值不少錢。

在1991年之前的四年，坦尼拉每股盈餘維持在77美分到81美分間。即使現在遇到困難，坦尼拉獲利能力還在，未來或許難以回復每股80美分的獲利，但如果能賺40美分，股價應該就值4美元才對。

再者，以坦尼拉目前的慘況，我並不指望其盈餘表現，真正該算計的是各項資產的潛在價值。如果坦尼拉走上拍賣之途，我想每股價值會超過1.5美元，而且坦尼拉沒有負債和費用支出，所以扣除法律費用後，全部都歸股東均分。

如果坦尼拉能稍稍解決一點問題，股價必然大幅反彈；要是什麼問題也解決不了，看在重挫分上，也會小反彈，意思意思。至少，我是這麼想的。

坦尼拉現在聘請戴爾（Bod Dahl）來主持中興重任，戴爾以前在電信業服務時，我曾見過他。我參加巴隆座談前一晚，戴爾在紐約和我搭上線。戴爾表示，在六個月到一年內，坦尼拉營運應有轉機，而且公司內部人員也緊抱持股不放。我想這支股票還是有前途的。

| 代碼 | 公司名稱 | 1992.1.13股價 |
| --- | --- | --- |
| SDP.B | 太陽經銷L.P.（B股） | 2.75美元 |
| TLP | 坦尼拉L.P. | 2.38美元 |

# 15 景氣循環類股

經濟一旦陷於不景氣，基金經理人就會想逢低承接景氣循環類股，例如煉鋁、鋼鐵、造紙、汽車、化工及航空業等，這些產業隨景氣興衰高低起伏，跟四季變化一樣有跡可循。

可是基金經理人老是想搶先一步，在旁人還不注意時，先搭上景氣循環的特快車。似乎華爾街的投資專家，介入時間愈來愈早，股價隨之波動，結果讓景氣循環類股愈來愈難捉摸。

對大多數股票而言，低本益比屬利多，但景氣循環類股卻非如此。本益比太低，表示公司已走到景氣頂峰，粗心大意的投資人可能覺得景氣狀況還是很好，公司也繼續在賺錢，當然該緊抱持股。然而榮景不常，精明的投資人早在股價暴跌之際，翻多為空，提早下車了。

股票若逢沉重賣壓，股價只會往下掉，本益比也跟著降低。對一些投資菜鳥而言，此時低價的景氣循環類股非常有魅力，可是這種錯覺，代價十分昂貴。

經濟成長到達頂峰後，很快會反向萎縮，相關產業盈餘萎縮的速度，更讓你喘不過氣來。於是投資人開始驚慌殺出，股價直線重挫。如果閣下錢太多，想很快賠掉一半，在盈餘創新高、本益比創新低時買進景氣循環類股，準能如你所願。

相反地，本益比太高，對多數股票均屬利空，但對景氣循環類股或許算好消息。本益比高，有時代表公司已撐過衰退期，景氣復甦在即，未來盈餘水準會超過分析師的預期，另一方面也可能是基金經理人開始逢低吸納，才刺激股價上揚。

投資景氣循環股，要有先見之明才能捷足先登，所以很不簡單。最常見的情況就是，買得太早，熬不住，只好又認賠，白做苦工。想操作景氣循環類股，必須對相關產業有些瞭解（銅、鋁、鋼鐵、汽車、造紙等都一樣），能抓住景氣脈動。假使你是水管工人，對銅管價格很熟，操作菲爾道奇公司的股票，自然比那些企管碩士來得順手。那些蛋頭頂多只知道菲爾道奇的股價「看來偏低」，就匆忙搶進，其實什麼也不懂。

我操作景氣循環股，獲利還算不錯，每次經濟陷於不景氣，我就特別注意這些股票。在下生性樂觀，不管外界多悲觀，報上頭條標題多可怕，我總認為風水輪流轉，景氣必有好轉之日，非常樂意在股價跌到谷底時進場。當所有情況都糟到無以復加的程度，景氣就會開始反轉。如果是一家財務結構健全的循環業者，一旦景氣復甦，公司獲利必能逐漸上升，股價也會跟著絕地大反攻。所以彼得定理第19條是：

> 除非你在拋空，或故作憂鬱想釣個富家女，否則悲觀是賺不到錢的。

## 菲爾道奇公司

前面已經提過，我本想趁房地產反彈，搶進住宅建商的股票，可惜慢了一步，很多人已經坐在上頭等我抬轎。不過大家並不曉得，煉銅業也開始復甦了。其實在1992年1月，要我不注意菲爾道奇這支股票也不容易，因為它的股價真的很低。為此我特別向水管工請教一番，肯定過銅管價格確在上漲。

其實1991年，我就曾推薦菲爾道奇，不過一年來股價幾乎都沒動。股價長期橫盤，並非就不值一顧，有時反而該加碼才對。比方說1992年1月2日，我再次檢視菲爾道奇一年來的經營，就發現整個情況比去年還好！

以前菲爾道奇公司設在紐約時，我常去拜訪。後來他們遷到亞利桑那州，我只得透過電話，和該公司董事長兼執行長伊爾利（Douglas Yearly）保持聯絡。

過去和菲爾道奇的接觸，我多少學了點煉銅常識，知道銅是價值比較高的大宗商品。例如銅就比鋁稀有，地底下含鋁量相當高（精確地說，有8%），而且容易開採。銅礦不但少得多，而且愈挖愈少！礦區因採不到銅，或被洪水淹了，一家家關門大吉。挖銅礦可不是生產洋娃娃，找幾個人，加條生產線就成了。

環保法規日趨嚴格，也是美國煉銅廠愈來愈少的主因，許多業者永遠離開銅市。目前不但美國煉銅廠不足，其實全球都開始面臨同樣問題。過去住在煉銅廠下風處的居民，現在想必重拾清新空氣，而菲爾道奇眾股東們，對此趨勢也一定很滿意，因為該公司仍控有很多煉銅廠，而競爭對手正逐漸消失。

雖然銅貨需求短期內有點低迷，但我認為後市看好。全球開發中國家，包括前蘇聯各共和國等，莫不致力改善電信品質，在這個資本化的世界中，沒有電話簡直是寸步難行。

傳統電信系統就需要大量的銅線，除非這些剛起步的小老弟人手一支大哥大（豈有此理？），否則一定是銅市常客。跟已開發國家相比，開發中國家的銅貨需求相當迫切，這就代表銅價「錢」途亮晶晶！

菲爾道奇股價走勢，就是典型的景氣循環股模式。1990年景氣回檔前，菲爾道奇每股盈餘6.5美元，當時股價在23美元到36美元間遊走，因此本益比很低，只有3.5至5.5倍。1991年經濟陷於不景氣，每股盈餘縮水為3.9美元，股價也由原先的39美元高檔，下跌為26美元。股價並未繼續探底，代表有許多投資人看好菲爾道奇的長期後市，或者他們認為景氣可能提早復甦。

景氣循環股最重要的關鍵，是財務結構夠不夠健全，能讓公司撐到景氣回升。我翻開手中最近一期的1990年年報，當時菲爾道奇的股東權益與公司資產為16.8億美元，而當年度總負債（再扣除現金部位）只有3.18億美元，所以不管銅價多少（當然啦，一文不值就麻煩了），菲爾道奇絕不可能破產。可能很多體質不夠強健的同業關門大吉，捲鋪蓋走路時，菲爾道奇連增資都不用。

## 表15-1　菲爾道奇公司聯合資產負債表

（除股票面值外，單位為千美元）

| | 1990/12/31 | 1989/12/31 |
|---|---|---|
| **資產** | | |
| 流動資產 | | |
| 現金及短期投資（照成本） | $161,649 | 12,763 |
| 應收帳款，扣除呆帳備抵（1990年－$16,579; 1989年－$11,484） | 307,656 | 346,892 |
| 存貨 | 256,843 | 238,691 |
| 庫存 | 95,181 | 84,283 |
| 預付費用 | 17,625 | 8,613 |
| 流動資產 | 838,954 | 691,242 |
| 投資及長期應收帳款 | 93,148 | 79,917 |
| 土地及廠房設備（淨值） | 1,691,176 | 1,537,359 |
| 其他資產及遞延費用 | 204,100 | 196,109 |
| | $2,827,378 | 2,504,627 |
| **負債** | | |
| 流動負債 | | |
| 短期債務 | $43,455 | 92,623 |
| 長期負債當期應付帳款 | 32,736 | 33,142 |
| 應付債款及應計費用 | 362,347 | 307,085 |
| 所得稅 | 51,193 | 46,197 |
| 流動負債 | 489,731 | 479,047 |
| 長期債務 | 403,497 | 431,523 |
| 遞延所得稅 | 110,006 | 67,152 |
| 其他負債及遞延貸款 | 116,235 | 156,743 |
| | 1,119,469 | 1,134,465 |
| **子公司少數股東權益** | 24,971 | 20,066 |
| **普通股股東權益** | | |
| 普通股每股面值6.25美元，核准發行1億股。扣除在庫股數3,152,955股（1989年－2,975,578股）34,441,346股在外流通*（1989年－34,618,723股） | 215,258 | 215,367 |
| 資本溢價 | 268,729 | 281,381 |
| 保留盈餘 | 1,269,094 | 917,848 |
| 累計匯率折算及其他 | (70,143) | (65,500) |
| 股東權益 | 1,682,938 | 1,350,096 |
| | $2,827,378 | $2,504,627 |

$479 萬負債
－ 161 萬現金
＝ 318 總負債

很明顯不會倒嘛！

## 表15-2　菲爾道奇公司聯合現金流量表

| | 1990 | 1989 | 1988 |
|---|---|---|---|
| **營業活動** | $454,900 | 267,000 | 420,200 |
| 淨收益 | | | |
| 淨收益自營業項中調整為現金流量： | | | |
| 折舊、折耗及攤銷 | 132,961 | 133,417 | 116,862 |
| 遞延所得稅 | $50,918 | (53,670) | 70,323 |
| 證券投資之未分配獲利 | (5,280) | (8,278) | (15,807) |
| 非生產資產及其他之備抵 | — | 374,600 | 50,000 |
| 營業現金流量 | 633,499 | 712,979 | 641,578 |
| 營業現金流量調整為營業活動淨現金： | | | |
| 流動資產／負債之異動 | | | |
| 應收帳款減少（括弧內為增加） | 42,115 | 76,850 | (69,278) |
| 存貨減少（增加） | (24,700) | 11,394 | (26,706) |
| 庫存減少（增加） | (9,713) | (2,801) | (6,344) |
| 預付費用減少（增加） | (10,565) | 1,778 | 6,986 |
| 應付利息增加（弧內為減少） | (983) | (2,958) | (918) |
| 其他應付債款增加（減少） | 35,016 | (38,816) | (6,770) |
| 所得稅增加（減少） | 2,702 | (11,292) | 14,687 |
| 其他應計費用增加（減少） | 23,500 | 24,898 | (2,031) |
| 其他調整 | (48,995) | (27,833) | (8,413) |
| 營業活動淨現金 | 641,876 | 744,199 | 542,791 |
| **投資活動** | | | |
| 資本支出 | (290,406) | (217,407) | (179,357) |
| 利息資本化 | (1,324) | (1,529) | (6,321) |
| 子公司投資 | (4,405) | (68,797) | (253,351) |
| 資產處理利得 | 3,155 | 5,131 | 35,413 |
| 投資活動淨現金 | (292,980) | (282,602) | (403,616) |
| **財務活動** | | | |
| 負債增加 | 19,124 | 79,830 | 184,727 |
| 債務支出 | (98,184) | (114,244) | (235,048) |
| 回購普通股 | (21,839) | (141,235) | (30,371) |
| 特別股股利 | — | (4,284) | (15,000) |
| 普通股股利 | (103,654) | (454,307) | (29,202) |
| 其他 | 4,543 | 13,102 | 1,959 |
| 財務活動淨現金 | (200,010) | (621,138) | (122,935) |
| **現金及短期投資增加（減少）** | 148,886 | (159,541) | 16,240 |
| **年初現金及短期投資** | 12,763 | 172,304 | 156,064 |
| **年終現金短期投資** | 161,649 | 12,763 | 172,304 |

由於菲爾道奇從事多角化經營，因此我特別請教伊爾利。據他表示該公司在黑煙末（可製印刷油料）、電磁線和卡車輪胎等都經營得很不錯，而該公司控有72%股權的蒙大拿州採金業者峽谷資源公司（Canyon Resources），很可能就是搖錢樹。

這些轉投資事業，在不景氣時（1991年）每股盈餘可能不及1美元，但景氣好轉時就可能高達2美元。以本益比五到八倍來估算，這些轉投資事業對股價的貢獻，應該有10美元到16美元。單單是採金事業預料每股就值5美元。

大企業的轉投資事業常有許多隱藏資產，我常用這種方法估算其價值。此法非常實用，任何閣下想投資的股票，都可以拿來試驗一下，即使發現副業比本業有價值，也沒啥大驚小怪的。

仔細閱讀年報，就能掌握該公司有多少轉投資事業，同時也能瞭解各自盈虧情況。把每個轉投資事業的年度盈餘，乘以一般本益比水準（景氣循環股一般為八至十倍，若盈餘水準很高時為三至四倍），即能大略推算其市值。

以菲爾道奇而論，如果採銅事業每股值5美元，其他轉投資值10美元到16美元，而菲爾道奇股價目前為32美元，那麼投資其煉銅事業，不是只要11到17美元而已嗎？

許多工業業者有資本支出浮濫的致命傷，所以我特別注意菲爾道奇的資本支出，幸好沒啥大問題。1991年菲爾道奇花了2.9億美元，改善廠房和設備，這筆錢還不到現金流量的一半。

年報顯示現金流量共6.33億美元，比資本支出和股息發放加起來還多，即使1991年不景氣，現金流量還是超過資本支出。總之，進多出少總是好的。

菲爾道奇公司的礦區及相關設備也都相當完善，不像某些電腦公司每年要花很多錢，開發新產品或淘汰舊貨。菲爾道奇的礦場維護並不用花很多錢，也不像鋼鐵業者為與國外低價鋼品競爭，須投下鉅資提升產能。

不過，除資本支出和轉投資事業外，對菲爾道奇最重要的，還是銅價行情。據年報指稱，該公司年產銅貨11億磅，因此銅價每磅只要上漲1美分，稅前盈餘就會增加1,100萬美元，以目前在外流通7,000萬股計算，每股稅後盈餘可增加10美分。所以銅價若每磅漲50美分，每股盈餘即增加5美元。

因此若能掌握未來銅價變化，必能成為菲爾道奇的專家。雖然我不知道銅價未來怎麼走，但我認為因為1990至1991年的不景氣，銅價已跌到谷底；未來一旦翻升，菲爾道奇股東就是大贏家，等著數鈔票囉！

## 通用汽車公司

大夥常以為汽車類股是績優股，其實這是典型的景氣循環產業。買支汽車股，然後抱個二十五年，就像坐飛機越過阿爾卑斯山一樣，雖然還是會賺錢，但絕不如親自爬上爬下，掌握每一波段的行情來得有賺頭。

1980年代，克萊斯勒、福特及其他汽車股屢屢成為麥哲倫的最大投資部位。但1987年時，我覺得1980年代初期開始的購車熱潮已近尾聲，因此我開始出脫汽車股。果然，1991年開始不景氣，汽車股也從天價回檔五成之多，汽車業一片低迷，車商的展示場門可羅雀，卡車經銷商生意簡直淡出個鳥來。就是在這種情況下，我決定回頭搞搞汽車股。

除非有人發明家用汽墊船，不然美國人的最愛還是汽車。而汽車嘛，大家遲早都得換，不管是看膩了，還是已經爛到從鏽蝕底盤直接看到路面。即使像我一直死守那輛1977年出廠的AMC Concord，現在也蠢蠢欲動了。

1980年代初期我買了很多汽車股，但當時美國汽車銷售盛況已不復當年，年銷量由1977年的1,540萬輛，衰減為1982年的1,050萬輛。銷售量當然可能再降，但總不致降到零。而且現在大多數州政府規定汽車必須每年檢驗，舊車總有禁止上路之日，駕駛人不可能死守叮噹作響的老爺車。

不過車商現在推的五年期貸款新花招，對汽車業景氣回升確有妨礙。過去購車貸款為三年期，三年內車主若換新車，舊車還能抵掉貸款餘額。但五年期貸款可不成，開了四、五年後，舊車已值不了多少，根本不夠抵繳餘款。不過，這種不良的貸款方式，總會改變的。

中古車行情，可視為汽車股的投資訊號。中古車若降價，表示賣得不好。如果中古車都賣不出去，新車一定更慘。但中古車漲價時，即預示汽車業後勁十足。

不過我認為「潛在需求」（units of pent-up demand）是更可靠的指標。潛在需求指標（參見表15-3），在克萊斯勒汽車公司出版的《企業經濟人》（*Coporate Economist*）找得到。這本刊物頗有內容，值得一看。

表中第二欄為實際年銷售量（單位千輛），第三欄為預估銷售量，這是根據人口統計數字、前一年銷售量、汰換車齡等因素估算而

**表15-3　美國汽車及卡車銷售量、實銷量及預估值**（單位：千輛）

| 年度 | 實銷量 | 預估值 | 差額 | 潛在需求 |
|---|---|---|---|---|
| 1960 | 7,588 | 7,700 | (112) | (112) |
| 1970 | 10,279 | 11,900 | (1,621) | (2,035) |
| 1980 | 11,468 | 12,800 | (1,332) | (1,336) |
| 1981 | 10,794 | 13,000 | (2,206) | (3,542) |
| 1982 | 10,537 | 13,200 | (2,663) | (6,205) |
| 1983 | 12,310 | 13,400 | (1,090) | (7,295) |
| 1984 | 14,483 | 13,600 | 883 | (6,412) |
| 1985 | 15,725 | 13,800 | 1,925 | (4,487) |
| 1986 | 16,321 | 14,000 | 2,321 | (2,166) |
| 1987 | 15,189 | 14,200 | 989 | (1,177) |
| 1988 | 15,788 | 14,400 | 1,388 | 211 |
| 1989 | 14,845 | 14,600 | 245 | 456 |
| 1990 | 14,147 | 14,800 | (653) | (197) |
| 1991 | 12,541 | 15,000 | (2,459) | (2,656) |
| | | 估算值* | | |
| 1992 | 13,312 | 15,200 | (1,888) | (4,544) |
| 1993 | 14,300 | 15,400 | (1,100) | (5,644) |

資料來源：克萊斯勒公司。

*彼得．林區估算。

雖然1992年實銷輛數高於1991年水準，潛在需求還是相當大，預料市場要四至五年才會消化完畢。

得。而實銷量和預估值的差數，就是「潛在需求」。

1980至83年美國經濟不景氣，大家當然盡量省錢，結果四年間汽車實銷量累計落後估計值700萬輛，表示這段時間消費者共延後購車700萬輛，預報汽車市場即將復甦，果然在1984至1989年實銷量就超前估計值780萬輛。

連續四、五年實銷量低於預估值後，也要花四、五年才能把潛在需求消化完畢。如果不瞭解個中奧妙，可能就會太早下轎。比方說1983年汽車景氣開始好轉，年銷售量剛由1,050萬輛，翻升為1,230萬輛，股價初步攀升後，你若以為景氣利多已反映完畢，而把福特或克萊斯勒股票賣掉，必定讓你捶胸頓足、懊喪不已。若注意到實銷量和預估值多年乖離，就曉得潛在需求已累積700萬輛以上，一直要消化到1988年，需求才會由盛轉疲。

1988年是出清汽車股的好時機，當時80年代初期累積的潛在需求已經消化完畢，五年內共賣出了7,400萬輛，未來銷售最可能轉疲，而非持續上揚。果然在1988年景氣普遍看好之際，汽車銷售量還是降低100萬輛左右，硬把汽車股往下拉。

1990年開始，潛在需求又逐步累積，到現在已有兩年實銷量不及預估值，如果這種情況持續不變，預料到1993年底，潛在需求會累積到560萬輛，成為1994到1996年間汽車業景氣回升的動力。

能掌握汽車業景氣週期還不夠，還得選對公司才行，知道哪家公司在景氣回升時獲利最多。即使跟對產業，但挑錯股票，照樣會賠錢。

1982年景氣回升之際，我的研究心得是：①此時正宜敲進汽車股；②克萊斯勒、福特和富豪汽車公司，獲利能力均優於通用汽車。通用汽車為美國最大汽車製造商，但不見得獲利最高。雖然通用汽車在生產、銷售及財務方面都無可挑剔，但這家龍頭企業傲慢自大、目光短淺、安於現狀、不思突破。

就以我個人經驗來說，有次通用公司股東關係室某職員要帶我去研發中心，那個研發中心跟大學校園一樣大，他卻找不到！結果我們浪費了好幾個小時才到達。就是這麼糟，如果股東關係室的人連公司設施配置圖都不看，其他部門還會好到哪去？

通用股票在1980年代更讓投資人失望透頂。這十年內通用股價才漲兩倍，而以1982年谷底起算，克萊斯勒股價五年漲50倍，福特股價也漲為17倍。到1980年代末，大家都曉得通用已是紙老虎，這個曾經是美國汽車業的金字招牌，早被日本人踩在腳下！

不過做股票，就別太在意過去的歷史，也不該死守某種刻板想法，要懂得隨時調整自己。當年通用股價開始回軟時，華爾街都認為這家公司體質強健，未來獲利可期。但股價跌到1991年時，華爾街已漸死心，認為通用公司各方面都很差，後市淒涼！雖然我對通用股票並不特別熱中，我還是認為華爾街矯枉過正，和先前高估通用一樣，都是錯誤的。

我們就拿克萊斯勒的慘綠少年時來參考。1982年克萊斯勒公司像個舉步維艱，搖搖欲墜的巨人，而現在的通用和當年的克萊斯勒差不多，唯一差別是1992年通用公司資產負債表，猶勝於1982年的克萊斯勒，其他則完全一樣：同樣是不知如何製造好車的大企業，銷售者和投資大眾對之信心全失，都大量裁員，都曾紅遍半邊天，又瀕臨瓦解。

就是這些接二連三的利空逆襲，讓我注意到通用公司。在看過通用1990年第三季營運報告後，就曉得挖到寶了。當時投資大眾都把注意力放在通用疲軟的國內汽車市場，卻不曉得通用即使在美國不能賣出更多車子，照樣有賺錢管道。通用最賺錢的，是它的歐洲營業部、融資事業（GMAC），再加上休斯航太（Hughes Aircraft）、戴爾可（Delco）和電子資訊系統公司（Electronic Data Systems，這得感謝EDS創始人羅斯・裴洛〔Ross Perot〕）。

通用公司只要能在美國市場打平不賠錢，光靠各項優異的轉投資事業，1993年每股盈餘就有6到8美元，本益比若為八倍，股價即達48到64美元間，遠超過目前水準。若再有景氣復甦做靠山，在美國市場也能有所斬獲，每股盈餘可望增為10美元。

通用關掉好幾家工廠，裁掉許多員工，對撙節支出也很有好處，關掉的當然就是獲利最差的。通用實在不用跟日本車商斤斤計較，雖然市場佔有率從40%降為30%，讓通用極感憂慮，其實若能壓低成本、降低開銷（正進行中），即使只有25%的市場佔有率，汽車部門照樣賺得嘎嘎叫！

就在我認為通用後市大有可為那週，報上剛好報導通用幾款新車贏得數項大獎，其中包括飽受輕視的凱迪拉克車系，這次又讓專家刮目相看。此外，卡車看來不錯，中型車也很好，而且通用公司現金充裕，足可一展身手。既然通用已是山窮水盡疑無路，任何驚喜當然是柳暗花明又一村！

| 代碼 | 公司名稱 | 1992.1.13股價 |
| --- | --- | --- |
| GM | 通用汽車公司 | 31.00美元 |
| PD | 菲爾道奇公司 | 32.50美元 |

# 16 虎落平陽的核電廠

## CMS能源公司

1950年代公用事業股一度獨領風騷，但此後最大吸引力只剩下優渥股息。對需要固定收入的投資人而言，公用事業股長期上比銀行定存單更具投資效益。定存單只是本金和利息，但公用事業股每年配息不但可能持續增加，而且還有資本利得（即股價價差）。

即使近年來美國各地電力需求不如以往，但在電力股方面，還是有幾支股票表現優異，例如南方公司（Southern Company；五年中由11美元漲到33美元）、奧克拉荷馬天然氣暨電力公司（Oklahoma Gas and Electric；13美元漲到40美元）及費城電力公司（Philadelphia Electric；9美元漲到26美元）等。

我在麥哲倫時，公用事業股投資部位偶爾會高達10%，此時通常是利率持續走低，而經濟成長開始翻湧之際。我把公用事業股看成「利率」循環類股，乘利率起落之勢，進出公用事業股。

不過我操作最順的公用事業股，通常是那些突然陷入困境或有大麻煩的公司。在富達公司任職的時候，美國三哩島核能事件爆發，我就從大眾公用公司（General Public Utilities，GPU）大賺一筆，新罕布夏大眾服務公司（Public Service）的公司債，我賺得更多。其他還有長島照明公司（Long Island Lighting）、墨西哥灣電力公司（Gulf States Utilities），以及已改名為恩特奇（Entergy）的中南公用事業公司（Middle South Utilities）等，都是我「趁火打劫」的對象。而中南公司改名字，讓我想到彼得定理第20條：

> 企業跟人一樣，若非結婚才改名字，不然就是惹過啥大麻煩，希望大夥全忘了。

剛剛提到那幾家公司，都是因核電廠出問題，或因蓋核電廠致週轉不靈，而名噪一時。投資人若感染輻射恐懼症，相關業者股價當然就垮了。

我在艱困類股中，操作公用事業股會比一般公司順手，是因為公用事業再不濟，都還有政府在後頭撐腰。發電廠股息當然也會縮水，甚至宣布破產倒閉，然而電力為生活必需，電廠無論如何都會撐下去。

從電力、瓦斯的費率、公用事業的盈餘比例，到重大虧損是否得以轉嫁消費者，全都由政府來決定。既然公用事業幾乎各方面都要仰政府鼻息，一旦發生困難，政府總不能坐視不管。

最近我注意到納維斯特投資銀行集團（Natwest Investment Banking Group），有三位分析家（拉莉〔Kathleen Lally〕、凱勒尼及史密斯〔Philip Smyth〕）對公用事業股研究相當深入。其中，我和凱勒尼相識多年，他是十分優秀的分析師。

這三位深入探索後，得出一套「公用事業危機週期」的獨家心得，並舉了四個實例來說明、引證其理論：1973年美國對伊朗施以貿易禁運，刺激油價暴漲，愛迪生聯合公司（Consolidated Edison）週轉失靈；投資核電廠，致財務出問題的恩特奇；蓋好核電廠，卻拿不到使用執照的長島照明；以及三哩島核電二廠的老闆GPU——他們出的紕漏可是遠近馳名。

這四支出問題的股票均呈重挫，跌勢之猛令人聞之色變。有些投資人驚慌殺低，等股價反彈，甚至最後回升四、五倍，當然更「鬱卒」，而那些膽大包天逢低承接的幸運傢伙正在開香檳慶祝呢！再次證明別人的成功常是閣下的失敗，而他人失敗正是你的快樂。據納維斯特三劍客研究，公用事業股起死回升的過程可分四階段，在這期間逢低介入的機會多得很。

第一階段是危機爆發期，公司因成本突然增高，來不及轉嫁給消費者（如愛迪生聯合公司因油價暴漲），或某大額資產遭凍結，無法正常營運獲利（通常是核電廠），使公用事業業者盈餘銳減，股價一、兩年內可能就下跌四成到八成，愛迪生聯合公司股價1974年裡，就從6美元跌為1.5美元，恩特奇在1983至1984年，從16.75美元跌為9.25美元，GPU股價1979至1981年由9美元跌到3.88美元，長島照明在1983至1984年由17.5美元跌到3.75美元。大夥都以為公用事業股最是穩當安全，詎料也會重挫大跌，真把大家嚇壞了。

很快地，剛打入敗部的公用事業股，股票市價總值大約只有帳面價值的二到三成。股價所以重挫，是因為華爾街擔心這家公用事業業者可能遭受重擊後就此不起，特別像價值數十億美元的核電廠若出問題，絕非一般企業承受得了。至於要多久才能敗部復活，則各家不一，有些可能得熬相當久，例如長島照明一度瀕臨破產，股價連續四年僅及淨值三成。

第二階段是危機處理期，業者開始裁減支出，緊縮預算以應付橫逆，其中一個方法就是降低股利或停發，這時業者情況看來還有救，但投資人早都嚇軟了，股價不會反映此一利多。

第三階段為財務穩定期，業者已嚴格控制成本，整個體系足以仰賴用戶收入正常運作。資金市場或許仍不願提供貸款，業者也無法替股東多掙一毛錢，但公司毫無疑問可以存活下去。此時股價稍見回升，約為淨值的六至七成，前兩階段大膽搶進者，此時已獲利一倍。

第四階段就是重現江湖，公用業者恢復獲利，華爾街認為盈餘將獲改善，股利也會恢復發放。至於重現江湖後，公用業者能否回復舊觀，甚至進一步大展身手，主要看兩個關鍵：①資金市場的接受度。若缺乏資金，業者難以擴充營運，增加用戶；②主管機關的支持度，亦即能否調高費率，反映更多成本。

如圖16-1到16-4所示，為上述四支公用事業股股價走勢，閣下顯然不必急著殺進殺出，就能賺很多錢。大可等到情況緩和，悲觀預期不攻自破再進場，股價還是能漲兩、三倍。

在公司宣布不發股利時逢低敲進，然後等利多獲利了結，不然就是在第二階段的處理期，第一次有好消息出現時進場。投資這種股票最常見的情況，就是股價才剛反彈一段，大家就以為行情已經過了，例如股價跌到4美元又反彈為8美元時，許多投資人就大打退堂鼓，以為早已錯失良機。其實核電廠出紕漏是天大的問題，要恢復過來會花很長一段時間，所以錯過最低價沒啥好扭扭捏捏的。

跟歌劇不同的是，核電廠出問題比較可能喜劇收場。所以操作艱困公用事業股很簡單，宣布不發股利，股價大跌後逢低承接，等恢復發放時，閣下就等著數鈔票就是了。這種方法成功率絕佳。

1991年夏天，納維斯特三劍客又報了五支艱困公用事業股明牌（灣州公司〔GS〕、伊利諾電力〔Illinois Power〕、尼加拉摩霍克

**圖16-1　愛迪生聯合公司月線圖**

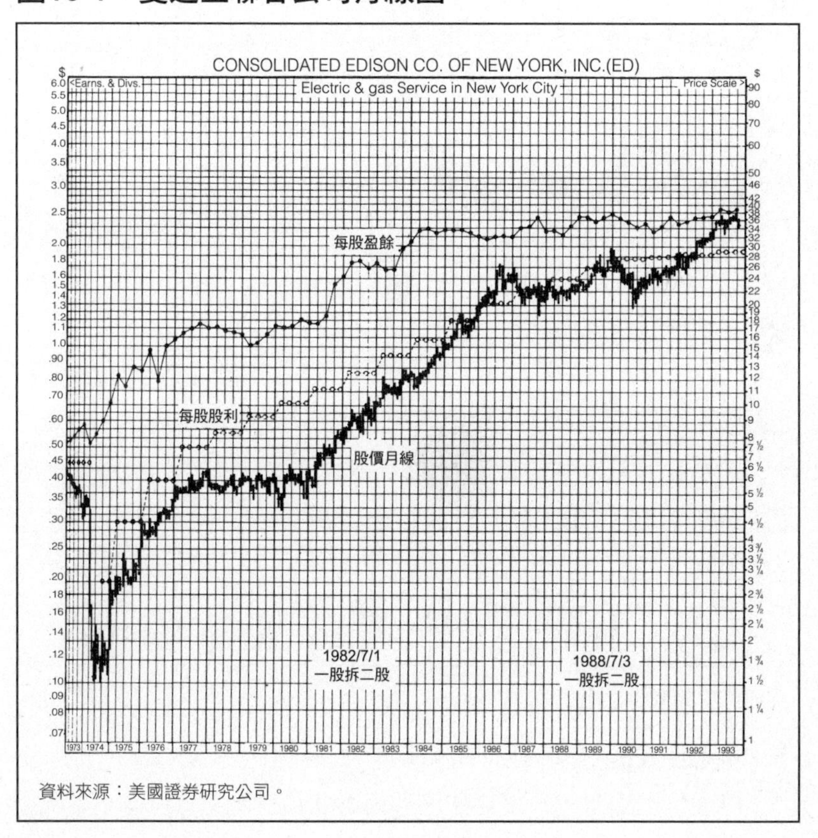


資料來源：美國證券研究公司。

## 圖16-2 恩特奇

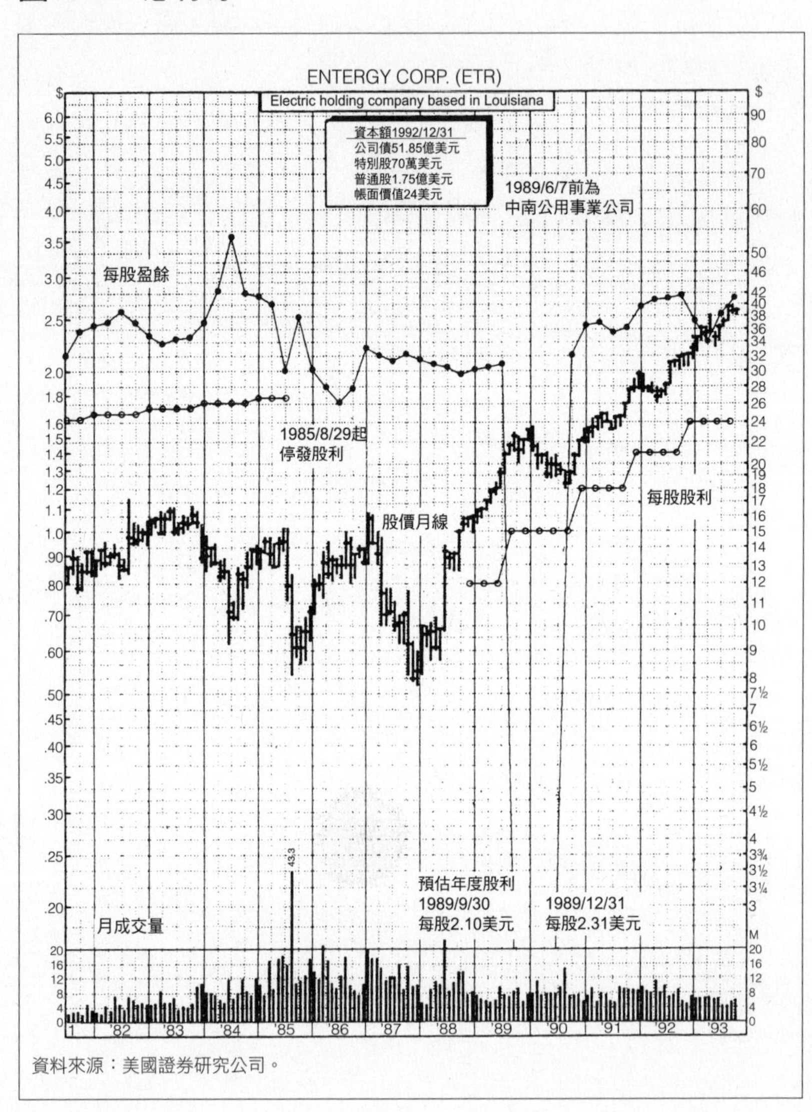


資料來源：美國證券研究公司。

## 圖16-3　長島照明公司

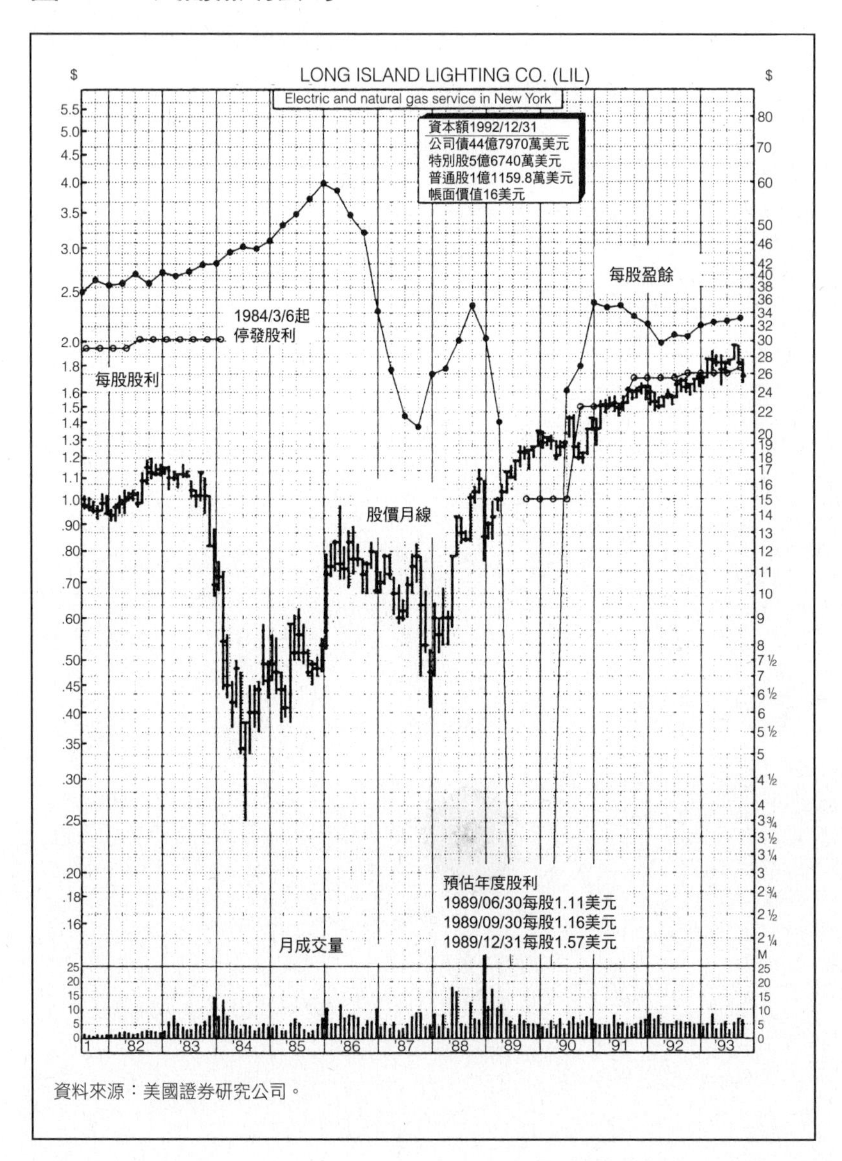


資料來源：美國證券研究公司。

〔Niagara Mohawk〕、西峰〔Pinnacle West〕和新墨西哥大眾服務公司〔PSC〕），這五家公司分別在敗部求生的不同階段，每支股價都低於淨值。不過敝人另有所見，在《巴隆週刊》推薦的是CMS能源公司（CMS Energy）。

CMS能源原名為密西根消費電力公司（Consumers Power of Michigan），蓋了米德蘭核電廠後，就決定易名行走江湖，當然是

## 圖16-4　通用公共事業公司

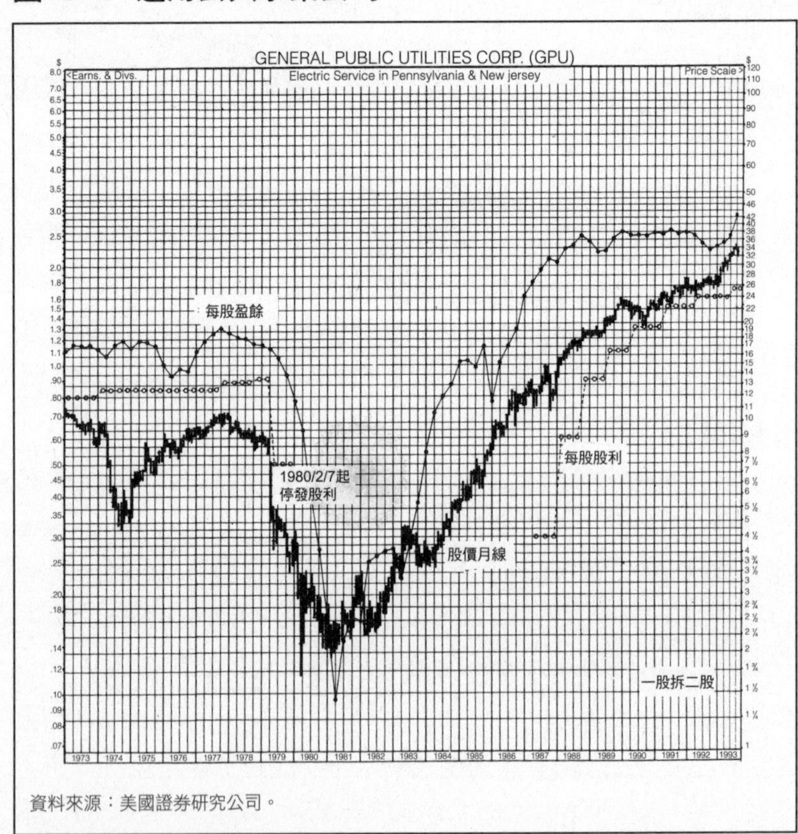


資料來源：美國證券研究公司。

希望股東把核電廠這碼事給忘了。這支股票過去都在20多美元，1984年10月宣布停發股利，不到一年股價就跌到谷底，每股只剩4.5美元。

當年的消費電力公司（即CMS能源）申請設立核電廠，興建計畫也經州電力委員會核准。於是該公司投下大筆資金，以為完成後政府一定批准啟用，而當地電力委員會也一向支持興建核電廠。結果政府在最後一刻撒手，消費電力遭此重創，真是一敗塗地。

蓋了核電廠又不准啟用，消費電力就得提列投資損失40億美元。而華爾街衰衰諸公，紛紛預言消費電力公司快倒囉！

但終究還是撐下來了，1980年代末CMS公司把英雄無用武之地的核電廠，改為天然氣發電廠（由CMS的最大客戶——道氏化學公司協助）。雖然這個天然氣電廠造價未免太高，總比提列40億美元損失划算多多。氣電廠於1990年3月正式運轉，等於每千瓦耗資1600美元，總比一瓦都沒來得好，發電狀況也相當不錯。於是股價開始回升，一路漲回36美元，五年翻九倍。不過最近密西根大眾服務委員會幾項費率決策，都對CMS公司不利，股價再跌為17美元，這時候我注意到這支股票。

CMS的情形最初是由富達特殊狀況基金經理人法蘭克跟我說的，他曾研究過好幾家出問題的核電廠。經法蘭克深入調查後發現，CMS問題是因為管理機關搞鬼，這種情況股價不該下跌五成。

1992年1月6日，我跟CMS新總裁福萊林（Victor Fryling）搭上線，幾年前他在海岸（Coastal）能源油管公司時，我就認識他。福萊林向我透露幾項有利發展，首先是米德蘭電廠改以天然氣發電後，每千瓦發電成本僅6美分，不但低於核電廠的13.3美分，也低於新式火力發電廠的9.2美分。米德蘭電廠正是低成本事業單位，好極了。

其次，密西根州電力需求已連續成長十二年，即使1991年經濟不景氣，全州用電量仍增加1%。而為了維持尖峰用電時段，CMS公司發電預備產能僅19.6%，以電力業而言相當低。儘管電力需求持續增加，美國中西部最近新電廠卻興建不多，而一家新電廠從興建到真正運轉，再快也得六年，拖得久可能要十二年。此外該區有些老電廠，已屆退休年限。念過一點點經濟學的都曉得，當供不應求時，價格就會上升，而漲價就代表獲利增加。

興建核電廠失利，不但讓CMS公司陣腳大亂，而且留下大筆負債。為了把核電廠改為氣電廠，CMS公司發行10億美元公司債以為融資（市場對這批公司債頗具信心，公開發行後價格即見上揚），另外CMS也曾發行5億美元的長期公司債，幸好到期日都在十年以後。如果企業高額負債，你絕不希望有人馬上來要債。

當時CMS公司的利息支出可不少，不過我從資產負債表得知，現金流量足以支應這筆錢。我把盈餘加上設備折舊金額，除以總股數，發現每股現金流量還有6美元。由於CMS公司發電設備都相當新，維修費不會太高，所以列於折舊項下的資金，就能善加利用，如股票回購、併購其他公司或增發股利，這些做法都對股東大有好處。我個人比較中意股票回購和增發股息兩種做法。

我問福萊林準備如何支配這筆資金，他指CMS公司打算擴建氣電廠，並改善輸電管線，提高效率。這兩項都能提升發電產能，根據訂定費率主管單位提供的計算公式，如果發電產能提高一成，獲利也會增加一成。所以公用業者增建電廠（當然得拿到營運許可才行），或以其他方式提高產能，股東當然都樂觀其成。

我們也談到CMS公司在厄瓜多和柯諾可公司（Conoco）之共有土地發現石油一事。CMS預計1993年著手開採，如果一切都按照計畫順利進行，CMS公司1995年石油利潤可達2,500萬美元，平均每股20美分。福萊林也指出，CMS子公司電力集團（Power Group）所有的幾家電廠最近雖在賠錢，但1993年可望轉虧為盈。

CMS公司原本準備提供經驗，協助長島照明公司把因政策問題停擺的索漢（Shoreham）核電廠，改為天然氣發電。但因主管當局作梗，協助計畫已在1991年告吹。

出問題的公用事業能否起死回生，最後全看主管機關是否願意鬆手，讓業者能把損失轉嫁給用戶。不過就CMS公司來看，主管的密西根州委員會，顯然不願讓CMS太好過。該委員會曾連續訂出三項偏低的費率，來修理CMS公司，而且拒絕該公司把氣電廠發電成本全額轉嫁給消費者。

最近密西根州委員會改組，CMS公司認為新委員會比較「友善」一點。雖然只是不那麼敵視CMS公司，已是謝天謝地了。而且新委員會最近公布的研究報告，也不再窮追猛打，建議對CMS公司做些讓步，不久委員會就會投票決定。

如果CMS公司這次能獲得委員會的支持，預料下一年度每股盈餘可達2美元，高於華爾街預估的1.3美元，而且未來也會穩定成長。這就是我推薦這支股票的原因。

事實上，投資CMS公司也絕非只是在賭密西根州委員會的態度而已。長期而言，不管CMS公司未來和主管機關相處融洽與否，都難以阻擋該公司邁向成長之路。挾龐大現金流量之利，CMS必然再度躋身優秀企業之列，到時融資成本自可降低。

這次投票若所有議案都對CMS公司有利，則每股盈餘可望有2.2美元，否則也尚有1.5美元，但不管怎麼樣，長期是一定會成長的。如果委員會故意限制盈餘比率，那麼CMS公司也可運用手上資金，設法提高發電產能，從內部來壯大自己。推薦之時股價為18美元，仍低於淨值，因此獲利潛力大而風險低。

要是閣下不喜歡CMS能源公司，最近正在走楣運的新墨西哥大眾服務公司也值得研究一番。不然亞利桑那州更倒楣的土孫電力公司（Tucson Electric）也很適合，其股東關係室最近一定有空接待諸位。

| 代碼 | 公司名稱 | 1993.1.13股價 |
|---|---|---|
| CMS | CMS能源公司 | 18.50美元 |

# 17 山姆叔叔大特賣

## 第二代聯盟資本公司

如果遇上國營企業民營化，官股釋出，不管是美國還是英國政府大特賣活動，我都盡量參加。以民營化活動而言，現在不那麼大的大英帝國，可是超越美國不少，幾乎各個產業都有，從自來水廠到航空公司，應有盡有。倘若放任美國財政赤字持續膨脹，總有一天我們要把國家公園、甘迺迪太空中心，甚至連白宮的玫瑰園民營化，才能籌到錢來支付國債利息。

民營化的概念其實頗為奇特，原本屬公眾共有之物再賣給公眾，就成私有財產。但從實際立場來看，美、英政府官股釋出，就是投資大好良機。

原因很簡單。民主國家的執政黨為了保有政權，無不卯足勁，全力拉攏選民，而投資人不正是選民嗎？內閣官員為求連任早已疲於奔命，萬一遇上一堆被電話公司或天然氣公司套牢的選民大爺，哪吃得消！

英國政府1983年剛推動民營化時，馬上學到教訓。當時兩家民營化先鋒，英國石油公司（Britoil）和愛默宣國際公司（Amersham International）上市價過高，之後股價未升反降，激起廣大民怨。此後當局小心翼翼，慎訂上市價，投資人就不太容易吃暗虧了，至少不會上市就套牢。英國電信公司（British Telecom）上市時，300萬人搶著敲進，才第一天就漲一倍，難怪保守黨一直不下台。所以彼得定理第21條是：

不管英國女王賣什麼，都接！

幾年前，有英國代表團到富達公司找我，提出一份很棒的投資案。他們自稱是某某勳爵、某某公爵，帶來一大捆國營自來水集團的民營化說明書，說明書設有編號，好像限量發行的珍貴善本。封面上還分別印上民營後新公司的標誌和名字，像諾森自來水公司（Northumbrian Water）、塞文特倫（Severn Trent）、約克夏自來水公司（Yorkshire Water）、威爾斯自來水公司（Welsh Water PLC）等等。

當時麥哲倫已經參加過英國電信（當時最大規模的民營上市案；40億美元）和英國航空公司（British Airways）的上市狂歡節，可是從沒想過投資自來水公司也這麼有賺頭。自來水公司當然是獨佔事業，全世界都一樣，而投資獨佔事業是再好不過的了。英國各地自來水公司民營化前，政府也吸收大部分債務，以求順利上市。

這些英國的自來水公司上市時，大都沒有什麼負債，再加上政府給的豐厚嫁妝，當然都能踏出成功的第一步。自來水公司也計畫以十年為期，逐步改善供水系統，資金來源一部分還是靠政府，其他則提高費率讓用戶負擔。

英國代表表示，英國水費很便宜（每年100英鎊），就算調高一倍，用戶也不會抱怨。就算抱怨又怎樣？不高興別用嘛！這當然不可能，英國用水需求每年增加1%。

這些自來水公司也訂出分期購股方式，跟買汽車、音響一樣，先付四成頭期款，餘款可分12個月或20個月繳清。英國電信公司上市時，就以這種方式來吸引投資人，上市價為30美元，但投資人只要先付6美元，一旦股價漲到36美元，投資人若獲利了結，投資報酬率百分之百。

當英國電信公司上市時，我並沒想通這種繳付部分股款方式有啥好處。當時英國電信股價一路急飆，我還覺得奇怪，後來知道部分繳款的妙處後，英國佬搶成一團確有其理！現在自來水公司也準備如法炮製了。

除只須繳付部分股款外，自來水公司也預定發放8%股息，亦即以四成股款買了股票，一年後還能領到投資總價8%股息，如果依照實際繳付的股款計算，光這12個月投資報酬就高達20%。

既然當局已經使出渾身解數，英國自來水公司股票上市必然十分搶手。上市前英國保留部分股票，向美國的基金和其他法人機構兜售，我的麥哲倫基金當然不放過任何機會，分配到的每一股都要，上市後還在倫敦交易所大肆收購，三年後這四支自來水公司股票都漲了一倍。

事實上其他民營化的英國企業股票，表現也都跟自來水業者一樣好，甚至上市才半年、一年股價就漲一倍。參見表17-1，任何投資人都能利用民營化股票猛撈一票。

而不管是哪裡，菲律賓、墨西哥或西班牙，只要有電信公司民營化，絕對不要放過！各國政府都努力改善電信品質，開發中國家電話需求量尤其大，所以電信公司每年都能成長兩成到三成。這些電信公司成長率跟小型成長類股一樣，企業規模和穩定性跟績優股不相上下，而且還有獨佔利益的保障。要是閣下沒趕上1910年的AT&T，1980年代末的西班牙、墨西哥電信公司，還是能讓你有所彌補。

麥哲倫基金就在墨西哥電信公司上賺很多錢。你不用到墨西哥，也知道投資其電信公司一定大賺。要發展經濟，一定要有良好的電信品質，這跟交通運輸系統一樣重要。當局也很清楚，電信業者資金充裕，管理完善，才能維持良好通話品質，而公司、股東一起賺錢，才能吸引更多資金進入墨西哥（表17-2是開發中國家電信公司上市後的情況）。

至1990年為止，全球的國營企業民營化總值2,000億美元，以後只

**表17-1　英國女王的大拍賣投資**

| 公司名稱 | 發行日期 | 一年後漲幅（%） |
|---|---|---|
| 英國航空公司 | 2/81 | 103.0 |
| 英國瓦斯公司 | 12/86 | 194.0 |
| 英國鋼鐵公司 | 12/88 | 116.0 |
| 英國電信公司 | 11/84 | 200.0 |
| 諾森自來水公司 | 12/89 | 75.9 |
| 賽文特倫公司 | 12/89 | 54.6 |
| 威爾斯自來水公司 | 12/89 | 76.9 |
| 約克夏自來水公司 | 12/89 | 74.4 |

資料來源：Data Stream。根據美國市場行情計價。

會更多。法國已把電力公司、火車公司賣了，蘇格蘭賣了水力發電廠，西班牙和阿根廷都把石油公司賣了，而墨西哥也賣了航空公司。有一天，英國還會再賣鐵路和港口，日本賣子彈列車，韓國賣國營銀行，泰國賣航空公司，希臘賣水泥公司，葡萄牙賣電話公司。

美國國營企業很少，因此民營化上市案比國外少得多，美國的石油、電話和電力公司一開始就是民營的。最近金額最大的民營上市案，就是聯合鐵路公司（Consolidated Rail Corporation）。聯合鐵路原由破產的賓州中央鐵路公司（Penn Central）和其他五家同病相憐的鐵路業者合併而成。美國政府接手聯合鐵路公司多年，一共虧掉70幾億美元。後來雷根政府裁定，民營化才是解決之道。

當時部分政治團體傾向於由鐵路同業來接手，其中諾福克南方公司（Norfolk Southern）最有可能。但國會數次討論後，主張開放給公眾參與的民主派佔上風。1987年3月聯合鐵路公司正式股票上市，以總額16億美元創下美國史上最大民營化紀錄。為求順利上市，官方花大錢整修鐵路及諸多設備，並挹注資金，簡直為它鍍了一層金粉。結果當時以10美元上市的股票，現在已漲到46美元。

**表17-2　開發中國家電信公司**

| 公司名稱 | 漲幅（%） | 時間 |
|---|---|---|
| 智利電信公司 | 210.0 | 7/90-9/92 |
| 黑西哥電信公司 | 774.8 | 7/90-9/92 |
| 香港電信公司 | 72.3 | 12/88-9/92 |
| 西班牙電信公司 | 100.0 | 6/87-9/92 |
| 菲律賓長途電信公司 | 565.0 | 1/90-9/92 |

根據美國市場行情，以美元計價。

在聯鐵上市慶祝會上，雷根總統打趣說：「好，那咱們何時售賣田納西流域管理局（TVA）？」這當然是在說笑，如果是真的，我早就去排隊申購了。據說以前美國鐵路公司（Amtrak）曾經討論要民營化，另外加州和懷俄明州的海軍石油儲庫等也提過，這些我也都願意排隊搶購。我想，搞不好哪天國家美術館、海軍軍樂隊或尼加拉大瀑布，都可能賣掉。

不過在我準備《巴隆週刊》推薦股時，並沒有什麼令人興奮的民營上市案，已經民營化的企業，如墨西哥和西班牙電信公司，上一年早已漲了一大段，後市應該還是看漲。但是，1992年難道就沒有民營化的錢好賺嗎？不會的，只要有RTC（Resolution Trust Corportion），就有希望。

第12及13章裡，我們曾討論怎麼利用經營不善的儲貸機構鍊金，辦法就是有些穩健的儲貸機構會收購倒閉者，閣下再去買那些穩健經營的，就能賺到錢。另外還有一個方法，就是投資第二代聯盟資本公司（Allied Capital II）。

美國創業投資業者很少有股票上市的，聯盟資本即是其中之一。該基金主要對小企業放款，除有高額利息收入外，也得以取得貸款企業的股票選擇權或認股權證，一旦貸款人生意做起來，聯盟資本就跟著沾光。由於創投業利潤極高，因此1960年第一代聯盟資本公司上市時，若投資1萬美元，現在已增值為150萬美元了。

現在我家有台空氣清淨機，就是聯盟資本的成功投資。這台清淨機效果驚人，幾乎把所有灰塵都過濾掉了，我家現在的空氣品質大概可以媲美基因工程實驗室。因為我自己用了很滿意，還特別買了兩台送給我岳母和祕書。這種清淨機是由環護公司（Envirocare）製造生產，聯盟資本除有放款利息外，還握有許多環護公司的股票。

最近一些成功經營第一代的人，又設立第二代聯盟資本公司，集資9,200萬美元，在櫃台市場上市。二代聯盟做法跟第一代一樣，由創始人以原始籌集的9,200萬美元發行股票，在櫃台市場再籌到9,200萬美元，以1.84億美元的總資金收購高利率（比方10%）債權。

如果二代聯盟的融資成本為8%，而債權利率為10%，光是利率差額就足以讓投資人滿意，何況貸款企業一旦功成名就，基金本身握有的股票也能大賺一筆，而且二代聯盟人事精簡，經營費用不高。

聯盟資本能否成功，關鍵在於能否切實執行債權，把錢要回來。跟銀行業不同的是，聯盟資本中的放款單位，對貸款人非常挑剔，擔保品的要求也很嚴格。而據我所悉，第二代聯盟資本最近正準備向RTC買進債權。

RTC主要接收倒閉之儲貸機構的資產，所以大夥都以為RTC只會出售公寓住宅、高爾夫球場、鍍金餐具或是一些中古噴射機。不過RTC手中一些莫名其妙的債權，同樣待價而沽。其實這些債權不見得都是地雷，有些債務人信用還是很不錯，而且擔保品也確實可靠。

這些債權中，額數達幾百萬美元的，華爾街的投資公司和大銀行買下不少。但一些只有100萬美元或更低額的債權，則不易脫手，而這就是二代聯盟的目標。

我打電話給第二代聯盟資本公司，確認當初那票人馬是否還是做決策的人，答案是：沒錯。二代聯盟目前股價19美元，股利率為6%。直接投資二代聯盟的股票，似乎正是利用倒閉儲貸業賺錢的簡單方法。況且，儲貸業紓困基金不正是民脂民膏嗎？怎能不趁機撈點回來！

| 代碼 | 公司名稱 | 1992.1.13股價 |
|---|---|---|
| AL II | 第二代聯盟資本公司 | 19.00美元 |

# 18 房利美大事記

從1986年開始，我每年都在《巴隆週刊》上推薦房利美，不過日久疲頑，恐怕投資人都麻痺了。1986年我說房利美「是美國最棒的企業，一點也不誇張」。房利美的員工只有富達的四分之一，但獲利卻是富達的十倍。1987年我說它是「終極儲貸機構」，1988年我又說「這家公司比去年更好、更棒，但股價反而低8%」。1989年巴隆座談主持人問我最看好哪支股票，我說：「以前你早就聽我說過了，聯邦國民抵押貸款聯合公司（Federal National Mortgage Association）。」

房利美總公司的照片，得以在辦公室和我的全家福照片掛在一起，不是沒有原因的。睹照思物，光想到那個地方，就讓我覺得特別溫暖。這支股票實在太好了，股票代碼FNM應該特別保留起來，永遠不准別家公司使用。

在我掌控麥哲倫基金的最後三年裡，房利美一直都是最大投資部位，總值高達50億美元。富達公司其他基金也很捧房利美的場，不管是股票還是認股權證，富達公司上上下下，在1980年代中光靠房利美一家公司，就賺了十多億美元。

最近我正準備把紀錄寄到金氏世界紀錄，希望把房利美的股票列入，因為這是全世界唯一讓單一基金公司賺最多錢的股票。

房利美漲勢很明顯嗎？現在來看，誰也不會懷疑。不過股票不會自己向你招手，而且幾年來總有擔心、憂慮之時，然而總之是看好房利美，對房利美有信心的投資人佔大多數。所以，你必須比別人更瞭解這支黑馬股，比別人更有信心，才能持股緊抱，坐享其成！

一家公司若潛力老被低估，股價漲勢相對更猛。相反的，若一開始被高估，股價就會從高檔慢慢走低。如果你看好的股票，市場卻普遍不看好，你就得一而再、再而三地檢視基本面，確定自己不是盲目樂觀才行。

股價情勢永遠在變，可能更好，也可能更糟，投資人必須順勢調整，才不會被股市狂潮給吞沒。可是對房利美，華爾街一直不太注意。房利美過去獲利起伏不定，讓許多投資人如墜五里霧中。不過我倒看對了這支股票，雖然沒有一開始就抓準。儘管半路才上車，也讓當初兩億美元的投資狠狠賺了六倍。以下就是敝人的房利美大事記。

## 1977年

我第一次買進房利美，當時股價5美元。那時我對房利美知道什麼？房利美成立於1938年，原屬國營企業，1960年代民營化。其業務為抵押放款，實際做法則是向銀行及儲貸機構收購長期債權。所謂「借短放長」就是房利美的賺錢法寶，先在短期資金市場以低利率籌得資金，再收購高水準固定利率長期債權，利差自然落入荷包。

這種借短放長的做法，在利率持續下跌時很有效。一旦利率走軟，房利美就能賺很多錢，因為一方面短期利率持續下跌，資金成本降低，而收購進來的長期債權，利率則固定不變，利差自然持續擴大。不過在利率攀升時，房利美可能就會虧很多錢。

第一次買進房利美後，才幾個月就脫手，小賺一點，因為我認為利率要開始上揚了。

## 1981年

這時的房利美可是倒楣透頂，在1970年代中期所買的長期債權，大概只能收到8%到10%的利息，短期利率卻飆到18%至20%。想想看，如果賺9毛，花18毛，你能撐多久？投資人對這種情況也都很清楚，所以1974年還在9美元的房利美，這一年慘跌到每股2美元的歷史最低點。

這時候的貸款市場可是天地倒轉，債務人高興得要命，債權人愁眉苦臉。那些借錢買房子的人可能會說：「我這房子嘛，不怎麼樣，可是我那筆抵押貸款簡直帥呆了！」為了保住這個低利率時借到的抵押貸款，即使大門面對垃圾山都捨不得搬家。這對放款的銀行當然很糟，對房利美簡直就是大災難。這時市場常有謠言，說房利美撐不下去了。

## 1982年

我注意到房利美正在脫胎換骨，醜小鴨快要變天鵝了！以研究房利美聞名的格魯托證券公司分析師許耐德有次對客戶說：「如果是人的話，房利美是那種誰都想娶回家當老婆的好女人！」

過去房利美獲利起起落落，極不穩定。今年賺個幾百萬，明年可能又虧光。不過房利美不甘如此冷縮熱脹，準備讓自己破繭而出。等到一位叫麥斯威爾（David Maxwell）的先生入主房利美，好戲就要開鑼了。麥斯威爾是個律師，先前在賓州保險局當局長。過去麥斯威爾曾開設抵押貸款保險公司，經營得非常好。這位先生是個大行家喔！

麥斯威爾決定穩住房利美的獲利，不再像以前那樣起伏不定，他要讓這家公司天翻再變，成為獲利穩定的成熟企業。麥斯威爾雙管其下：①揚棄過去借短放長的經營方式；②師法房地美。

房地美也是由聯邦政府設立，到1970年才民營化，該公司只收購儲貸機構的抵押債權。原本應該也是收購債權後，抱著收利息，坐著等本金的房地美，卻率先跳脫窠臼，玩出「綜合債權」（packaging mortgage）的全新把戲。

綜合債權的概念再簡單不過了。房地美買來債權後，再綜合調理一番，把幾個債權變成一個有擔保且證券化的債權，又賣回給銀行、儲貸機構、保險公司、大專院校或公益基金等等。

房利美把房地美這套全抄過來，於1982年也大大方方做起綜合債權的生意。比方說，閣下以住屋做擔保，向X銀行貸款，X銀行把閣下的抵押債權賣給房利美，房利美又把幾個抵押債權綜合在一起，成為「有抵押品的證券」（mortgage-backed security），就能再賣給任何人，包括原始放款銀行。

發售綜合債權，讓房利美賺了不少錢。而且債權買進、整理後，馬上賣出去，也避開起落無常的利率風險。

而房利美等機構做的抵押債權證券，也很受金融業者歡迎。在抵押債權證券未出現以前，銀行或儲貸機構通常有一大堆小額抵押債權，這些債權不但不易追蹤，而且缺錢週轉時，也很難賣。現在放款業者大可把這些小額抵押債權賣給房利美，一方面馬上能回收資金，承作更多放款，再者若需要抵押債權做為資產，只要買進抵押債權證券即可。

因為買賣雙方都有利可圖，因此抵押債權證券很快自成一個市場，大夥在此喊進叫出，跟股票、債券一樣流轉極快。起先只有幾千、幾萬個抵押債權證券化，很快就變成一個一年3,000億美元的大市場，比鋼鐵、煤炭或石油市場都大。

但是在1982年時，我還是認為房利美是靠利率吃飯的。當時因利率正走軟，所以我第二次敲進房利美。1982年11月23日，我電話採訪該公司後，在筆記本寫下：「我認為他們每股盈餘可達5美元……」房利美股價一向急漲驟跌，這年也不例外，突然從2美元飆到9美元。股票變動情況跟景氣循環類如出一轍：1982年該公司虧損，但股價反而上漲四倍，投資人認為下波行情就快來了。

## 1983年

2月時我打電話到房利美，當時該公司新推出的抵押債權證券，每個月經營額約10億美元。不過我突然想到，房利美像是一家銀行，但比銀行業更具優勢。普通銀行業者經營費用大約是營業額的2%到3%，但房利美只有0.2%。房利美不養個大飛船做廣告，不送烤箱、烤麵包機給客戶，也不必花大錢請明星為抵押債權證券打電視廣告。房利美只在美國四個城市，開設四家分公司，全部員工約僅1,300人。美國商業銀行光是分支機構的數目，大概就跟房利美的員工一樣多。

而且拜其半官方形象所賜，房利美的資金成本比銀行低，比IBM、通用汽車或其他數以千計的私人企業還要低很多。所以，房利美得以8%利率借到十五年期的貸款，再以之買進利率9%的十五年期抵押債權，一個百分點的利差就是利潤。

一個百分點看來好像不多，但美國的銀行、儲貸機構或其他金融機都賺不到一個百分點的利差。何況，如果能做1,000億美元的生意，不就賺10億美元嗎？

1970年代中期買的低利長期債權開始減少，不過進展緩慢。等低利的老債權逐一到期，房利美自然會買進高利率的長期債權。目前這些老債權總額約600億美元，平均利率大約是9.24%，可是資金成本高達11.87%。

現在市場開始注意到這支股票，例如美林證券的海爾思（Thomas Hearns）、貝爾斯登證券（Bear Stearns）的艾培特（Mark Alpert），以及渥海姆證券（Wertheim）的柯林根史坦（Thomas Klingenstein）等人。很多分析師都看好房利美，認為利率一旦逐步走低，房利美「獲利會跟著大爆炸」。

## 1984年

房利美投資部位只佔麥哲倫的0.1%，不過這已夠維繫我們的關係。到年底，我很小心地增加到0.37%。這一年當中，房利美股價又見腰斬，從9美元跌到4美元，原因還是過去的老問題，利率上揚，獲利又黑壓壓！抵押債權證券雖然賺了點，卻又被1970年代那些低利債權啃光。

為有效控制資金成本，房利美決定發行三年、五年及十年期債券來籌錢。雖然這樣利息負擔會加重，短期內對盈餘不利，但長遠來看，獲利狀況多少可以脫離利率循環，不再跟著打擺子。

## 1985年

我開始看出房利美是匹千里馬。抵押債權證券大有搞頭，現在房利美一年承作230億美元的抵押債權證券，比前兩年增加一倍。低利老債權陸續到期，無底洞總算快填平了。

不過新問題又來了，這次不是利率，而是德州。先前美國的石油熱，吸引許多人到德州購屋置產，抵押貸款成數高達九成五。但石油熱一退潮，很多債務人一走了之，把房子套給銀行或儲貸機構，而房利美正是這些債權的大盤！

5月時，我到華盛頓出差，親自向麥斯威爾請益。當時抵押債權業有幾家已經三振出局，因此倖存各家獲利率跟著提高，這對房利美的盈餘想必大有幫助。

房利美的表現愈來愈令人刮目相看，我對之倚重愈深，現在房利美在麥哲倫基金已佔2%，為十大持股之列。

從7月開始，我定期和房利美股務課的派金（Paul Paquin）聯絡，以掌握最新的基本面訊息。我公司的電話帳單上，最常出現的兩個號碼，一個是家裡，一個就是房利美。

現在該對這支頗具風險的潛力股徹底檢討了：如果萬事順利，到底能賺多少？我細細思量，如果抵押債權證券的收入能抵掉一般支出，而手中握有的1,000億美元債權能賺一個百分點的利差，每股盈餘即達7美元。以當時股價計算，本益比只有一倍！那還等什麼？

剛開始研究房利美時，每次跟他們談過後，就寫下一頁又一頁的心得。現在我也算半個專家了，僅簡單記下最新狀況即可。

去年房利美每股虧損87美分，今年則有盈餘52美分，而股價又從4美元漲到9美元。

## 1986年

我稍趨保守，房利美投資部位現在佔麥哲倫的1.8%，華爾街對德州倒帳情況，還是相當擔心。不過5月19日我筆記裡有個更重要的消息：房利美又賣掉100億的低利老債權，現在這些賠錢貨只剩300億美元。這是我第一次開悟：「光靠抵押債權證券，這支股票就值得期待！」

後來又有個好消息，房利美對新抵押債權的放款標準，開始趨於嚴格。非常明智，下次景氣衰退就不致傷得太重。當其他銀行業者大肆放款，稽核手續愈趨簡化的同時，房利美卻反其道而行，大概在德州吃足了苦頭。

過去房利美的一些問題，使得外界尚難看出抵押債權證券這隻金雞母。一旦再融資業務風行，抵押債權證券必成氣候。即使新屋成交清淡，抵押債權市場照樣成長。老人家把老房子賣給年輕人，新的抵押債權也跟著出現，這些債權最後都會流向房利美，房利美改裝成抵押債權證券，就能賺更多錢。

房利美成功地重新塑造自己，現在已到了1983年時，分析師柯林根史坦所預見的大爆炸邊緣了，可是許多分析師至今仍抱持疑慮。蒙哥馬利證券對客戶說：「據我們研究，和一般儲貸機構比起來，房利美股價太高。」一般儲貸機構跟房利美能比嗎？蒙哥馬利證券還說：「最近油價大跌，對房利美在該地區（指美國西南部）共185億美元的抵押債權非常不利。」

低利老債權又卸掉一些。房利美再賣出100億美元的賠錢貨。

今年最後五個月內，房利美股價由8美元漲到12美元，全年每股盈餘共計1.44美元。

## 1987年

這一年麥哲倫投資房利美部位，在2%到2.3%間，股價先在12美元到16美元之間遊走，後來遇上10月19日大崩盤，股價跌到8美元。分析師對其信心再度動搖。

不過我這方面頗有進展。2月中，在一次研討會上先後跟四位房利美主管談過，察知抵押流贖愈來愈多，在德州套上不少房子。呆帳增加，抵押房產一間一間貼上來，房利美在德州變成地產大亨了！

光要處分那些房子，房利美駐休斯頓的38位員工就忙得半死，公司方面也增加數百萬美元支出，以後還得再花幾百萬美元整修，好再脫手。但目前房地產市況零落，買氣低迷。

美國房地產景氣惡化到連阿拉斯加都出問題，幸好阿拉斯加房地產市場很小，對房利美影響不大。

不過我認為，房利美還是小瑕不足掩大瑜，一年能做1,000億美元的抵押債權證券生意，還怕啥？且房利美成功地穩定獲利，現在不再像景氣循環類股一樣起落無常。如今房利美跟布里斯托—麥爾或奇異一樣，獲利穩定成長，盈餘水準再也不打擺子，忽冷忽熱。不過房利美的成長速度比布里斯托—麥爾還快，每股盈餘再成長為1.55美元。

10月13日，崩盤前六天，我打電話給房利美執行長麥斯威爾，請教利率因素對目前獲利影響，麥氏指即使利率上揚3個百分點，每股盈餘只會減少50美分而已。房利美不再是過去仰利率鼻息的醜小鴨，現在他們昂首闊步，以全新姿態出現。房利美變天鵝了。

跟所有股票一樣，房利美股價在大崩盤時跌了一大跤。投資人驚惶失措，一陣亂砍，分析師更是危言聳聽，以為世界末日快到了。不過我卻相當鎮定，因為房利美的抵押流贖率雖然還在增加，但債款拖欠逾90天的比率則逐漸減少。先有賴帳，抵押品才會被程序處分，所以賴帳的減少，表示房利美已經走出谷底了。

在股市哀鴻遍野之際，我勉勵自己看得更長遠，覺得房利美怎麼看，都是支好股票。如果情勢更糟，房利美會怎樣？要是經濟衰退演變成經濟蕭條，那利率一定降低，房利美更有機會以低利取得短期資金。只要投資人、消費者還需要抵押貸款，房利美一定是世界上最賺錢的公司。

如果世界末日到了，恐怕也沒人會去付貸款。這時候房利美一定會垮，不過整個銀行體系，和所有阿里不達體系全部會垮，反正你到哪也逃不掉。但世界末日不是明天就到，而房子是大夥一定會堅守到底的（或許休士頓例外）。所以想賭一下人類文明何去何從嗎？就買房利美的股票吧！

想來房利美和我心有靈犀，在大崩盤以後，馬上宣布股票回購計畫，最多準備買回500萬股自家股票。

## 1988年

一樣米養百樣人，可以買進的股票，也分很多種。有「其他還能買什麼」型的，有「這支應該會漲」型，有「先買，過幾天就賣」型，有「幫我岳母、叔叔伯伯、姑姑阿姨、堂表兄弟姊妹買的」型，有「把房子賣了，全押上去」型，有「不但把房子賣了，連遊艇、車子和烤肉架也都賣了，全押上去」型，還有「房子、遊艇、車子、烤肉架都賣光，全押在這支股票上，還叫岳母、叔叔伯伯、姑姑阿姨、堂表兄弟姊妹把全身家當都押上去」型的，房利美就是最後這種！

今年房利美每股盈餘再增為2.14美元，而六成左右新購進債權，是根據新訂的嚴格審核標準。於是，麥哲倫的房利美部位也持續增加到3%。

遠從1984年以來，房利美的抵押品流贖率首次下降。

此外，官方也宣布修改抵押放款業的會計法規。過去房利美的放貸承諾費（commitment fee），收到後馬上列為當季收入，因此獲利上極不穩定，這一季或許收到1億美元的放貸承諾費，下季搞不好只有1,000萬美元而已。從季報來看，房利美獲利情況不夠穩定，投資人自然有所疑慮。

但根據新規定，日後放貸承諾費收入不再一次提列，應依該筆債權年限，分年攤提。自從這項規定開始之後，房利美每季獲利沒再衰退過。

## 1989年

我注意到投資大師巴菲特也持有220萬股的房利美。今年我和該公司多次聯絡。7月時，房利美的呆帳處分資產大有改善，雖然他們在科羅拉多州遇上點小麻煩，但德州問題漸成過去，而更神奇的是：休士頓房地產開始復甦！

根據美國債款拖欠調查報告，房利美的賴帳逾90天比率正下降中，從去年的1.1%降為今年的0.6%。同時我也仔細探聽中古屋行情，留神房市狀況。好極了，房市安穩得很，崩盤根本是危言聳聽。

今年我可準備猛獅搏兔了，全力買進房利美，能買多少就買多少。如今房利美佔麥哲倫4%，到年底就會增為5%，這就是極限了。房利美是目前為止麥哲倫的最大持股部位。

想想看，1981年時還沒有什麼抵押債權證券哩！現在房利美每年承作2,250億美元的抵押債權證券，獲利4億美元。現在儲貸機構再也不想死抱著抵押債權，早早送到房利美或房地美才是正辦。

如今華爾街才姍姍來遲，體認到房利美確實是能持續年成長15%到20%的股票，股價隨即如天雷勾動地火，由16美元飆到42美元，一年兩倍半！長久忍耐的先知，現在可熬出頭了。

即使股價已見上揚，本益比已經十倍，但房利美顯然還是委屈了。不過12月的《巴隆週刊》曾刊出一篇報導，說美國房地產不景氣，還是陰魂不散，報導配了一張照片，一棟兩層的樓房，屋前立個牌子：「要買，要租，要怎麼都行！」

要不是房屋市場還有點小狀況，房利美早衝破100美元大關了。

## 1990年

房利美投資部位維持在證管會規定的5%上限。然而在股價持續上漲後，房利美部位逐漸增值為6%，不過沒關係，這是股價上漲所致，而非違規加碼。

夏秋之際，儘管房利美營運順當，這一年外在情勢卻大有變化。先是伊拉克入侵科威特，再來換咱們入侵伊拉克，大夥打得不亦樂乎。市場擔心美國房地產市場再遭重創，德州房市崩盤慘況可能在全美國上演，到時房利美可有收不完的爛攤，變成超級大房東，光是程序處分、整修再賣掉，就得花掉幾十億美元。

就我畢生所見，許多好公司只因有些小瑕疵、小問題，股價就常跌得不像話，例如房利美現在的呆帳問題不過是個小問題而已，投資人卻大驚小怪，分析師小題大作。今年11月《華爾街日報》有篇報導，指花旗銀行呆帳率由2.4%上升為3.5%。花旗銀行跟房利美何干？可是房利美（以及其他抵押債權同業）股價亦一併打落。

當初那些只關注整體面，以為美國房市還是不景氣，而匆忙殺出房利美股票的投資人，實在太冤枉了。一方面是除了高級住宅區外，房價仍相當穩定，而且房利美早非往日可比。美國房地產業者協會後來發布報告，指房價在1990年和1991年都見上揚。

如果閣下再深入研究的話，更會發現房利美從不承作20.2萬美元以上的高級住宅抵押放款，所以這波高檔屋不景氣，對它根本沒有影響。房利美買進的抵押債權，平均額度只有9萬美元，而且在審核上更為嚴格，像德州那種貸款成數九成五的情況，早成歷史了。此外，抵押債權證券像個巨大的強力火車頭，正全力開動，向前衝刺。

今年受伊拉克入侵科威特影響，美國股市大幅震盪，房利美股價從

42美元跌到24美元，又馬上反彈為38美元。

## 1991年

我從麥哲倫退休，繼任舵手史密斯決定緊盯房利美，還是最大投資部位。這年房利美盈餘破紀錄，達11億美元，股價也由38美元飆到60美元。

## 1992年

我連續第六年在巴隆座談上推薦房利美。當時股價69美元，每股盈餘6美元，本益比11倍，跟市場平均值23倍相比，實在太划算了。

如往常一般，房利美基本面又有進步。為降低短期利率波動風險，房利美以可贖回債券（callable debt）籌措資金。可贖回債券明訂特定數額，發行者可在有利於己的情況下，要求提前贖回。例如短期利率下跌，此時發行者即可要求贖回，轉由低利短期資金市場融資。不過可贖回債券利率較高，才能吸引投資人。所以房利美發行可贖回債券後，短期獲利稍受影響。但長期來看，房利美獲利情況更能擺脫利率波動的牽引。

現在房利美每年還能成長12%到15%，股價尚呈低估，如同過去八年來一般。有些好股票，是不會變的。

| 代碼 | 公司名稱 | 1992.1.13股價 |
| --- | --- | --- |
| FNM | 聯邦國民抵押貸款聯合公司 | 68.75美元 |

# 19 寶藏就在自家後院

## 共同基金業者拓荒者集團

我實在搞不清楚，為什麼身在共同基金業，卻一直沒注意到基金類股也是十足的千里馬。正如每個月都能看到銷售數字，卻白白錯失Gap股票的購物中心經理一樣，我身為基金經理人，卻沒看到戴孚斯（Dreyfus）、富蘭克林（Franklin Resources）、拓荒者集團（Colonial Group）、羅威．普萊斯（T.R.Price）、州街銀行（State Street Bank）、聯盟資本管理和伊頓．凡斯等共同基金業者的股票。我真是搞不懂，也許當局者迷，反而見樹不見林吧？當時唯一買進的基金類股，只有聯合資產管理公司（United Asset Management），這家公司算是專業基金經理人的經紀人，和30至40位經理人簽約，安排他們到其他法人投資機構操盤。

這幾家公司都是真正搞基金的，跟普特南那種玩票性質的基金公司不一樣，普特南是馬許－麥蘭納（Marsh-McLennan）公司的轉投資事業，雖也從事基金業務，不過保險才是真正收入來源。1987年10月大崩盤後，基金類股其慘無比，不過之後兩年，這八支股票表現優異，顯示當時投資人實在太悲觀了。

拜大崩盤所賜，我才有機會稍補前愆，低價搶進過去錯失的基金類股。當初閣下若把資金平均投資這八支股票，獲利保證超過這些基金業者推出的基金，雖然其中也有操作績效非常好的，但99%都比不上母公司的股票。

在共同基金熱潮來臨時，買共同基金，不如去買基金類股。好比黃金熱時，與其自己上山下海去挖金礦，不如賣鏟子和十字鎬好賺。

利率下降的時候，股票和債券基金即成搶手貨，這時相關基金業者（如伊頓．凡斯和拓荒者等）獲利特別豐厚。戴孚斯專門操作貨幣市場基金，因此利率上揚時，股票和長期債券退潮，資金轉向短期工具，就輪到戴孚斯吃香喝辣的。聯盟資本管理公司主要幫法人客戶操盤，手上也有幾支開放給散戶的共同基金。聯盟資本在1988年股票上市後，除1990年一度回軟外，一直都很強。

最近一直有許多資金湧入股票、債券或貨幣市場基金，因此基金類股漲幅必然遠遠超越大盤。如果有啥讓人驚訝的話，就是怎麼到現在還沒人推出專門投資基金類股的共同基金？

基金業發展情況，哪家生意興隆，哪家倒楣，都有許多相關業者、分析師和媒體在追蹤、報導，不管是專業投資人或散戶，都能拿到這些統計資料、分析結果。如果閣下在1987年10月大崩盤來不及搶進，1990年伊拉克入侵科威特時，也是大好時機，當時伊頓．凡斯股價在一年內重挫三成，戴孚斯下跌18.86%。其他基金類股雖然沒跌這麼多，但也夠讓人吃驚了。

1990年股市重挫，市場又高喊狼來了，說基金業一定捱不過這關。不過閣下只要仔細看看1990年12月和隔年1月的基金銷售金額，就知道基金業盛況依然。可是，雖然在下決定力補前愆，1991年巴隆座談時，我仍然連一支基金類股都沒推薦，實在是有愧職守，辜負投資人的殷殷厚望！結果富蘭克林股價在1991年裡反彈75%，戴孚斯55%，羅威·普萊斯116%，聯合資產管理公司80%，拓荒者集團40%，州街銀行81.77%。咱們夢想中的共同基金公司的共同基金，這一年漲了一倍！可惜，太可惜了。

不過法官大人，請容小民分辯數言。當時我確實推薦了坎培爾公司，該公司雖屬保險業者，但也控管500億美元的基金，其共同基金業務量也不算少。不過我也要承認，我並非看上坎培爾的共同基金，而是當時保險業景氣就快翻轉，而且坎培爾旗下有三家證券商。可是坎培爾的股價在1991年也漲了一倍呀！小民得以此償罪吧？

進入1992年，我暗自提醒自己，別又看漏基金類股。這次我可睜大眼睛，把基金業好好研究一番。在利率持續走軟情況下，每個月約有2,000億美元的定存單解約，從銀行流向各種基金。有這麼多人，這麼多錢捧場，那八家基金公司自然個個奮勇爭先。只是其中七家去年股價漲幅已大，唯一可能補漲的，就是拓荒者集團。

雖然拓荒者股價前一年也上漲四成，不過現在才17美元，剛好是1985年的上市價。剛上市的時候，拓荒者旗下基金共50到60億美元，每股盈餘1美元，但現在基金額增加為90億美元，每股盈餘1.55美元，而且現金資產每股可分到4美元，同時還回購了7%的股票。光考慮到每股現金資產4美元，閣下現在買拓荒者股票，不是就比1985年上市時還便宜4美元嗎？此外，該公司完全沒有負債，且過去兩年來華爾街任何分析師都沒報過這支明牌。

熱門產業中價格偏低的股票，通常都是好股票。當時羅威．普萊斯股價本益比20倍，富蘭克林也20倍，而拓荒者只有10倍。當然，你還要追根究柢，為何拓荒者股價偏低呢？

部分原因可能是上市四年來，盈餘表現平平，並未大幅成長。雖然這段期間，拓荒者控管的基金增加近一倍，但和整個基金熱潮比起來，實在是不值一哂。投資大眾都聽過戴孚斯、羅威．普萊斯或伊頓．凡斯，而拓荒者就有點名不見經傳了。

但光是這樣，拓荒者股價就該受委屈，本益比只及同業之半？我可不以為然。拓荒者獲利能力不差，配息時有增加，且曾回購自家股票。日後更有盈餘，很可能會再提高配息，並繼續回購股票。

1992年1月3日，我打電話給拓荒者財務長史昆（Davey Scoon），他說業務狀況更勝於前，特別是市政公債基金表現尤佳。拓荒者旗下有幾支市政公債基金，而投資市政公債可以節稅，在資金持續湧進的情況下，拓荒者應該頗有斬獲。另外，該公司最近也推出幾支不錯的基金，例如公用事業股基金。

老早以前我就知道，多多打聽，總會探到一些旁人預想不到的消息。這些消息正是刺激股價漲跌的主要原因。這次打電話給史昆，就收了個大紅包。他說州街銀行已決定由拓荒者負責發行他們籌畫的幾個基金。

州街雖屬商業銀行業者，但也幫基金公司包辦所有文書工作，例如客戶服務、買賣登記等等，再跟基金業者收取服務費。這項業務頗有賺頭，1991年州街銀行股價就漲了81%。

史昆提到州街銀行，讓我想到多年前的糗事。當時我岳母買了州街股票，後來我認為該公司盈餘可能下降，而且股價已漲了一倍，所以我急忙叫她賣出。結果州街股價不跌反漲，而且漲為三倍。這下子可不好交代了。正在危急之秋，州街銀行宣布股票分割，一股分三股，股價也跟著減為三分之一。我岳母注意到股價行情時，剛好和她賣出時一樣，直誇我看法正確。這件事到現在她仍津津樂道，而我卻一直不敢說出真相。

股票分割有時刺激股價波動，影響投資信心。不過這次倒是幫我個大忙。如今州街銀行在為人作嫁多年後，終於加入最前線，親自下場搶食基金大餅。不過州街銀行準備以低姿態進行，不願跟其他基金公司太過正面交鋒，所以決定透過拓荒者集團暗渡陳倉。這件事對拓荒者當然是利多。

| 代碼 | 公司名稱 | 1992.1.13股價 |
| --- | --- | --- |
| COGRA | 拓荒者集團 | 17.38美元 |

# 20 餐飲類股

## 色香味的投資策略

1992年我實在該推薦幾支餐飲類股。不管是機場、購物中心還是高速公路收費站，每年都會有幾家餐飲業者加入。遠自1960年代開始，速食漸成通勤人口的必需品，不論是開車族還是通勤族，都可能在車上或路上吃早餐、午餐，甚至晚餐。連鎖餐飲業者因此大行其道，成長迅猛，只要有人離開這個市場，馬上有新業者加入。

1966年我還在富達幹分析師時，就瞭解餐飲業潛力無窮。當時吸引我的，是肯德基炸雞。創始人桑德斯上校（Colonel Sanders）一開始只是在家鄉開小吃店，後來高速公路交通日趨便利，改變了消費者的飲食習慣。在顧客愈來愈少的情況下，桑德斯的小吃店瀕臨倒閉。於是66歲的老上校再次上戰場，開著破舊的凱迪拉克，四處探訪佔有地利的餐廳吸收加盟，傳授獨門炸雞配方，收取權益金。當時風塵僕僕的老上校一身黑西裝，可不似今日一身雪白那麼輕鬆。

肯德基在1965年股票上市，之前餐飲業已有唐金甜甜圈在麻州上市（上市後盈餘連續成長三十二年），專門在收費站經營餐飲的霍華・強森公司也在1961年於紐約上市。聞名美國中西部的鮑伯・伊文斯農場（Bob Evans Farms）跟著在1963年上市。到1960年代中期，麥當勞和松尼（Shoney's）也先後上市。這些股票光用眼睛看，就知道各家公司生意興隆，投資他們的股票一定賺。

當時華爾街最熱門的50支股票，大都是誇大其辭、虛張聲勢的科技股，誰看得起那些賣甜甜圈或漢堡的？哪知道後來松尼股價漲為168倍（從22美分漲到36.875美元，配股還沒算在內），鮑伯．伊文斯農場股價漲為83倍，麥當勞漲為400倍。霍華．強森公司後來又歸私人控有，下市時股價也漲為40倍；肯德基被百事可樂買下時，股價也漲為27.5倍。

閣下倘若口手俱到，又吃又賺不亦樂哉。一開始就投資1萬美元，買上述五支股票，到1980年代結束前，就翻成200萬美元以上。要是把錢都押在麥當勞，也早超過400萬美元。由於不斷推出套餐新花樣來吸引顧客，麥當勞股票的投資報酬率，足可垂名青史了。

就在投資大眾面前，幾十年來許多餐飲類股一直有絕佳表現，不管是漢堡連鎖店、自助餐廳、家庭牛排館（如龐德羅莎）、綜合餐飲店，還是賣冰淇淋、優酪冰品、美國食物、外國食物、披薩，或是開咖啡廳，都曾在股市演出一場接一場的飆漲大秀。誰能管理更好，更迎合客人的口味，就能以秋風掃落葉之勢，抓住投資人的胃，也抓住他的心。

萬一閣下沒趕上1960年代的餐飲業大戲，到1970年代戰後嬰兒潮那一代開始能考駕照時，你還有機會投資國際乳品皇后公司、溫蒂（Wendy's）、魯比（Luby's）、塔可貝爾、必勝客等股票。如果你敢在1972年空頭谷底時搶進，更是利潤豐厚，當時許多績優股便宜得嚇人。例如每季業績從不讓人失望的塔可貝爾，當時只跌到1美元，隨後馬上飆到40美元，才被百事可樂買走。百事可樂收購餐飲業，主要是為拓展其飲料市場。

進入1980年代，我們還有脆餅桶公司，旗下設有生意興隆的禮品店，也賣美味海鮮和餅乾。還有1984年上市，和我失之交臂的奇里辣味餐廳、史巴羅（1985年）、萊恩家庭牛排館（Ryan's Family Steak House；1982年）、優諾餐館（Uno Restaurants；1987年）。奇奇餐廳表現也很不錯，不過現已被收購下市。

幾乎美國各個地區都有打進全國市場的鄉間小店，例如魯比、萊恩和奇里辣味源自西南部，麥當勞從中西部發跡，奇奇和國際乳品皇后崛起於明尼亞波里斯，史巴羅從紐約，唐金甜甜圈來自新英格蘭，松尼和脆餅桶的家鄉靠近墨西哥，時時樂和塔可貝爾則從西部出發。

餐飲業者跟零售業一樣，在步步開拓全國市場之際，大概享有十五到二十年的高度成長期。當然，經營餐飲業失敗率也很高，但這一行還是有它的好處。例如閣下在加州賣炸魚和薯條，紐約同業炸得再好吃，賣得再便宜，也搶不到你的生意。這種情況跟電子業可是大不相同。

而且不但成長期持續甚久，也不用擔心什麼國外低價品的競爭。韓國貨再賤價傾銷，會搶走必勝客的披薩生意嗎？

連鎖餐飲業成敗關鍵，在於良好的管理，充裕的資金和腳踏實地的擴張計畫。餐飲業不是賽車，穩紮穩打才會成功。

舉例來說，奇里辣味和芳卓克（Funddrucker's）原來都是賣漢堡的。芳卓克採自助式，而奇里辣味聘有外場。然而多年以後，奇里辣味名利雙收，芳卓克雖然也打響名號，但最後生意並不好。

為什麼？當漢堡開始退流行時，奇里辣味馬上開發新產品來拉住客人，但芳卓克仍死盯著漢堡生意。不過這還不是最重要的原因，真正關鍵在於芳卓克衝得太快，後勁乏力才敗下陣來。當時芳卓克一年曾開設100多家分店，哪能不出問題呢？一味地衝刺，使芳卓克在地點和經營人才兩方面，都顯得急就章，不但員工訓練不足，而且在店面取得上也耗資過多。

芳卓克就是這樣一路衝向自己鋪設的陷阱，和佛雷基．傑克（Flakey Jake's）、溫拿（Winners）和TGI Friday's幾家餐廳一樣自討苦吃。反觀奇里辣味非常沉穩，一年大約只開設30到35家分店，在經營者布林克（Norman Brinker）嫻熟的帶領下，業績和盈餘穩定成長。布林克是麥酒牛排館（Steak & Ale）及碧尼根（Bennigan's）兩家連鎖餐飲的創始人。奇里辣味預定到1996至1998年間，達到400至450家的上限，屆時每年營收約10億美元。

連鎖餐飲業有許多方法增加盈餘，例如奇里辣味以增設分店來提高收入，溫蒂以改善經營提升獲利，有些則屬薄利多銷型（如脆餅桶、松尼、麥當勞等），有些則採高價路線（如澳美客〔Outback〕牛排館和ChartHouse餐廳），有些以食品販賣為大宗，有些以禮品、紀念品來賺錢（脆餅桶）。有些則是成本低廉（如義大利麵倉庫餐廳〔Spaghetti Warehouse〕），有些則拚命壓低經營費用。

餐飲業每年營收起碼要超過資本投資額，才有利潤可言，否則頂多收支相抵。經營餐飲業和零售業頗有相似之處，因此閣下研究餐飲業，也跟零售業差不多，最須注意的還有擴張速度、負債及單店營收。單店營收每季持續成長，當然是大好消息，擴張也不必太快，若每年增設超過100家分店，就得留神了。負債愈低愈好，沒有最好。

加州的蒙哥馬利證券公司派有專人研究所有餐飲業者，並定期出版專刊。最近一期指漢堡連鎖店，如麥當勞、溫蒂等擴張或已近飽和（美國前五大漢堡連鎖店共設有2.4萬家分店），而戰後嬰兒潮這一代似乎也不再偏好速食。如今大行其道的是一些開設在適當地點的餐廳，如法國ABP（Au Bon Pain）、義大利麵倉庫餐廳等，以及價格中等，菜色豐富的家庭式餐飲業者。

蒙哥馬利證券曾推薦八支餐飲類股，柏特琪（Bertucci's）、脆餅桶、布林克國際公司（即奇里辣味）、義大利麵倉庫餐廳、松尼、雷利（Rally's）、蘋果蜂（Applebee's）以及澳美客牛排館。閣下若在1991年初依言買進，到年底時已增值為兩倍多。

如今這些潛力股，有些股價已經太高了，本益比達30倍，甚至更高。不過還是很值得注意，若有逢低介入的機會，想必相當划算。目前美國整體餐飲業每年只成長約4%（很快就會變成停滯產業），但是管理有方，財務健全的業者，一定還是大有斬獲。過去如此，未來也不會變。只要美國人維持半數在外用餐的趨勢，你家附近或購物中心就有可能出現股價漲20倍的餐飲類股。大快朵頤之際，別忘了多觀察！

例如我就在住家附近，發現法國ABP。ABP最先是1977年在波士頓開設，到1991年以10美元股票上市。ABP原來的法文可真難唸，不過用法文名字的主意還真不賴。法國ABP賣咖啡和可頌（即牛角麵包），兼具法國的浪漫和美國的效率。

若想吃早餐，閣下可以點個陽春型的牛角麵包。午餐呢？來客起士火腿可頌，還能再叫個巧克力可頌當甜點。所有餐點，法國ABP不到三分鐘就搞定，一點也不麻煩。牛角麵包由中央廚房揉製，送至各分店自行烘焙，客人就能享用又熱又香的可頌。

最近法國ABP再推出鮮橙汁和水果沙拉，剛研發成功的貝果也會很快問世。如果和最新式電腦晶片相比，我寧可投資最新式貝果。

不過到1992年初，ABP股價已漲為兩倍，本益比高達40倍（以1992年盈餘預估值計算），所以我只得割愛了。不過九個月後，股價卻大幅滑落至14美元，與1993年盈餘預估值比較，本益比不到20倍。像這種每年成長25%的股票，本益比還不到20倍，當然值得逢低承接。要是股價再跌，我一定全力敲進。即使在經濟衰退時，法國ABP還是可圈可點，我想這家公司一定能長期大幅成長，而且在海外市場也極具潛力。

# 21 半年定期檢查

投資組合完成後仍需定期檢查（也許每六個月一次），不能就此不聞不問。即使閣下買的是績優股，個個名聲響亮，在《財星》500大企業中名列前茅，還是要定期關心一下。如果買進後，就把它們全忘了，投資報酬哪會好？有時身陷危境而不知，豈不糟天下之大糕。圖21-1到21-3，就是最好的例子。哪個粗心大意的投資人，要是買進IBM、西爾斯和伊士曼柯達的股票就放著不管，現在肯定要抱著棉被哭了。

所謂半年檢查，可不只是翻翻報紙，看現在股價多少。這個必要工夫，很多投資人都忽略了。要做個成功的投資人，不能光靠主觀期待，必須時時留神，注意新消息、新狀況。閣下一定要注意兩件事：①和盈餘水準相比，股價是否太高？②有何新發展能刺激盈餘成長？

這兩個問題，不外有三種答案：①情勢一片大好，也許你想再加碼；②行情爛透了，必須減碼；③變化不大，要持股緊抱或換股操作都行。

我就是用這種方法來驗收1992年1月在巴隆座談推薦的21支股票，結果在六個月期間內，美國股市表現平平，但咱選出的明星隊相當

## 圖21-1 IBM

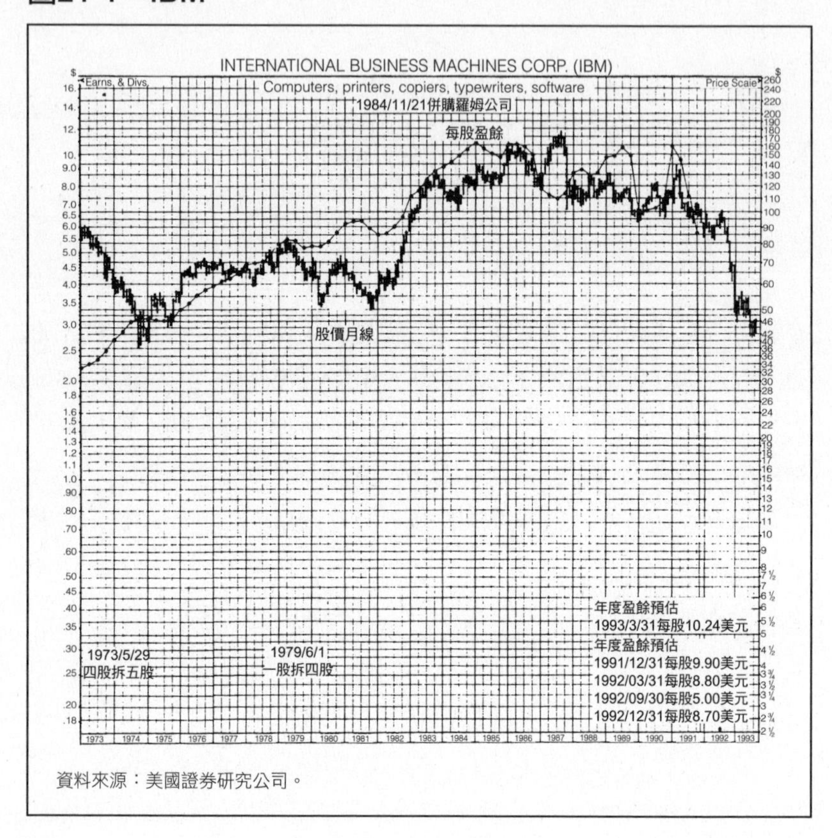


資料來源：美國證券研究公司。

爭氣。這段期間S&P 500指數僅上揚1.64%，但我的投資組合共上漲19.2%，不賴吧？

我細看21家上市公司最新季報，而且大部分都打過電話，打探有沒有新消息。有的仍是老樣兒，有的變得更棒。此外，六個月內我也沒閒著，又找到一些更好的股票。股票投資就是這樣，一切都會變。以下就是敝人的半年驗收。

## 圖21-2　西爾斯

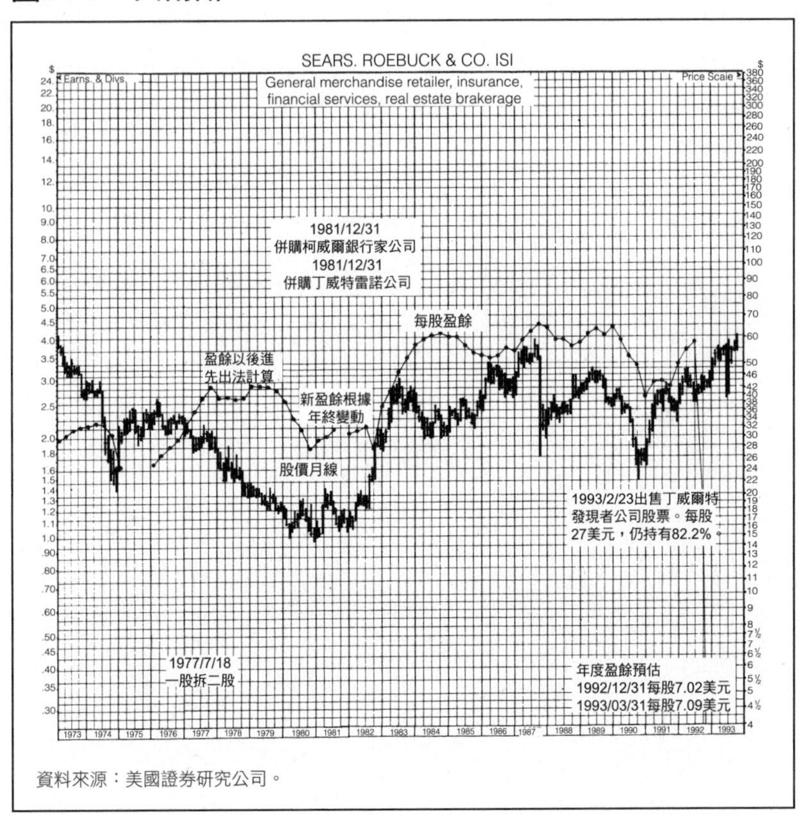


資料來源：美國證券研究公司。

# 美體小舖

1992年1月時，我認為美體小舖絕對是潛力股，只是股價有點高，所以我一直留意是否有低價可撿。果然皇天不負苦心人，機會很快就來了。到7月時，美體小舖股價下跌12.3%，從325便士，跌到263便士，比較明年盈餘預估，本益比為20倍。對這種每年盈餘成長25%的股票，本益比20倍不算高。就在敝人埋首筆耕之際，紐約股

## 圖21-3 伊士曼柯達

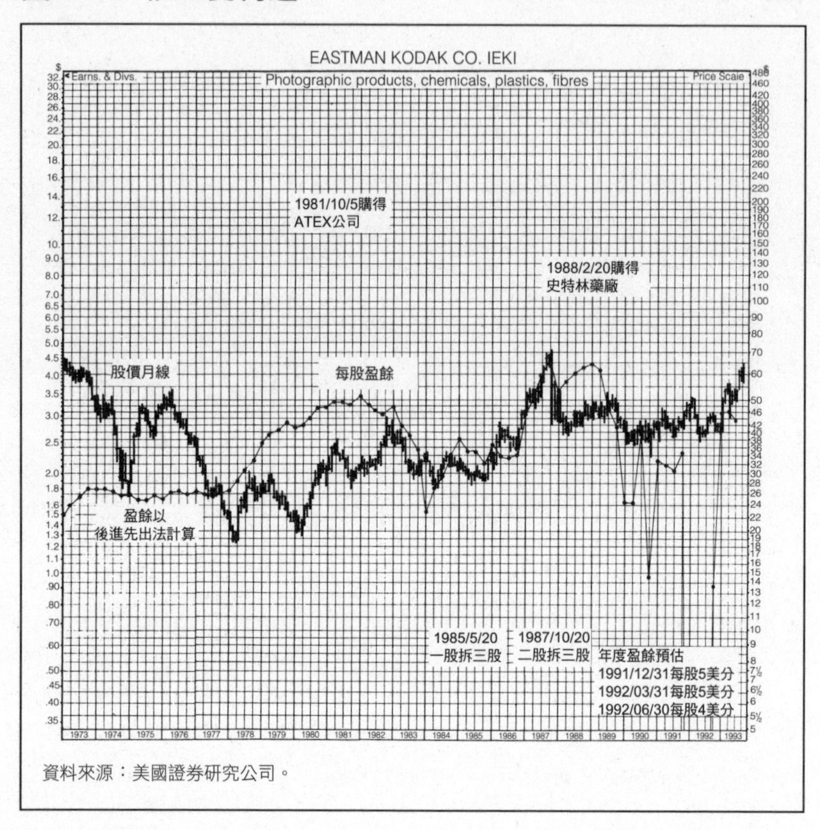


資料來源：美國證券研究公司。

市平均本益比正是20倍，但盈餘成長只有8%到10%。

美體小舖是英國的上市公司。1992年上半年英國股市表現差勁，剛好美體小舖也出點意外狀況，才引發沉重賣壓。該公司委託生產果核潤絲精的凱雅波族酋長，因涉嫌強暴葡萄牙籍保母在倫敦被捕。就是這樣，不管你多有想像力，你都很難猜到哪家公司會發生啥事。

美體小舖股價過去曾有兩次大跌，一次在1987年10月大崩盤時，一次是1990年中東危機。但除了股價的異常表現外，美體小舖各方面都維持快速成長，一點頓挫也沒有。我認為，美體小舖股價重挫，完全是超跌，英國投資人或許還不瞭解小型成長類股潛力多大，才會稍微遇到狀況，就忙著殺出。此外，美體小舖正努力開拓海外市場，或許英國投資人對一些前車之鑑，如馬莎百貨（Marks & Spencer）等在海外拓展失利仍記憶猶新，因此也不敢樂觀看待美體小舖。

不過即使閣下在1990年大跌時低價搶進美體小舖，仍得有心理準備，股價可能跌得更低。或許這也是再加碼的好機會。不管股價表現如何，美體小舖基本面還是一直很好，這正是半年驗收的觀察重點。我打電話到美體小舖，財務長凱特（Jeremy Kett）表示，1991年的單店銷售額和盈餘都見提升，這是因為美體小舖在英、澳、美、加四個主要市場，銷售情況都非常好，而這四國當時均處經濟不景氣。

還有個利多是，美體小舖正運用閒置資金收購多種保養品原料的供應商。以前我們曾經討論過，蕭氏工業公司就是利用這個方法，來壓低生產成本的。因此美體小舖也可經由掌握供應商，來降低生產成本，提高獲利率。

以前在富達的同事，開設兩家美體小舖加盟店的史蒂芬森則告訴我，柏林頓購物中心那家分店銷售已比去年成長6%，最近在哈佛廣場開的新店，生意到底如何，現仍言之過早。史蒂芬森表示，最近幾種新產品極受歡迎，像「全色」系列的眼影、粉餅和唇膏，防曬保濕露、去角質液，還有一上貨架立即被搶光的芒果身體滋養霜

（body butter）。怎麼賣得這麼好？史蒂芬森也一臉疑惑。

乳液、沐浴精等保養品市場已相當夠分量，但未來仍極具成長空間。美體小舖也按部就班，穩穩地擴張地盤。1993年在美國開設40家新店，1994年又開了50來家，在歐洲每年約增設50家，遠東地區也一樣。我認為美體小舖正處溫和成長的中年期，如果成長期共三十年，現在剛好是第二個十年。

## 壹號碼頭公司

六個月來，壹號碼頭股價表現不錯，一度從8美元漲到9.50美元，但又迅速回檔。這是華爾街典型的悲觀回應。分析師原先預期壹號碼頭第一季每股盈餘約18美分到20美分，但實際只有17美分，因此股價立即下挫。但第一季消費支出普遍較低，而且壹號碼頭今年每股盈餘預期在70美分以上。

壹號碼頭今年還發行7,500萬美元的可轉換債券，以償還部分債款，因此財務結構大幅改善。如今長期負債確已降低，且未來會更少。

負債減少，存貨降低，壹號碼頭業務也持續擴張。百貨公司一向是壹號碼頭的主要競爭對手，不過在景氣影響下，百貨公司的家飾品部門持續萎縮，其他對手也陸續退出市場。一旦景氣回升，壹號碼頭必定成為家飾用品的老大。

今年壹號碼頭光靠本業，每股賺個80美分應該不算奢望，再加上轉投資的陽光帶園藝公司，每股再加個10到15美分也非難事。所以今年每股盈餘預期有1美元，跟目前14美元股價相比，本益比才14倍而已。

## General Host及陽光帶園藝公司

General Host（GH）公司股價也是先漲後跌，目前股價只比推薦時稍高。如果在高價賣出，現在已有三成漲幅落袋為安。假如準備長期投資，原本2美元漲幅，現在只剩50美分。

4月時，GH公司也發行6,500萬美元可轉換特別股，殖利率8%，跟壹號碼頭的做法類似。不過，GH公司財務結構不比壹號碼頭，因此利息負擔較大。市場認為這是個利空。

持有可轉換特別股或債券，未來得以特定價格轉認普通股。如此，普通股流通股數必然增加，對股息大有影響。先前GH公司曾回購自家股票，這當然是個利多。現在又反其道而行，市場即以利空視之。

壹號碼頭發行可轉換債券，是為了償還債務，利息支出馬上就會降低。而GH公司籌錢，是為了整修法蘭克園藝各分店，這對當前盈餘並無立即效果。

而法蘭克園藝公司銷售情況則岌岌可危，由於房屋市場不佳，許多園藝同業都顯得相當吃力。1992年1月時，股價7.75美元，預期該公司每股盈餘可達60美分。如今股價漲為8.00美元，每股盈餘預估值反而降為45美分。

## 表21-1　巴隆座談推薦股半年檢查

| 公司名稱 | 1992/1/13股價 | 六個月報酬（至1992/7/13） |
|---|---|---|
| 第二代聯盟資本 | $19.00 | 6.00% |
| 美體小舖 | 325p | -12.31 |
| CMS能源 | $18.50 | -4.11 |
| 拓荒者集團 | $17.38 | 18.27 |
| 鷹徽金融 | $10.97* | 38.23 |
| 房利美 | $68.75 | -6.34 |
| 艾塞克第一銀行公司 | $ 2.13 | 70.59 |
| General Host | $ 7.75 | 10.39 |
| 通用汽車 | $31.00 | 37.26 |
| 德鎮儲蓄 | $14.50 | 59.31 |
| 冰河銀行公司 | $10.12* | 40.91 |
| 勞倫斯儲蓄銀行 | $ 1.00 | 36.78 |
| 人民儲蓄金融 | $11.00 | 26.00 |
| 菲爾道奇 | $32.50 | 48.96 |
| 壹號碼頭 | $ 8.00 | 3.31 |
| 至尊銀行公司 | $ 4.59* | 64.50 |
| 太陽經銷，B股 | $ 2.75 | 6.95 |
| 太陽電視及電器公司 | $ 9.25* | -10.74 |
| 陽光帶園藝 | $ 6.25 | -30.00 |
| 超級剪 | $11.33 | 0.73 |
| 坦尼拉L.P. | $ 2.38 | 0.00 |
| 總投資報酬率 | | 19.27% |
| S&P 500指數漲幅 | | 1.64% |
| 道瓊指數漲幅 | | 6.29% |
| 那斯達克指數漲幅 | | -7.68% |
| Value Line指數漲幅 | | -2.13% |

*由於經過股權調整，部分股價和前述有所不同。

不過GH公司的現金流量仍然充裕，過去十四年股利連續提高，而且股價也還在淨值以下。另外，我從股市即時系統得知，加百列的價值基金最近敲進100萬股GH公司，因此我認為這支股票可以繼續抱著。

陽光帶從1月起就呈虧損。上半年陽光帶公司位處的美國西南部降雨特多，誰有興致照顧花園？結果1991年以8.50美元上市的陽光

## 表21-2 半年檢查結果

| | 股價最近表現 | 公司狀況 | 操作策略 |
|---|---|---|---|
| 第二代聯盟資本 | 微升 | 不變 | 買進 |
| 美體小舖 | 微跌 | 略差 | 持股續抱／買進 |
| CMS能源 | 微跌 | 狀況不明 | 觀望 |
| 拓荒者集團 | 上漲 | 更佳 | 買進 |
| 鷹徽金融 | 急漲 | 不變 | 持股續抱 |
| 房利美 | 微跌 | 不變 | 買進 |
| 艾塞克第一銀行公司 | 急漲 | 更佳 | 持股續抱／買進 |
| General Host | 微升 | 不變 | 持股續抱／買進 |
| 通用汽車 | 急漲 | 略差 | 換股（克萊斯勒） |
| 德鎮儲蓄 | 急漲 | 略好 | 持股續抱 |
| 冰河銀行公司 | 急漲 | 不變 | 持股續抱 |
| 勞倫斯儲蓄銀行 | 急漲 | 略差 | 持股續抱 |
| 人民儲蓄金融 | 上漲 | 不變 | 持股續抱 |
| 菲爾道奇 | 急漲 | 不變 | 持股續抱 |
| 壹號碼頭 | 微升 | 不變 | 買進 |
| 至尊銀行公司 | 急漲 | 略好 | 持股續抱 |
| 太陽經銷，B股 | 微升 | 不變 | 買進 |
| 太陽電視及電器公司 | 下跌 | 更好 | 全力買進 |
| 陽光帶園藝 | 急跌 | 變壞 | 持股續抱／買進 |
| 超級剪 | 橫盤 | 更好 | 買進 |
| 坦尼拉L.P. | 橫盤 | 略好 | 買進 |

帶，現在已跌為4.50美元。陽光帶公司經營情況甚佳，而且現金資產平均每股達1.50美元。換句話說，閣下現在投資陽光帶所有園藝店，每股只要3美元！大家走著瞧，一旦雨季結束，大夥發現花圃、庭院需要整理時，陽光帶股價就要陽光普照了。

不過我沒有全力加碼陽光帶，因為我發現柯樂威股價更划算。柯樂威公司可稱為園藝業模範生，年初我沒推薦它，是因當時陽光帶股價較便宜。但這次受降雨過多影響，柯樂威股價也大挫五成。

於是我打電話給股務課的雷諾（Dan Reynolds），他說柯樂威管理部只有20人，全部都在3,000平方呎大的辦公室工作。該公司顯然沒有任何溝通困難，我在電話中聽得很清楚。要找經理嗎？站起來嚷，他就聽到了。

柯樂威開設13家園藝店，現金資產平均每股50美分，預料1993年每股盈餘為50美分，換算起來本益比才十倍。現在華爾街沒人注意這支股票，而且柯樂威正進行股票回購計畫。

如果某產業中最好的上市公司，目前股價超跌，即使其競爭對手股價更低，還是前者勝算大。因此，我會買玩具反斗城的股票，而不是兒童世界（Child World）；買Home Depot而非建築廣場（Builder's Square）；買紐可公司，而不是伯利恆鋼鐵。我看好陽光帶，但更看好柯樂威。

## 超級剪

超級剪股價在強勢上漲一段，並兩股配一股後，股價又回到年初水準。上半年內，超級剪有兩個不好消息，第一是原執行長法伯掛冠，據說是為了照顧自己投資的超級剪沙龍，這理由相當牽強。法伯過去在電腦園公司頗有建樹，他對拓展加盟系統非常老練。

第二個一定是之前我疏忽掉的，後來在董事會投票報告書上，才驚覺卡爾頓投資公司（Carlton Investments）握有220萬股的股權。而卡爾頓又隸屬德布蘭（Drexel Burnham Lambert）公司，德布蘭倒閉後，債權人必然要求總清算，因此卡爾頓那220萬股自然要流出市面。在供給增加的情況下，股價只有向下殺。也許超級剪股價下挫，就是在反映這件利空。

在業績方面，超級剪上一年表現相當不錯，還被指名為「奧林匹克運動會特別指定美髮沙龍」。也許那位兩下子就把我鬢角刮去的美髮師，也忙著為奧運游泳選手理大光頭哩！最要緊的單店營收，在1992年第一季成長6.9%。紐約北部也新開幾家店，羅徹斯特的市長應邀剪綵開幕時，還在那兒理個免費的頭。

如果能成功打入新地盤，單店營收也見增加，就可以再加碼了。不過我現在有點擔心超級剪可能衝太快，1993年該公司計畫開設80到100家分店。

有些原本看好的加盟事業，最後都因擴張太快，砸了自己的鍋，例如彩色瓷磚公司（Color Tile）、芳卓克餐廳等。7月時我對超級剪新執行長說：「如果可以選擇在十五年或五年內達到目標，我想十五年比較妥當。」

## 儲貸七姊妹

總計前半年以來，我推薦的21支股票中，表現最好的就是儲貸機構類股。這一點也不意外，儲貸業整體情況很差，因此基本面健全者，如錐置囊中脫穎而出。而且現在利率正逐漸降低，對金融業而言，必屬大有表現之年。在存、放款利差日益擴大下，金融業者利潤一定會增加。

總計上半年來，德鎮儲蓄公司股價上漲59%，至尊公司上漲64.5%，也宣布發放兩次10%股利。鷹徽金融公司從11美元漲為16美元，冰河銀行公司漲幅超過40%，人民儲蓄金融公司也上漲26%。

至於兩支準備放長線的儲貸類股，勞倫斯儲蓄銀行上漲37%，艾塞克第一銀行公司則暴升70%，正是富貴險中求矣！我打電話聯絡艾塞克的執行長威爾遜，他上次說該公司狀況宛若「用600呎長的線在釣魚」，不過現在應該已經縮短為60呎了。

據威爾遜表示，現在情況大有好轉，程序接收的抵押品陸續拍賣，呆帳比率降低，抵押貸款市場也漸復甦。1992年第一季不但打平，而且艾塞克甚至又承作一筆建築放款。我對建築放款一向不太喜歡，不過一度面臨困難的艾塞克如今敢承作建築放款，顯示該地區景氣漸有回升之兆。

而且艾塞克最大對手，蕭穆銀行（Shawmut Bank）也逃過一劫，不致成為景氣犧牲者，對艾塞克極具鼓舞作用。艾塞克至今每股淨值還有7美元，股價卻僅3.625美元。如果當地房地產市場復甦，艾塞克每股盈餘就可能有1美元，到時股價會漲到7美元至10美元左右。

不過勞倫斯儲蓄銀行就不太妙了。上半年中，我在4月和6月兩次和該公司聯絡。4月時該公司執行長米勒（Paul Miller）表示，過去要分好幾頁才登記得完的呆帳，現在只剩一頁而已。他樂觀地說，抵押放款業務已見改善。但6月電話中，米勒似乎不太起勁。

現在勞倫斯商業放款還有5,500萬美元，但資產淨值已縮水為2,100萬美元。萬一商業放款有一半成為呆帳，勞倫斯就三振出局了。

這正是艾塞克和勞倫斯最大差別所在，艾塞克雖然商業放款額高達5,600萬美元，但資產淨值仍有4,600萬美元，即使商業放款一半被倒帳，艾塞克還是撐得下去。就目前情況來看，勞倫斯相當危險。萬一不景氣持續下去，或更趨惡化，再來一波倒帳潮，勞倫斯恐怕就捱不過了。

## 密西根第一聯邦銀行

六個月後的現在，由於當初推薦的七支儲貸類股都見上揚，因此我認為其中六支大可安心地抱著。不過在這半年裡，有支更好的儲貸股現身了：密西根第一聯邦銀行（First Federal of Michigan; FFOM）。

第一聯邦是1月時，富達儲貸類股分析師艾利森跟我一起搭機到紐約時跟我說的。當時我正要到紐約參加巴隆座談，所以也沒時間深入研究。當時我連提都沒提到第一聯邦。幸好沒提，因為我推薦的股票都漲了，但第一聯邦文風未動。

不是所有的股票都同步上漲的，要是這樣，專業選股人哪有飯吃？股市也沒啥便宜可撿了！市場中永遠會有些落後大盤的股票，等你出掉某支股票後，它就會在你面前現身。1992年7月，現身的就是密西根第一聯邦銀行。

第一聯邦資本額90億美元，是盡量避免商業放款的乖乖牌儲貸機構，而且營運成本壓得很低。但目前正有兩個問題，所以股價漲不上去；第一，該公司向聯邦購屋貸款銀行的融資有問題；第二，第一聯邦手中有些賠錢的利率期貨部位。

最近幾年來，美國利率持續降低，因此多數儲貸機構都享受到存放款利差擴大的好處，但第一聯邦並未嘗到甜頭。這是因為第一聯邦部分資金，來自聯邦購屋貸款銀行，而其利率為固定。一直到1994年貸款到期時，第一聯邦都得支付8%到10%的高額利息。但市場利率續降，該公司放款利率也走低，情況更是不妙。

第一聯邦自己承作的抵押放款，只能收到8%到10%的利息，而本身支付的利息也是8%到10%，這樣哪來賺頭？這個教訓可讓第一聯邦吃足苦頭。其業務普遍賺錢，偏偏就卡在聯邦房貸的貸款上，令整體盈餘難以提升。

現在只能耐心等待，等聯邦房貸的貸款到期，等賠錢的利率期貨部位到期。等這兩個錢坑填平後，第一聯邦的盈餘必然暴增。一旦這兩個問題解決，在1994到1996年間，每股盈餘大約可增加2美元。目前該公司每股盈餘已有2美元，股價為12美元。如果每股盈餘增為4美元，你猜股價會漲到哪兒？

況且，第一聯邦平均每股淨值超過26美元。回顧1989年時，第一聯邦一度驚險萬分，當時股東權益佔資產比值只有3.81%。但該公司力爭上游，後來終於邁過5%門檻。1992年初也恢復發放股利，之後進一步提高股利。其呆帳總額只佔總資產的1%不到。

如果短期利率持續降低，第一聯邦股價可能會跌破10美元。不過內行的投資人，早就沿路埋伏，等著撿便宜了。而第一聯邦也是華爾街證券商忽略的股票。

## 拓荒者集團

6月30日《華爾街日報》報導，數十億美元正湧向債券基金。這正是拓荒者集團最專門的，尤其是有免稅優惠的短期公債基金，也很受投資人歡迎。拓荒者集團的資金，只有9%放在股票，其他均屬債券。如果股市走空，或投資人認為行情不妙，必定把錢轉向債券，到時拓荒者一定比現在更賺錢。

拓荒者財務長史昆表示，基金銷售額最近一季增加58%，現在總管理金額共95億美元，比一年前的81億美元增加不少。現金資產平均每股可分到4美元，而目前股價只有20美元，且1992年預期至少每股賺1.8美元。更妙的是，該公司已宣布1,000萬美元的股票回購計畫。

## CMS能源公司

因市場傳聞公用事業委員會新訂費率，可能有利廠方，因此CMS能源股價馬上突破20美元。稍後證實純屬傳聞後，股價立即跌回16美元，後來又反彈為17.75美元。由於到現在CMS和主管機關仍無達成協議的跡象，因此穆迪投資服務公司已把CMS的公司債，評為「投機」等級。

這正是公用事業轉機股的悲哀，一切得看主管機關的態度。由於州政府委員會的不公平裁決，CMS能源公司部分成本只能自己吸收，不能轉給消費者，因此影響其盈餘。這支股票可能跌到10美元。除非閣下還想趁低價加碼，否則就目前局勢來看，暫時離場觀望比較穩。

不過長期而言，我相信CMS公司一定做得起來。該公司獲利漸有增加，鉅額現金流量最後必然帶動盈餘上升。中西部能源需求持續上揚，但新電廠卻出奇的少。在供給降低，而需求增加的情況下，誰不曉得電價會漲？

## 太陽電視及電器公司

太陽電器股價也是先漲後跌，不過後來跌破我推薦時的價位。6月5日，我打電話給太陽電器執行長歐依斯特，據他說現在總負債只剩下400萬美元。就財務狀況來看，這家公司身強體健，而且受到景氣影響，其競爭對手一一淘汰。從1月以來，有一家對手公司已關閉俄亥俄州境內所有零售店，另一家也撐不下去，整個收攤了。

儘管目前美國正處不景氣，太陽電器仍有盈餘。若非今年春天及初夏天候涼爽，使冷氣機銷售受阻，否則該公司一定能賺更多錢。大夥還覺得會冷的時候，冷氣機誰買？不過電冰箱和電視銷售則仍正常。另外，太陽電器也按照原定計畫，1993年準備開設四到六家分店。

歐依斯特強調，太陽電器財力雄厚，未來幾年的擴張，完全不必增資或借款，光靠現有資金就夠了。

## 上市合夥股權：太陽經銷及坦尼拉

太陽經銷的財務副總裁西松（Lou Cissone）曾發布報告，提到一些不利情況。西松對公司看法頗為悲觀，但太陽經銷第一季仍有盈餘，讓我覺得滿驚訝的。主要問題還是負債方面，太陽經銷一筆2,200萬美元的債務，預定在1993年2月到期。為了準備這筆龐大支出，太陽經銷的做法跟你我差不多，拚命壓低成本，縮減支出，並繼續暫停企業收購活動。據西松表示，恰好有多家與太陽經銷相關的公司，如玻璃、液壓機及汽車零件製造商都以低價求售，現在太陽經銷力有未逮，實在太可惜了。

太陽經銷合夥股權最重要的關鍵在於，A股投資人到1997年公司清算時，只能收回面值10美元，其他資產全由B股平分。我認為未來景氣若復甦，B股屆時應可分到5美元至8美元，而現在B股才3美元。

再者，若景氣持續惡化，太陽經銷也可以賣掉之前收購的企業，先把錢拿來還債，降低利息負擔。過去收購的資產，現在就成了景氣不佳的緩衝墊。

坦尼拉的合夥股權，也是利多不漲。該公司是核能顧問公司，最近簽下兩個新客戶，一個是馬汀．馬利耶塔（Martin Marietta），另一則是美國最大核電業者，愛迪生國協公司（Commonwealth Edison）。由此可見坦尼拉的顧問業務還是相當不錯，否則馬汀．馬利耶塔和愛迪生國協幹嘛找他們？另外，該公司先前涉入的集體訴訟案，也宣布快達成和解了。而且第一季收支相抵，不再有虧損。這麼些利多，股價卻不動？

坦尼拉一開始吸引我的，就是該公司沒有負債，而且顧問部門仍相當完整。即使軟體部門腳步稍顯踉蹌，但股價只有2美元而已。目前坦尼拉的獲利狀況，比1月時好很多，若今年能賺4,000萬美元，每股盈餘就有40美分。基本面持續好轉，但股價卻沒反應。這支股票值得加碼長線操作。

## 賽達園育樂公司

既然談到合夥股權，就把以前買過、推薦過的也一併檢查。由於合夥股權的殖利率相當高，而且有免稅優惠，因此極受投資人歡迎。這次，我又發現兩支值得買進的合夥股權：賽達園和優尼瑪。

賽達園在伊利湖畔經營賽達點遊樂場。8月初，我帶家人到那兒玩雲霄飛車。這是我最喜歡的夏季股票研究活動。

賽達園最近正在收購另一家大型遊樂場，即賓州亞林鎮附近的唐妮園（Dorney Park）。現在又多了一個夏季研究的地方了，賽達園股票代碼用FUN（樂趣），倒是不辜負這個好名字。

1992年初，我之所以沒有推薦賽達園股票，是因為我看不出該公司預備如何提升盈餘。如今有答案了，就是收購唐妮園。賽達園會接管唐妮園，增加新遊樂設施，以過去經驗吸引更多遊客光臨，並壓低經營成本。

伊利湖畔的賽達園，開車就能到的人口約400到500萬人，而距離唐妮園三小時車程的人口，更高達2,000萬人。

賽達園對於併購並不熱中，這是二十年來的第二次。這筆帳看來很不錯。賽達園以4,800萬美元買下唐妮園，前一年唐妮園盈餘共近400萬美元，因此收購本益比為12倍。

賽達園並非完全以現金買下唐妮園。其中以貸款支付2,700萬美元現金，餘款則以增資方式，給予賣主100萬股賽達園股票。

對於賽達園，我是這麼看的：在收購唐妮園以前，賽達園每股盈餘為1.80美元。如今股數又增100萬股，若想維持原來獲利水準，必須增加180萬美元的盈餘才行。另外，2,700萬美元的貸款，每年也要支付170萬美元的利息。

那麼賽達園從哪兒搞來這350萬美元呢？就是唐妮園預估一年約400萬美元的盈餘。加加減減算一下，未來賽達園盈餘可望再次提升。

而唐妮園收購案宣布時，賽達園股價如何？連續幾週都停在19美元不動。所以嘛，閣下不用什麼內線消息，只要看看報紙，自己琢磨、分析，再從容進場買股票，股價還在老地方等你哩！

## 優尼瑪

優尼瑪沒有員工，所以完全沒有薪資費用。優尼瑪是一家控股公司，工作非常簡單。就是從印尼進口液態天然氣到美國賣，利潤即來自銷售收入。每年利潤如數分給股東，現在一年高達20%。

優尼瑪跟印尼能源業者的合約，只到1999年第三季，等合約到期，優尼瑪就一文不值了。投資優尼瑪，就好像在跟時間賽跑，看這六年半內能抽取多少天然氣來賣，股東能分到多少錢。

目前優尼瑪股價為6美元。如果到1999年合約到期時，現在進場的股東只能拿到6美元，那這支股票就沒啥搞頭。若能分到10美元，算是相當不錯的了。假如能分到12美元，那還等什麼？

股利高低主要有兩個因素：第一是印尼油田、天然氣井能抽取多少天然氣（最近印尼業者產量增加，因此這支股票更具魅力）；第二是，天然氣的價格。若價格上揚，股利當然增加，若價格下跌，股利也跟著縮水。

未來油價若上漲，優尼瑪就是投資人賺錢的好機會。這種方法可比石油或天然氣期貨穩當得多，期貨交易成本高，而且非常危險。

## 房利美

因為某項有利房利美的法案為國會擱置，刺激房利美股價跌到55美元左右，讓投資人有很多低價承接的機會。

1992年上半年，房利美的第一季及第二季業績都有很好的表現，抵押債權證券如今已成長為4,130億美元的大買賣。儘管當時美國房屋市場正逢不景氣，房利美的呆帳比率只有0.6%而已，大約是五年前的一半。房利美在1992年每股盈餘為6美元，1993年更增為6.75美元。盈餘成長率仍以兩位數飛奔，但股價本益比還在十倍上下浮沉。

1992年6月23日，我打電話給房利美發言人波茵（Janet Point），請教那個擱置的法案情況如何。波茵向我保證，指外界太過大驚小怪。那個在國會擱淺的法案，主要是界定房利美、房地美等抵押放款業者的業務範圍，以後應該還是會通過。然而不管該法案過關與否，對房利美的經營幾乎沒有影響，即使沒有這項法案，房利美照樣快速成長。

## 第二代聯盟資本公司

聯盟資本提供創業資金給業者，藉以取得該公司股權。不過我真正看上的，是聯盟資本準備標購抵押債權。這些債權原先都是儲貸機構承作，但債權人倒閉後，債權即由專為儲貸業擦屁股的RTC（Resolution Trust Corporation）接收並標售，通常價格均不及實際價值。

自我推薦第二代聯盟資本後，該公司又發行聯盟資本商業基金，用以收 多項貸款債權。目前聯盟資本已控有五個基金，在資金愈見充沛，業務愈見龐大之際，我又看上聯盟資本顧問公司。該顧問公司專作母公司基金的生意，提供顧問、諮詢服務。聯盟資本顧問公司也是股票上市公司，而開設這家顧問公司的目的，則是當初成立基金的專業人士用以收穫成果的。

## 景氣循環類股：菲爾道奇及通用汽車

對景氣循環類股和正處擴張的零售類股，當然不能一視同仁。菲爾道奇在六個月內上漲50%，在我推薦的21支股票中，表現數一數二。不過我擔心，菲爾道奇是否就這麼點能耐而已。根據1992年預估盈餘，年初菲爾道奇股價確實相當便宜。但股價後市是紅是黑，則全賴1993年銅價走勢。

我打電話給菲爾道奇執行長伊爾利，他認為股價上漲，是因為華爾街分析師認為該公司能賺更多的錢。就我來看，這個解釋真是標準的倒果為因。事實上誰也不曉得銅價是漲是跌，那些算命仙也不會知道菲爾道奇能否賺更多錢。就目前菲爾道奇的股價水準，我寧可去投資壹號碼頭、太陽電器或密西根第一聯邦銀行等。

上半年通用汽車股價共上漲37%，後來稍見回檔。因為潛在需求還有數百萬輛，汽車市場肯定有幾年好光景。一旦需求上揚，再加上美元貶值（進口車相對昂貴），日本景氣大有問題，在在都能幫助美國業者搶回本國地盤。

我是看好通用和福特汽車，不過根據最近研究結果，我認為還是要以克萊斯勒的馬首是瞻。1992年克萊斯勒股價漲了一倍，比其他汽車類股都強，儘管我相當驚訝，還是覺得該買克萊斯勒。

股價上漲一、兩倍，甚至三倍就再也不考慮投資這支股票，這在過去可能是正確做法，現在卻不然，有時硬是漲得讓你眼裡噴火。不管上個月克萊斯勒數百萬投資人是賠是賺，都跟下個月的表現沒啥關係。對潛力股，我一向採取「此時此地」的眼光來看待，盡量不受過去歷史所左右。而真正重要的是，克萊斯勒每股盈餘有5到7美元的潛力，相較起來，目前21到22美元的股價是高是低？

克萊斯勒情況愈來愈好。雖然過去一直在破產邊緣掙扎，但如今現金資產已累積達36億美元，足夠支應37億美元的長期負債。現在談到克萊斯勒的財務危機，泰半誇大其辭。而且在財務結構改善後，克萊斯勒金融公司也能以較低成本取得資金，這對克萊斯勒盈餘必有正面效果。

改良後的Cherokee吉普車，非常受到消費者喜愛，不用折扣促銷就賣得很好。每輛吉普車和小型廂型車，都能讓克萊斯勒多賺幾千美元。儘管今年美國汽車市場也沒多好，克萊斯勒靠這兩種車子營收即達40億美元。

新出的T300型卡車，更有卡車界的BMW美譽。卡車市場過去一向由福特及通用汽車公司把持，如今T300已成為克萊斯勒進軍卡車市場的開路先鋒。過去克萊斯勒只生產小型卡車，大型卡車是新嘗試。另外，過去的基本車系Sundance和Shadow，如今也被LH車系取代，這是十年來克萊斯勒首度推出新型基本車系。

LH車系包括幻鷹（Eagle Vision）、克萊斯勒協和（Chrysler Concorde）以及普里茅斯猛男（Plymouth Intrepid）等車型，定價都不低，利潤可觀。如果LH車系能像Saturn或Taurus同樣受歡迎，必能大幅提升盈餘。

要說有啥利空的話，就是最近幾年來克萊斯勒增資不少，因此市面上又多了幾百萬股的股票。1986年克萊斯勒經銷在外股數共2.17億股，現在則高達3.40億股。不過克萊斯勒若能照其所允，在1993年到1995年間切實提高盈餘，則小瑕難掩大瑜。

1992年9月，相隔十年後，我再度參加電視節目《華爾街一週》，有機會再大放厥詞，報一堆明牌。我可花了好幾個禮拜來準備，跟參加巴隆座談一樣慎重其事，希望能和數百萬名觀眾分享我的研究心得。

《華爾街一週》並沒有事先套招，所以事先不知道他們會問什麼，你得能隨機應變，可沒時間讓你考慮三天再回答。要是他們不管，我起碼可以連續說個一小時半，跟老爺爺對孫兒喋喋不休一樣。可惜沒這麼好的事，結果我花太多時間介紹法國ABP公司，根本沒空再提房利美、密西根第一聯邦或其他我最看好的儲貸類股。

這次我也為福特和克萊斯勒公司說了些好話，情況就如十年前首次參加《華爾街一週》一樣，在下單刀赴會，舌戰群雄，其他來賓都不以為然。好像所有的事情繞了一圈，又回到原點。

# 金科玉律25條

我致力於投資事業凡二十年，積二十年之經驗，實在忍不住想在這裡利用最後機會，跟各位分享一些最緊要的教訓，其中很多是在本書或以前著作中提過的。這算是敝人的聖艾格尼斯告別大合唱吧！

1. 投資既有趣又刺激，但若不下苦工，就可能有危險。
2. 華爾街專家的意見、看法，絕不能帶給散戶任何優勢。閣下的投資利器就在你自己身上，投資你瞭解的產業及企業，才能發揮自身優勢。
3. 過去三十年來，股市漸為專業人士和法人把持。大家都以為強敵環伺下，單幹戶相對不利。其實在這種情況下，散戶反而容易在夾縫中找到自己的天地。勇敢地邁開步伐，你也可以擊敗大盤。
4. 股票只是表象，上市公司才是實質。閣下要做的，就是搞清楚企業狀況。
5. 在短期內，或許幾個月，甚至幾年的時間內，上市公司經營得很成功，股價不一定就會有所反應。但長期而言，企業成功與否，跟股價會不會漲，絕對是百分之百有關。而利多不漲，正是賺錢的好機會。要買好公司的股票，還要有耐心。
6. 買股票時，要知道因何而買。光說：「這股票一定會漲！」是不夠的。

7. 不熟悉的產業或企業，勝算通常不高。
8. 買股票跟養孩子差不多，別生太多讓自己手忙腳亂。業餘投資人大概有時間研究8家到12家上市公司，注意買、賣良機。但持股不必超過五支以上。
9. 如果找不到好公司的股票，儘管把錢擺在銀行，等發現再說。
10. 不瞭解其財務狀況之前，不貿然買進該公司的股票。資產負債結構不佳的公司，就是會虧大錢的股票。在閣下拿血汗錢去冒險之前，先仔細檢查資產負債表，看它的信用狀況有沒有問題。
11. 不要一窩蜂搶買熱門產業的熱門股。低迷、停滯產業中的好公司，通常就是寶。
12. 小公司要等真正開始賺錢後，才去投資。
13. 投資夕陽產業，一定要找耐力夠的公司。不過也要等整個產業有復甦跡象才行。試問，蒼蠅拍和真空管產業而今安在？
14. 如果用1,000元買股，頂多就是把1,000元虧光。但若有耐心，就可能賺1萬元，甚至5萬元。一般投資人大可緊抱幾支好股票，基金經理人是不得不分散呀！同時操作太多股票，很可能忙中出錯。一生只要能掌握幾支好股票，就夠你吃喝不盡了。
15. 在各個產業、各個區域內，一定還有投資專家還沒發現的寶藏，靜靜等待散戶發掘。
16. 空頭市場跟冬天寒流一樣正常。如果閣下預做防備，是傷不了人的。股市重挫，大夥驚慌殺出，正是撿便宜的大好機會。
17. 想賺股票的錢，誰都有辦法，但膽量可不是人人都有。若閣下很容易在驚慌中殺出，請遠離股市，連股票基金都別碰。
18. 世界上總有些事令人擔心，但別讓週末恐懼症把你嚇倒，也不要管報上那些聳人聽聞的預測。賣股票，是因為該公司基本面有問題，而不是天快塌了。

19. 天曉得利率、經濟景氣或股市未來會怎樣，不如把精力放在上市公司，仔細研究閣下投資的企業最近狀況如何。
20. 十步之內，必有芳草。研究十家企業，總會發現其中有一家，會比預期還好。若研究50家，可能就會挖到五家。股市中永遠有驚喜，能找到專家忽略的股票。
21. 做股票但不下工夫研究，就跟玩牌卻不看牌一樣。
22. 股票和選擇權不同。操作選擇權，是跟時間賽跑。但若看中好股票，時間就站在你這邊，慢慢跟它磨。或許你錯過沃爾瑪百貨的第一個五年，但第二個五年，它還是很棒的股票。
23. 閣下若有膽量做股票，但沒空也不想自行研究，可以去投資股票共同基金。這時分散資金頗有必要，不過買進六家相同類型的基金，可不算分散。而是分別投資成長類股、價值型、小型股、大型股等不同類型的共同基金。愈常進出股票共同基金，資本利得稅負愈重。所以只要找到一家或數家表現不錯的共同基金，就別再胡思亂想了，好好盯著就行。
24. 全球主要股市，過去十年的總投資報酬率，美國只排到第八名。閣下可以挑選績效不錯的海外基金，撥點錢投資經濟快速成長的地區。
25. 長期來看，精挑細選的股票或基金，一定比債券或貨幣市場基金好。但若閉著眼睛亂買股票，可不比把錢藏在床底下高明。

# 卷末瑣語

股市瞬息萬變，1992年我完成巴隆座談推薦名單後，又發生許多事情。首先，我又參加1993年的巴隆座談，從前一年推薦名單中保留八支股票，再配合其他股票，推薦給投資人。本書出版時，我大概也知道1994年要推薦哪些股票了。

這些例行工作都是一樣的。找出股價低估的公司，通常都在逐漸走下坡的產業中挖到寶。過去兩年中，我找到的超跌股，沒有一支是像默克藥廠、亞培實驗室、沃爾瑪百貨或寶鹼公司之類的績優股。事實上，這些熱門股價已超過實質基本面，因此這兩年來行情頹疲，證實敝人在第7章介紹的股價走勢和盈餘曲線，確實大有關聯。

仔細觀察這些績優股的股價走勢和盈餘曲線圖，1991到1992這兩年來，股價已嚴重偏離盈餘基本面，這正是危險訊號。1980年代末期以來，這些績優股表現優異，但如今已是高處不勝寒。

那些熱門股一有大跌，特別是那些退休基金或共同基金投資很多的股票，華爾街總要編個藉口來自圓其說，為自己脫罪。最近一些製藥類股重挫，華爾街說是柯林頓的醫療福利政策所致；可口可樂下跌，說是美元升值影響其獲利；Home Depot股價疲軟，說是房市低迷。其實真正原因，只因為股價偏離基本面。

績優成長股如果股價偏離基本面，常常是一連盤整數年，等業績趕上來，不然就得回頭探底，和盈餘水準找到新的平衡點，如亞培實驗室1993年底股價走勢（參見第7章圖7-2）。也許有些績優股能在1993年脫離盤整，重新出發，屆時1994或1995年可能有些值得向各位推薦。

就在下經驗，股票的本益比，「益」（即盈餘）才是主角，「本」（股價）只是跟著跑而已。如果盈餘不增加，股價自個兒是跑不遠的。

## 表PS-1　1993年巴隆座談推薦股票

| 代碼 | 公司名稱 | 報酬率 93/1/11-93/12/31 | 股價 93/1/11 | 股價 93/12/31 |
|---|---|---|---|---|
| ABBK | Abington Savings Bank | 27.78% | $9.00 | $11.50 |
| AMX | AMAX公司（至93/11/15） | 47.71 | 16.88 | — |
| AHC | Amerada Hess公司 | 3.78 | 44.00 | 45.13 |
| APA | Apache公司 | 33.12 | 17.75 | 23.38 |
| AS | Armco公司 | -5.77 | 6.50 | 6.13 |
| — | 美體小舖 | 37.20 | 164p | 225p |
| BP | 英國石油 | 46.81 | 44.88 | 64.00 |
| BST | 英國鋼鐵 | 97.81 | 9.50 | 18.50 |
| C | 克萊斯勒 | 49.00 | 36.25 | 53.25 |
| CCI | 花旗集團 | 71.51 | 21.50 | 36.88 |
| CMS | CMS能源公司 | 39.30 | 18.50 | 25.13 |
| CSA | 海岸儲蓄金融公司 | 34.12 | 10.63 | 14.25 |
| DBRSY | De Beers Consolidated Mines-ADR | 84.64 | 13.75 | 24.25 |
| DME | Dime Savings Bank of New York | 20.37 | 6.75 | 8.13 |
| FDX | Federal Express Corporation | 27.99 | 55.38 | 70.88 |
| FNM | 房利美 | 3.66 | 77.50 | 78.50 |
| FFOM | 密西根第一聯邦銀行 | 62.24 | 16.08 | 25.50 |
| FOFF | 50-Off Stores, Inc. | -42.71 | 12.00 | 6.88 |

在那些大型成長股眼看樓高起，又垮得一塌糊塗之際，許多小型成長股股價仍然低估。第3章介紹的新展望基金指標，顯示小型股本益比和大型績優股相比，仍然偏低（參見圖3-1）。只要小型股股價相對偏低，至少在新展望基金指標回升以前，小型股都有機會勝過大型股。

## 表PS-1　1993年巴隆座談推薦股票（續）

| 代碼 | 公司名稱 | 報酬率 93/1/11-93/12/31 | 股價 93/1/11 | 股價 93/12/31 |
|---|---|---|---|---|
| F | 福特汽車 | 47.37 | 45.13 | 64.50 |
| GH | General Host | -18.38 | 9.00 | 7.00 |
| GM | 通用汽車 | 63.26 | 34.25 | 54.88 |
| GLM | Global Marine, Inc. | 65.00 | 2.50 | 4.13 |
| GGUY | 好傢伙 | 18.18 | 11.00 | 13.00 |
| HWG | Hallwood Group. Inc. | -8.89 | 5.63 | 5.13 |
| HAR | Harman International Industries | 94.92 | 14.75 | 28.75 |
| AHM | HF阿曼森公司 | 11.07 | 18.50 | 19.63 |
| HPBC | Home Port Bancorp, Inc. | 66.46 | 7.38 | 11.75 |
| IAD | Inland Steel Industries, Inc. | 51.43 | 21.88 | 33.13 |
| MAXC | Maxco, Inc. | 106.06 | 4.13 | 8.50 |
| MSEL | Merisel, Inc. | 67.05 | 11.00 | 18.38 |
| NSBK | North Side Savings Bank, Bronx, NY | 39.67 | 13.33 | 18.50 |
| NSSB | Norwich Financial Corporation | 62.44 | 5.75 | 9.00 |
| PXRE | Phoenix RE Corporation | 80.16 | 15.25 | 27.25 |
| RLM | Reynolds Metals Company | -13.65 | 53.88 | 45.38 |
| SERF | Service Fracturing Company | 16.96 | 3.31 | 3.88 |
| SBN | 陽光帶園藝公司 | -40.21 | 5.75 | 3.44 |
| SDP.B | 太陽經銷 | 25.26 | 3.50 | 4.25 |
| CUTS | 超級剪 | 2.62 | 14.50 | 14.88 |
| TLP | 坦尼拉 | 4.72 | 1.31 | 1.38 |
| | 1993年總投資報酬率 | 35.39 | | |
| | S&P 500指數漲幅 | 11.23 | | |
| | 那斯達克指數漲幅 | 13.83 | | |
| | Value Line指數漲幅 | 18.31 | | |

1993年另一樁趣事，就是天然氣產業竟然復甦了，代表能源及能源服務業尚有可為。能源相關產業已沉寂數年，我都忘了到底幾年。但在努力降低成本，強化經營，關掉成本效益不彰的氣井後，也為倖存業者掙出一片天地來。

此等能源類股的風險／報酬比率，大都非常划算。長期低迷後，能源股股價早已體無完膚，如今是回檔有限，勝算頗高，因此我在1993年即推薦五支能源股，其中兩家是能源服務業者，三家為能源開採業者。

根據第15章提到的汽車潛在需求指標，我認為汽車銷售額會超過一般預期。汽車市場在不景氣之後，通常要五、六年才能把潛在需求消化完畢。而這次的車市景氣，到現在才進入第三年，所以我又推薦三支汽車股，及汽車立體音響製造商哈曼國際公司（Harman International）。

我和許多分析師討論，並拜訪多家買賣鋼鐵的業者後，發現鋼鐵價格已趨穩定。同時，美國鋼鐵業者也認為政府將採取行動，對抗國外業者的傾銷（不過本國業者後來並未得到政府的保護）。另外，我也聽說一些歐洲鋼鐵業者，可能提早收攤。這些歐洲業者無不虧損累累，其實早該關門了。各國政府所以大力補貼，無非是不想讓失業問題雪上加霜，不過現在此等既沒生產力，又乏競爭力的業者再也撐不下去了，況且歐洲各國的國營事業民營化潮流，必定促使這些賠錢貨提早出局。這對全球鋼鐵價格，都算是利多一件。後來，我決定推薦三家鋼鐵公司和兩家金屬業者。

綜觀而言，敝人1993年的巴隆名單，景氣循環類股佔了不少。其實景氣循環類股應該是在經濟景氣開始復甦時，才是最佳介入時機。然而，當時在挑選推薦股票時，我還不認為景氣即將翻轉。只是我研究的多家公司中，超跌股多屬景氣循環業者，我認為這幾家公司盈餘馬上會好轉。

1992年我推薦的七家儲貸機構，股價均見上揚。1993年我又挑出八家新面孔。對於1991年陸續上市的儲貸類股，我實在是既驚且喜，這些儲貸機構幾乎沒有扶不起的阿斗，幾十支股票中，有漲二倍、三倍，甚至四倍的。

不少儲貸機構幾年來都經營得非常好，所以這些股票不該只是搞短線。即使過去幾年來股價漲了不少，就在本書寫作時，還是很好的介入時機。在其他產業上，我從不曾看過有那麼多經營完善的業者，但股價卻嚴重低估，許多均低於淨值，但獲利狀況卻一年好似一年。此外，許多儲貸機構體質強健，不少大銀行或大型同業均垂涎三尺，極可能高價收購。

然而華爾街卻看不到這些，成天只擔心經濟成長一旦上軌道後，利率可能反向盤高，屆時儲貸業利差優勢不再，獲利必受影響。但我的看法是，倘若經濟過熱，物價壓力以兩位數的速度飛快膨脹，對儲貸業反而不利。景氣以合理速度緩步擴張，儲貸業者才能安安穩穩地做生意。

如果經濟穩定復甦，儲貸業同蒙其利。一旦房市回升，原先被套牢的房地產抵押品，才能以合理價格順利出脫，這對飽受呆帳之苦的儲貸機構豈非大喜？況且，房市回升，大夥都有錢賺，呆帳問題必得紓解，儲貸業也不必再當冤大頭，被迫接收不值錢的抵押品。如此良性循環，儲貸機構的資產負債結構也會隨之好轉。既然不必再花大錢來彌補呆帳損失，盈餘自然提升。而且在景氣復甦後，債權人信用能力增強，儲貸業者的獲利能力也會提高。

最後，我對加州的儲貸業者最感興趣。這是因為加州經濟衰退得非常嚴重，攤開報紙哀鴻一片，好像整個加州都快完蛋了，敝人所在的新英格蘭地區，1990年也是如此，市面一片蕭條，報上成天大驚小怪。然而閣下若能視而不見，聽而不聞，默默在低價承接好股票，特別是銀行、儲貸機構及部分零售業股，現在可就賺得不亦樂乎！

既然新英格蘭地區能，加州一定也可以撐過去。所以在1993年推薦名單上，我特別選了三家加州公司：海岸儲蓄金融公司（Coast Savings Financial, Inc.）、HF阿曼森公司（H.F. Ahmanson & Co.；美國最大儲貸業控股公司）及家用電器連鎖業者好傢伙。當然我沒忘記老搭檔，專做債權生意的房利美。當時房利美行情極差，因為買來的債權中，有四分之一來自加州地區，而大夥正把加州房地產看成瘟疫。

## 一年後算總帳

第21章我們看過六個月驗收，現在來算算一年總帳。成天看著股價起起落落，心情跟著浮浮沉沉，有時真忘了股票就是上市公司的一部分。閣下若是當寓公，自然會常常檢查房子，哪兒漏水、哪兒該修。所以，持有股票，就是擁有公司的一部分，咱們自然不能大意，要時時注意狀況。

在我做完最近的研究功課後，可以在此向各位報告：

第二代聯盟資本公司有些短期利空，股價也下跌反映。雖然整體而言沒啥不對勁，但當時寄望一年內股價會漲的期望，現在恐怕要熬久一點。現在聯盟資本資金都在手上，不過還沒全力出擊。聯盟資本準備收購的債權，一部分是由倒閉的儲貸業者流向政府支持的RTC，這些信用堪稱良好的債權，利率大約為10%到11%。

但比較難以估算的情況是，許多銀行業者及其他創業投資基金，也對這些超值債權有興趣。在各方競爭下，聯盟資本公司或許搶不到它要的，但也不因此而降低標準，隨便買進高風險的債權。所以只好先把錢擺在貨幣市場，死領3%的利息。這種收入狀況當然讓股東不滿，因為每年支付的管理費就要2%。聯盟資本正陸續買進穩當的債權，只是不如預期般順利。不過，負責管理聯盟基金的聯盟公司股票，倒是表現極佳，這一年來漲一倍。

談到資產管理公司，拓荒者集團一年漲幅69.7%。這又再次證明，當有幾百億資金湧入各家基金時，基金公司大賺錢，買基金類股的投資人也笑呵呵。

我承認對園藝業（陽光帶、柯樂威和GH公司）的滿腔熱情，已是明月照溝渠了。怪我自己看得不夠深入。我認為1990年代，園藝活動會像1980年代的烹飪一樣大行其道，大夥都會買植物、盆栽、園藝工具等等。殊不知這一行可不好做，競爭激烈，眾業者拚得你死我活，跟航空業差不多。

而且許多生意都被凱瑪百貨、Home Depot搶走了，這些百貨、家用業者也兼售簡便園藝用具、植物、肥料和除草劑等。園藝連鎖業者現在可謂腹背受敵，前有百貨折扣業者大軍壓境，後有地方舊式小店零星騷擾打游擊。而且一年來天候多變，今天成澇，明天鬧旱，園藝生意當然七零八落。

當時我推薦柯樂威時，股價8美元，但1993年底只剩3美元。先前我認為這是支成長股，現在則算是潛力股。柯樂威現金資產平均每股達1.30美元，在達拉斯地區還有17幢大樓資產。

我之所以看好陽光帶，是認為它很可能成為收購對象。果不其然，最後GH公司買走了。只是當初在下推薦時，每股6.25美元，但收購價只有5美元，猜得是沒錯，只是虧大了。

如果閣下還看好陽光帶，就買GH公司的股票吧！只是GH公司也稍不如前，所經營的法蘭克園藝用品店，銷售狀況讓人失望。事實上，整個1993年情勢都很差，美國各地都傳熱浪，大夥全躲在屋裡吹冷氣，誰管花草死活？

或許GH公司還是會爬起來，只是不像我所想的那麼快，跟聯盟資本公司一樣。

壹號碼頭公司也跟園藝業有點關係。在GH公司收購陽光帶以前，壹號碼頭即控有不少陽光帶的股票。儘管當時美國經濟不甚理想，壹號碼頭仍力爭上游，在鄰近地區攻佔不少家飾品市場。我認為這支股票錯不了！

CMS能源公司的未來，還是得看它和密西根公用服務委員會的折衝協調，是否能訂出有利的費率。最後結果到底如何，我也不知道。不過就我所知，我認為在股價只有18.5美元時，即使費率案對之不利，也很值得投資。權衡風險和報酬，那個價位非常划算。

1993年服務委員會終於定案，雖然對CMS公司並非完全有利，但也夠讓它漲到25美元附近了。就目前股價而言，請持股緊抱。

由於大幅削減成本，且銅價上揚，菲爾道奇公司1992年總算揚眉吐氣。不過1993年銅價稍趨回檔，因此菲爾道奇盈餘難以更進一步，股價也呈橫盤。投資礦採業，可千萬不能大意，得時時注意公司及商品價格動向。

美體小舖在1992年表現並不突出，不過1993年基本面已見改善。我推薦時股價為325便士，當時我的建議是先小買一點，等低價再加碼。結果從那以後，股價續挫，到1993年2月跌到140便士的最低價。這真出乎我意料之外，不過股票就是這樣，誰也猜不著底部在哪兒。閣下投資股票經驗要是夠的話，一定曾碰上股價突然大跌的情況。

手中股票突然大跌，就得好好地研究一番了。如果該公司基本面情況還是很好，那重挫五成，不正好狠狠地加碼嗎？所以美體小舖股價下跌，真正要搞清楚的是原因何在。

我打電話到美體小舖公司，以瞭解情況。該公司到現在還是沒有負債，且持續進軍新市場。這是利多方面。但不妙的是在家鄉英國市場，銷售狀況大受挫折。由於英國經濟衰退嚴重，保養品市場當然隨之萎縮。或者此時消費者會轉向便宜的清潔用品，美體小舖的高價保養品，只好等以後再買。

美體小舖最大的四個市場中，加拿大、澳洲和英國都陷於不景氣。而在美國，則受到不少競爭者圍攻。不過美體小舖未來的成長，其實還是要靠其他市場，如法國、日本等。在這些新市場，美體小舖的競爭壓力還很小。我認為美體小舖是個全球事業，總共能成長個三十年，現在才是第二個十年而已。因此，我所知道的是，現在的美體小舖，比1992年初我剛推薦時還棒！我也向過去的富達同事史蒂芬森探聽消息，她對後來哈佛廣場新開的分店也非常滿意。因此儘管股價已經跌了一半，我仍不死心，又在1993年推薦美體小舖。

太陽經銷公司則宣布考慮提前四年結算，準備賣掉旗下眾多產業。原本太陽經銷公司可享有免稅優惠至1997年，因此一般預期屆時該兩合企業才會結束。

太陽經銷總清算後，A股投資人依約每股領回10美元，其他則歸B股均分。我認為這筆生意必賺無疑，所以1992年及1993年連續推薦其合夥股權。

太陽經銷努力壓低成本、縮減負債的做法，對B股投資人非常有利。而在宣布考慮結算的幾個月前，該公司也籌到新款，解決一筆迫在眉睫的債務。這真是大好消息，年報中就能看到這項利多。另外，即使美國經濟正處不景氣，年度盈餘仍持續成長，現金流量還是每股增加1美元。理論上，這代表B股價值，一年增加1美元。

這裡咱們又碰到利多不漲的情況。太陽經銷B股股價，在2.50美元到3美元間混了兩年多，到1993年9月才在清算利多可能宣布的刺激下，漲到4.40美元。股市總是一再試探投資人，如果你對某家公司有信心，你一定能熬到中獎。

如果不出任何差錯，我認為到1997年時，太陽經銷B股價格應有8美元，甚至更高的實力。這種感覺跟當時塔可貝爾準備賣給百事可樂時很像。1970年代末，百事可樂收購塔可貝爾，賣方股東淨想把公司賣掉，快點拿錢，落袋為安。然而我認為塔可貝爾潛力無窮，若好好經營更有十倍價值。

坦尼拉是我挑的轉機型合夥股權，但事實證明並不理想。幸好坦尼拉沒有負債，否則早就三振出局了。所以，投資轉機股要特別留神，起碼它得有錢付醫藥費才行。

坦尼拉股價先漲後跌，後來只剩我推薦時的一半，1993年我再次提出這支股票，股價還在原地踏步。坦尼拉又換了位執行長，在回購自家股票後，銀行還剩200萬美元。核電廠顧問業務方面，又簽下新客戶，原先六件出問題的工程案，現在只剩下兩件。坦尼拉和政府間的糾紛，到現在還沒解決，不過公司方面已有充分準備，萬一官司打輸了，也還有錢支應。倘若打贏，可就意外中獎了。

對於坦尼拉，我是這麼看的。萬一這家公司最後沒救，清算價值大約是每股1美元，如果能夠起死回生，股價會回到4美元。

另外兩支我長期追蹤，但在1992年末推薦的上市合夥股權（MLP），也頗值一提。賽達園育樂公司，在併購費城附近的唐妮園遊樂場後，生意狀況續有成長。1993年我又帶全家到唐妮園實地「考察」一番，園中有一座全球最高的水上雲霄飛車。而重點是，這支股票不但每年有6%殖利率，同時一直到1997年都享有免稅優惠。賽達園公司也積極擴張，興建新的遊樂設施，並收購有潛力的遊樂場。其實，賽達園本身就可能成為別人的併購對象，一些娛樂

## 表PS-2　1992年巴隆座談推薦股票

| 代碼 | 公司名稱 | 報酬率 92/1/13-93/12/31 | 股價* 92/1/13 | 股價 93/12/31 |
|---|---|---|---|---|
| ALTI | 第二代聯盟資本 | -14.11% | $19.00 | $14.25 |
| — | 美體小舖 | -30.77 | 325p | 225p |
| COGRA | 拓荒者集團 | 69.70 | 17.38 | 28.00 |
| CMS | CMS能源 | 43.30 | 18.50 | 25.13 |
| EAG | 鷹徽金融* | 101.81 | 10.97 | 20.50 |
| FNM | 房利美 | 19.34 | 68.75 | 78.50 |
| FESX | 艾塞克第一銀行公司 | 222.68 | 2.13 | 6.75 |
| GH | General Host | -1.32 | 7.75 | 7.00 |
| GM | 通用汽車 | 87.45 | 31.00 | 54.88 |
| GSBK | 德鎮儲蓄 | 287.15 | 14.50 | 54.75 |
| GBCI | 冰河銀行公司 | 117.37 | 10.12 | 21.00 |
| LSBX | 勞倫斯儲蓄銀行 | 225.00 | 1.00 | 3.25 |
| PBNB | 人民儲蓄金融 | 85.42 | 11.00 | 18.75 |
| PD | 菲爾道奇* | 60.97 | 32.50 | 48.75 |
| PIR | 壹號碼頭 | 23.53 | 8.00 | 9.75 |
| SVRN | 至尊銀行公司* | 250.90 | 3.83 | 13.13 |
| SBN | 陽光帶園藝 | -44.99 | 6.25 | 3.44 |
| SDP.B | 太陽經銷，B股 | 65.87 | 2.75 | 4.25 |
| SNTV | 太陽電視及電器公司* | 130.48 | 9.25 | 21.25 |
| CUTS | 超級剪* | 31.26 | 11.33 | 14.88 |
| TLP | 坦尼拉L.P. | -42.11 | 2.38 | 1.38 |
|  | 1992年總投資報酬率 | 80.43 |  |  |
|  | S&P 500指數漲幅 | 19.19 |  |  |
|  | 那斯達克指數漲幅 | 25.77 |  |  |
|  | Value Line指數漲幅 | 33.07 |  |  |

*股價經分割調整。

業大亨應該很有興趣，屆時可以把遊樂設施和媒體主角結合在一起，進一步開拓利潤，例如霸子雲霄飛車（霸子為卡通《辛普森家庭》的老大，言行粗鄙，但極受觀眾歡迎）之類的。迪士尼先前已經買下一支曲棍球隊，改名為「超級鴨」，要是以後收購一個遊樂場，再把自家的媒體英雄、英雌結合進去，一定能製造不少噱頭。

在長島經營購物中心的EQK綠畝田公司，已籌到新款，大部分可能威脅該公司的債務問題均獲解決。1993年又傳來兩項利多：①Home Depot收購綠畝田部分股權，綠畝田以之償債；②綠畝田在季報中表示，最大股東和執行長買進自家股票5.6萬股。

綠畝田股價在債務問題解決後就漲了，但不是消息曝光後馬上漲。所以，閣下根本無需什麼內線消息，只要多看報紙，多注意，還是能抓到機會。即使有利多出現，華爾街反應還是慢吞吞的。

綠畝田同時表示，該公司可能轉型為房地產投資信託業者（REIT）。如果確實，未來綠畝田的資產負債結構必大有改善，而且也能以更低利率融資。一旦轉型，綠畝田可能要以新的REIT公司股票，補償主要合夥人衡平公司（Equitable）。但在新的財務結構下，綠畝田有能力收購其他購物中心來擴張地盤，跟賽達園的做法一樣。

超級剪有了驚人宣布：準備和另一位合夥人合資，在紐約地區開設200家分店。為了這項擴張計畫，超級剪借了不少錢，這對1993至1994年度的盈餘必然不利。分析師原先預期該公司每股盈餘有80美分，但我認為可能達不到。

長期而言，增設新店當然可以加速企業的成長。超級剪股價本益比，也持續低於大盤平均本益比。目前股市中，許多上市公司成長速度既慢，而且也非業界領袖，但投資人反而願以較高價格來買它們的股票。反觀超級剪在理容業界可謂龍頭老大，但本益比卻比較低。顧客還是願意排隊等候，來超級剪整修門面。最重要的單店營收，雖然服務價目並未調動，過去一年來仍成長4%到5%。

最近該公司發送季報，內附3美元的理容折扣後，或許這也是投資超級剪股票的好理由。不過敝人在波士頓已經嘗試過了，所以就敬謝不敏了。

在俄亥俄州的零售業者，太陽電器一年來業績突增，單店營收成長15.2%，而且過去兩年來，已新開11家分店。太陽電器在取得臨近市場後，轉而進攻匹茲堡、克利夫蘭和羅徹斯特等地，很快也會跨入水牛城和西拉庫斯等市場。在成功進軍五大湖地區東西兩岸市場後，競爭對手很難在此與之匹敵。太陽電器一年成長20%，過去兩年來股價已翻了一倍，但本益比仍不到20倍。如果股市回檔，太陽電器也跟著下跌，我會再加碼。

在美國三大汽車公司中，通用汽車問題最多，不過往後幾年，股價表現卻可能最好。雖然我同時推薦三家汽車股，其中克萊斯勒到目前為止表現極佳，不過就海外汽車市場而言，通用倒是值得期待。一旦歐洲經濟復甦，汽車需求回升，通用就會賺大錢。

目前美國購車熱潮仍未結束（市場上仍有潛在需求，參見第15章），通用汽車在美國市場中也獲利不少。通用在美國汽車市場佔有率高達30%，實在沒有理由不賺錢。福特佔20%，克萊斯勒只佔10%，人家照樣搞得有聲有色。通用已撐過卡車市場的谷底，其他事業單位也非常好，因此即使通用在美國市場中只能維持收支相抵，靠其他事業，每股盈餘仍可望有10美元，甚至以上。

各位要搞清楚，通用這種情況，跟其他企業非常不同。以IBM來說，IBM如果在美國電腦市場賺錢，其整體業績自然跟著爬起來。但通用儘管在美國市場表現平平，照樣賺得到錢。

房利美股價實在太委屈了，華爾街專家竟都看不上眼！日後各位一定驚覺，房利美幾乎是百分之百的贏家相。美國抵押債權證券市場日漸擴大，而房利美在這方面佔有率日高。然而儘管房利美三季以來獲利非常好，到1993年底股價卻都沒怎麼動。

房利美總共只有3,000名員工，而一年獲利20億美元，這麼穩當、這麼容易掌握的黑馬股，已屬世間少有的了。華爾街最喜歡穩當的成長股，我實在搞不懂他們怎會看不上房利美？

最近市場憂慮利率降低，可能造成房利美獲利縮減。不過幾年前，市場擔心的卻是利率提高，房利美可能不賺錢。其實房利美已非昔日吳下阿蒙，利率到底如何，對其盈餘已沒有多大影響。房利美現在的債務，泰半屬可贖回債券（callable bond），一旦市場利率降低，房利美可以提早償還，再從短期市場融資。因此，即使利率降低，債權人可能以再抵押方式來減輕利率負擔，造成公司方面利率收入降低，但融資成本降低則將有所補償。

第二個憂慮則是，認為加州地區的不景氣，可能嚴重波及房利美，因為該公司持有債權，高達四分之一都和加州有關。幾年前德州房市大崩盤，房利美的確吃了不少苦頭，但這些都是過去的事了。痛定思痛後，房利美早就嚴格緊縮放貸標準。如今，房利美抵押放款額平均每筆只有10萬美元，且其加州債權的放款價值比率（loan-to-value ratio，指放款額與抵押財產的比率）高達68%，為加州同業中最高。即使歷經不景氣，房利美的呆帳比率已持續下降七年，現在只有0.6%，為該公司有史以來最低紀錄。這些都不是什麼內線消息，如果投資人去要，房利美就會把這些資料送到。

第三個憂慮是，房利美跟經營學生貸款的沙利美有關，而沙利美最近飽受柯林頓總統和國會抨擊，表示善用國家力量，可以把學生貸款業務做得更完美。我看倒也不盡然，郵政不就是個好例子嗎？最後政客決定以國家資本經營學生貸款，現在正籌設中。

其實房利美跟沙利美根本無關。前一年國會通過新法案，重新界定政府資助的企業，但這對房利美完全沒有影響。1993年，房利美盈餘成長近15%，預估1994年將持續成長10%至15%，如果以股市平均本益比計算，房利美股價早該飆到120美元了。

關於儲貸機構類股（鷹徽、冰河、艾塞克第一、德鎮、羅倫斯、人民儲蓄金融及至尊）的最近情況，之前我已說明。對於投資上市的儲貸類股，我絕對是舉雙手贊成的。

現在美國還有1,372家儲貸機構尚未上市，若閣下附近就有，趕快去開個戶吧！假如你有5萬美元，就拿1,000美元到50家未上市儲貸機構開戶，撿便宜的機會更多！在併購熱潮帶動下，我認為所有儲貸機構最後都會上市。

# 新聞快訊

就在本書即將出版前夕，美國儲貸機構監管局下令暫停儲貸機構股票上市。原因是有部分主管及董事濫用職權，以不公平價格取得股票，有些甚至拿乾股。因此政府暫時禁止儲貸機構股票上市，準備在國會舉行公聽會，檢討上市程序以杜絕不法圖利。

我當然贊成上市過程更公開、公平，歷次儲貸機構上市，大概只有2%存款戶會認購股票，其他98%反把財神爺推出門外。我想，如果法規修改，內部人員再也不能白吃午餐，儲貸機構就能再進行上市作業。

國家圖書館出版品預行編目資料

彼得林區征服股海 / 彼得・林區（Peter Lynch）、約翰・羅斯查得（John Rothchild）著；陳重亨、郭淑娟譯.
-- 四版. -- 臺北市：財信, 2013.08
面；公分. --（投資理財；162）
譯自：Beating the Street
ISBN 978-986-6165-83-2（平裝）
1.證券投資 2.證券市場 3.美國 4.手冊

563.53 102011051



IF162

# 彼得林區征服股海

作者・彼得 林區 Peter Lynch、約翰 羅斯查得 John Rothchild｜譯者・陳重亨、郭淑娟｜總編輯・楊森｜主編・陳盈華｜視覺設計・陳文德｜校對・呂佳真｜行銷企劃・呂鈺清｜發行部・黃坤玉、賴曉芳
出版者・財信出版有限公司 10444 台北市中山區南京東路一段 52 號 11 樓｜訂購專線・886-2-2511-1107 / 訂購傳真・886-2-2511-0185｜郵撥・50052757 財信出版有限公司｜部落格・http://wealthpress.pixnet.net/blog｜FACEBOOK・http://www.facebook.com/wealthpress｜印製・中原造像股份有限公司｜總經銷・聯合發行股份有限公司 23145 新北市新店區寶橋路 235 巷 6 弄 6 號 2 樓 / 電話 886-2-2917-8022
四版一刷・2013 年 8 月｜定價・400 元｜